Do Diagnóstico ao Tratamento
SONO

- Manual de Métodos Diagnósticos em Medicina do Sono
- Sono – Do Diagnóstico ao Tratamento

Série Sono

Do Diagnóstico ao Tratamento

SONO

Coordenador da Série
Luciano Ribeiro Pinto Junior

Editores
Luciano Ribeiro Pinto Junior
Andrea Frota Bacelar Rego

EDITORA ATHENEU	São Paulo	—	Rua Maria Paula, 123, 13º andar – Conjuntos 133 e 134 Tel.: (11) 2858-8750 E-mail: atheneu@atheneu.com.br
	Rio de Janeiro	—	Rua Bambina, 74 Tel.: (21) 3094-1295 E-mail: atheneu@atheneu.com.br

PRODUÇÃO EDITORIAL/CAPA: Equipe Atheneu
DIAGRAMAÇÃO: MWS Design

CIP-BRASIL. Catalogação na Publicação
Sindicato Nacional dos Editores de Livros, RJ

P728s

    Pinto Júnior, Luciano Ribeiro
        Sono : do diagnóstico ao tratamento / editores Luciano Ribeiro Pinto Júnior, Andrea Frota Bacelar Rego ; coordenador da série Luciano Ribeiro Pinto Júnior. - 1. ed. - Rio de Janeiro : Atheneu, 2020.
        ; 24 cm. (Sono)

    Inclui bibliografia e índice
    ISBN 978-85-388-1063-6

    1. Medicina (Neurologia). 2. Sono. 3. Distúrbios do sono. I. Rego, Andrea Frota Bacelar. II. Título. III. Série.

19-61055   CDD: 616.8498
                            CDU: 616.8-009.836

Meri Gleice Rodrigues de Souza - Bibliotecária CRB-7/6439

31/10/2019   06/11/2019

Coordenador da Série/Editores

- **Luciano Ribeiro Pinto Junior**

Neurologista e Médico do Sono pela Academia Brasileira de Neurologia – ABN. Neurofisiologista Clínico pela Sociedade Brasileira de Neurofisiologia Clínica – SBNC. Mestre em Neurologia pela Universidade de São Paulo – USP. Doutor em Ciência pela Universidade Federal de São Paulo – Unifesp. Coordenador da Unidade de Medicina do Sono do Hospital Alemão Oswaldo Cruz.

- **Andrea Frota Bacelar Rego**

Doutora em Neurologia pela Universidade Federal do Estado do Rio de Janeiro – UNIRIO. Especialista em Neurologia pela Academia Brasileira de Neurologia – ABN. Especialista em Medicina do Sono pela Associação Médica Brasileira – AMB. Especialista em Neurofisiologia Clínica pela Sociedade Brasileira de Neurofisiologia Clínica – SBNC. Presidente da Associação Brasileira do Sono – ABS – Biênio 2018-2019. Diretora Médica da Carlos Bacelar Clínica.

Colaboradores

■ **Álvaro Pentagna**

Mestre em Ciências pelo Departamento de Psiquiatria da Faculdade de Medicina da Universidade de São Paulo – FMUSP. Médico Responsável pelo Ambulatório de Sono do Departamento de Neurologia do Hospital das Clínicas da Faculdade de Medicina da Universidade de São Paulo – HCFMUSP. Coordenador de Neurologia Clínica dos Hospitais Rede D'Or Vila Nova Star e São Luiz – Unidade Itaim.

■ **Claudia Moreno**

Graduada em Biologia, Mestre e Doutora em Saúde Pública. Professora-Associada e Chefe do Departamento de Saúde Ciclos da Vida e Sociedade da Faculdade de Saúde Pública da Universidade de São Paulo – FSP-USP. Professora-Visitante do Stress Research Institute, Universidade de Estocolmo, Suécia. Secretária da Working Time Society. Vice-Presidente da Associação Brasileira de Sono – ABS. Presidente da Comissão de Relações Internacionais da FSP-USP e Vice-Coordenadora do Dinter entre FSP-USP e Uncisal-AL. Atua em Cronobiologia e Saúde Pública, com Estudos sobre Sono, Ritmos Biológicos, Problemas Cardiovasculares, Metabolismo e Nutrição.

■ **Fernando Morgadinho Santos Coelho**

Neurologista e Especialista em Medicina do Sono. Mestre e Doutor pela Universidade Federal de São Paulo – Unifesp. Pós-Doutorado pela Universidade de Toronto. Professor Adjunto da Disciplina de Neurologia pela Unifesp.

■ **Gabriel Natan Pires**

Biomédico, pela Universidade Federal de Ciências da Saúde de Porto Alegre – UFCSPA. Mestre e Doutor em Psicobiologia pela Universidade Federal de São Paulo – Unifesp. Professor-Assistente de Fisiologia na Faculdade de Ciências Médicas da Santa Casa de Misericórdia de São Paulo – FCMSCSP. Pesquisador no Instituto do Sono.

■ **George do Lago Pinheiro**

Médico da Unidade do Sono do Hospital Alemão Oswaldo Cruz. Medicina do Sono pela Faculdade de Medicina da Universidade de São Paulo – FMUSP. Membro Titular da Associação Brasileira do Sono – ABS. Doutorando em Ciências pela FMUSP.

Geraldo Lorenzi Filho
Professor Livre-Docente da Disciplina de Pneumologia do Instituto do Coração do Hospital das Clínicas da Faculdade de Medicina da Universidade de São Paulo – InCor-HCFMUSP. Diretor do Laboratório do Sono, Disciplina de Pneumologia do InCor-HCFMUSP.

Geraldo Nunes Vieira Rizzo
Título de Especialista em Neurologia pela Associação Médica Brasileira – AMB e pela Academia Brasileira de Neurologia – ABN. Título de Especialista em Neurofisiologia pela AMB e pela Sociedade Brasileira de Neurofisiologia Clínica – SBNC. Título de Especialista em Medicina do Sono pela AMB e pela Associação Brasileira do Sono – ABS. Médico do Serviço de Neurologia e Neurocirurgia do Hospital Moinhos de Vento. Coordenador do Centro de Distúrbios do Sono do Hospital Moinhos de Vento.

Gisele Minhoto
Psiquiatra pela Associação Brasileira de Psiquiatria – ABP e Neurofisiologista Clínica pela Sociedade Brasileira de Neurofisiologia Clínica – SBNC. Doutora em Ciências pela Escola Paulista de Medicina da Universidade Federal de São Paulo – EPM-Unifesp. Professora Titular da Escola de Medicina da Pontifícia Universidade Católica do Paraná – PUCPR.

Günther Johannes Lewczuk Gerhardt
Graduado em Física (Bacharelado) pela Universidade Federal do Rio Grande do Sul – UFRGS. Mestrado e Doutorado em Física pela UFRGS. Professor da Universidade de Caxias do Sul – UCS. Experiência em Análise de Biossinais e Biossequências (EEG, em particular, além de DNA).

John Fontenele-Araujo
Médico graduado pela Universidade Federal do Piauí – UFPI. Doutorado em Neurociência e Comportamento pela Universidade de São Paulo – USP. Professor Titular do Departamento de Fisiologia e Comportamento da Universidade Federal do Rio Grande do Norte – UFRN e Pesquisador 1C do CNPq. Ex-Diretor da Associação Brasileira de Sono – ABS e Ex-vice-presidente da Sociedade Brasileira de Neurociência e Comportamento – SBNC.

Joshua Martin
Instituto do Cérebro, Universidade Federal do Rio Grande do Norte – UFRN. Programa de Pós-Graduação em Psicobiologia, Departamento de Fisiologia da UFRN.

Katie Moraes Almondes
Psicóloga. Professora-Associada do Departamento de Psicologia e do Programa de Pós-Graduação em Psicobiologia da Universidade Federal do Rio Grande do Norte – UFRN. Mestrado e Doutorado em Psicobiologia e Pós-Doutorado em Medicina Molecular pela Universidade Federal de Minas Gerais – UFMG e em Personalidad, Evaluación y Tratamiento Psicológico pela Universidade de Salamanca, Espanha. Psicóloga do Sono certificada pela Associação Brasileira do Sono – ABS e Sociedade Brasileira de Psicologia – SBP. Presidente da ABS, seção RN. Presidente da Sociedade Brasileira de Neuropsicologia – SBNp, seção RN. Membro da Comissão de Psicologia do Sono na ABS.

Representante da Psicologia do Sono na SBP. Coordenadora do Ambulatório de Sono (AMBSONO) e do Serviço de Neuropsicologia do Envelhecimento (SENE) no Hospital Universitário Onofre Lopes na UFRN. Coordenadora do Grupo de Pesquisa Neurociências Aplicadas, Processos Básicos e Cronobiologia (GpNaPbC).

- **Leila Azevedo de Almeida**

Especialista em Neurologia pela Academia Brasileira de Neurologia – ABN. Especialista em Neurofisiologia pela Sociedade Brasileira de Neurofisiologia Clínica – SBNC. Especialista em Medicina do Sono pela Associação Médica Brasileira – AMB e pela Associação Brasileira do Sono – ABS. Doutora em Neurologia pela Faculdade de Medicina de Ribeirão Preto da Universidade de São Paulo – FMRPUSP. Médica Assistente do Hospital das Clínicas da Faculdade de Medicina de Ribeirão Preto da Universidade de São Paulo – HCFMRPUSP.

- **Leonardo Ierardi Goulart**

MD, Hospital Israelita Albert Einstein – HIAE.

- **Letícia Maria Santoro Franco Azevedo Soster**

Neuropediatra, Neurofisiologista Clínica e Médica do Sono. Doutora em Ciências pela Universidade de São Paulo – USP. Responsável pelo Laboratório de Sono Infantil do Instituto da Criança do Hospital das Clínicas da Faculdade de Medicina da Universidade de São Paulo – ICr-HCFMUSP. Neurofisiologista Clínica da Polissonografia do Hospital Israelita Albert Einsten – HIAE.

- **Lia Rita Azeredo Bittencourt**

Médica Pneumologista com Área de Atuação em Medicina do Sono. Professora-Associada e Livre-Docente de Medicina e Biologia do Sono da Universidade Federal de São Paulo – Unifesp. Pró-Reitora de Pós-Graduação e Pesquisa da Unifesp.

- **Manoel Alves Sobreira Neto**

Médico Neurologista com Atuação em Medicina do Sono e Neurofisiologia Clínica. Doutor em Neurologia pela Faculdade de Medicina de Ribeirão Preto da Universidade de São Paulo – FMRPUSP. Professor da Faculdade de Medicina da Universidade Federal do Ceará – UFC. Coordenador do Ambulatório Interdisciplinar de Sono do Hospital Universitário Walter Cantídeo.

- **Monica Levy Andersen**

Professora-Associada, Livre-Docente do Departamento de Psicobiologia da Universidade Federal de São Paulo – Unifesp.

- **Pedro Rodrigues Genta**

Doutorado em Pneumologia/Medicina do Sono pela Faculdade de Medicina da Universidade de São Paulo – FMUSP. Pós-Doutorado pela University of Harvard, Division of Sleep Medicine. Especialista em Medicina do Sono pela Associação Médica Brasileira – ABS. Médico Assistente Doutor do Laboratório do Sono – Serviço de Pneumologia do Instituto do Coração do Hospital das Clínicas da Faculdade de Medicina da Universidade de São Paulo – InCor-HCFMUSP.

Rafaela Boaventura Martins
Médica Pneumologista pela Escola Paulista de Medicina da Universidade Federal de São Paulo – EPM-Unifesp.

Raimundo Nonato Delgado Rodrigues
Professor Adjunto da Faculdade de Medicina da Universidade de Brasília – UnB. Especialista em Medicina do Sono pela Associação Médica Brasileira – AMB e pela Associação Brasileira do Sono – ABS. Membro Titular da Academia Brasileira de Neurologia – ABN.

Rosa Hasan
Médica Neurologista e Especialista em Medicina do Sono pela Associação Médica Brasileira – ABM. Coordenadora do Laboratório de Sono e Ambulatório de Sono (ASONO) do Instituto de Psiquiatria do Hospital das Clínicas da Faculdade de Medicina da Universidade de São Paulo – IPq-HCFMUSP.

Rosana Cardoso Alves
Neurologista. Doutora em Neurologia pela Faculdade de Medicina da Universidade de São Paulo – FMUSP. Diretora Tesoureira na Associação Brasileira do Sono – ABS, biênio 2018-2019. Coordenadora do Grupo de Neurofisiologia Clínica, Fleury Medicina e Saúde.

Sérgio Arthuro Mota-Rolim
Graduação em Medicina pela Universidade Federal do Rio Grande do Norte – UFGR, com iniciação científica na área de sono, memória e ansiedade. Mestrado em Psicobiologia pela Universidade Federal de São Paulo – Unifesp, trabalhando com a influência dos ritmos biológicos no sono e na memória. Doutorado em Neurociências pela UFRN, investigando os aspectos epidemiológicos, cognitivo-comportamentais e neurofisiológicos do sonho lúcido. Pós-Doutorado no Instituto do Cérebro e no Laboratório do Sono do Hospital Universitário Onofre Lopes – UFRN, pesquisando um novo medicamento para o tratamento para depressão refratária, bem como as bases neurobiológicas da percepção musical.

Sergio Tufik
Graduação em Medicina pela Faculdade de Ciências Médicas da Santa Casa de Misericórdia de São Paulo – FCMSCSP. Mestrado em Fisiologia pela Faculdade de Medicina de Ribeirão Preto da Universidade de São Paulo – FMRPUSP. Doutorado em Psicofarmacologia pela Escola Paulista de Medicina da Universidade Federal de São Paulo – EPM-Unifesp. Professor Titular Aposentado do Departamento de Psicobiologia da Unifesp.

Sidarta Ribeiro
Instituto do Cérebro, Universidade Federal do Rio Grande do Norte – UFRN. Programa de Pós-Graduação em Psicobiologia, Departamento de Fisiologia da UFRN.

- **Sônia Maria Guimarães Pereira Togeiro**

Médica Pneumologista com Área de Atuação em Medicina do Sono. Mestrado e Doutorado em Pneumologia pela Universidade Federal de São Paulo – Unifesp. Professora Afiliada da Disciplina de Medicina e Biologia do Sono da Unifesp. Médica da Disciplina de Clínica Médica e Medicina Laboratorial da Unifesp.

- **Suzana Veiga Schönwald**

Especialista em Neurofisiologia Clínica e Medicina do Sono. Doutora em Medicina – Clínica Médica pela Universidade Federal do Rio Grande do Sul –UFRGS. Serviço de Neurologia do Hospital das Clínicas de Porto Alegre – HCPA.

- **Veralice Meireles de Bruim**

Professora de Neurologia da Faculdade de Medicina da Universidade Federal do Ceará – UFC. Residência em Neurologia no Hospital das Clínicas da Faculdade de Medicina da Universidade de São Paulo – HCFMUSP. Mestrado em Neurologia pela Universidade Federal de São Paulo – Unifesp. Doutorado em Ciências pela Unifesp. Pós-Doutorado pela Unifesp. Pesquisadora CNPq.

Prefácio

É com muita honra e gratidão que venho apresentar este livro – *Sono – Do Diagnóstico ao Tratamento*, que apresenta o assunto de maneira objetiva, atualizada e contextualizada com o dia a dia daqueles que pesquisam, ensinam e atendem pessoas com distúrbios do sono.

Todo projeto para ser bem-sucedido depende de vários fatores, mas, considero que a equipe profissional envolvida é a base estrutural para que se alcance a meta estabelecida. Nesta obra, não há dúvida de que a equipe foi primorosamente escolhida. Começando pelos Editores, Dr. Luciano Ribeiro Pinto Junior, atual editor-chefe da revista *Sono*, e a Dra. Andrea Frota Bacelar Rego, atual presidente da Associação Brasileira do Sono. Ambos são pioneiros e incansáveis defensores na área de pesquisa, ensino, atendimento e divulgação do conhecimento do sono em toda a sua abrangência, quer seja no âmbito da pesquisa básica e clínica, como também no que tange a mecanismo de geração e fisiologia do sono, métodos de registro, diagnósticos e tratamento dos distúrbios do sono. Somado aos Editores desta obra, encontramos uma equipe de pesquisadores, professores e profissionais atuantes e com vasta experiência na área de Sono e Cronobiologia, que imprimem aqui nas páginas deste texto as suas identidades de maneira precisa, profunda e atualizada.

O sono e seus distúrbios sempre foram alvo de curiosidade e pesquisa ao longo dos tempos. Uma das grandes barreiras para prevenir, diagnosticar e tratar uma pessoa que sofre com um distúrbio do sono está no desconhecimento dos profissionais envolvidos com a saúde e educação sobre a existência dessa problemática.

Esta obra, portanto, vem com esse objetivo, o de apresentar aos interessados de como o sono se estrutura, sua fisiologia, métodos diagnósticos e apresentações e tratamentos dos principais distúrbios do sono, ritmo circadiano, transtornos do movimento relacionados com o sono, parassonias, até o estudo neurológico e psicológico, não deixando de lado o fascinante mundo dos sonhos.

Tenho certeza de que esta leitura enriquecerá a vigília, o sono e os sonhos de todos aqueles que a ela se dedicarem.

Lia Rita Azeredo Bittencourt

Apresentação

É com muita alegria que estamos entregando o segundo volume da *Série Sono*. Após o sucesso de *Métodos Diagnósticos*, partimos para um livro com maior abordagem clínica, envolvendo todas as áreas da Medicina do Sono. A parceria com a Editora Atheneu e Associação Brasileira do Sono (ABS) surtiu bons resultados, principalmente agora com a Dra. Andrea Bacelar colaborando na elaboração desta obra, *Sono – Do Diagnóstico ao Tratamento*.

Agradeço de todo coração a todos os colaboradores pelo trabalho hercúleo empenhado na elaboração deste livro.

Queridos colegas, recebam com carinho este nosso novo companheiro. Boa leitura!

Luciano Ribeiro Pinto Junior

Sumário

1 Estrutura do Sono 1
Suzana Veiga Schönwald
Günther Johannes Lewczuk Gerhardt

2 Fisiologia do Sono 9
Gabriel Natan Pires
Monica Levy Andersen
Sergio Tufik

3 Métodos Diagnósticos 27
Letícia Maria Santoro Franco Azevedo Soster
Leila Azevedo de Almeida
Manoel Alves Sobreira Neto

4 Insônia 55

    4.1 Conceito de Insônia 55
        Rosa Hasan

    4.2 Etiopatogenia do Transtorno da Insônia 57
        Raimundo Nonato Delgado Rodrigues
        Andrea Frota Bacelar Rego
        Luciano Ribeiro Pinto Junior
        Geraldo Nunes Vieira Rizzo

    4.3 Diagnóstico 64

        4.3.1 Diagnóstico das Insônias, 64
            Gisele Minhoto
            Veralice Meireles de Bruim
            Luciano Ribeiro Pinto Junior

   4.3.2 Insônias e suas Interfaces, 73
     Luciano Ribeiro Pinto Junior
     George do Lago Pinheiro

  4.4 Tratamento da Insônia 84

   4.4.1 Tratamento Farmacológico da Insônia, 84
     Andrea Frota Bacelar Rego
     Álvaro Pentagna

   4.4.2 Tratamento Não Farmacológico da Insônia, 105
     Katie Moraes de Almondes

  4.5 Insônia na Infância..118
    Leila Azevedo de Almeida
    Rosana Cardoso Alves

5 Transtornos do Ritmo Circadiano...127
 John Fontenele-Araujo
 Claudia Moreno

6 Transtornos do Movimento Relacionados com o Sono.....................143
 Raimundo Nonato Delgado Rodrigues
 Leonardo Ierardi Goulart

7 Parassonias..163
 Geraldo Nunes Vieira Rizzo
 Luciano Ribeiro Pinto Junior

8 Transtornos Respiratórios 179

  8.1 Transtornos Respiratórios Relacionados com o Sono.................179
    Lia Rita Azeredo Bittencourt
    Pedro Rodrigues Genta
    Geraldo Lorenzi Filho

  8.2 Apneia Central do Sono e Respiração de Cheyne-Stokes............187
    Rafaela Boaventura Martins
    Sônia Maria Guimarães Pereira Togeiro

9 Hipersonias 195
Fernando Morgadinho Santos Coelho

10 Sonhos – Neurobiologia, Psicopatologia e Outros Estados da Consciência.....203
Sérgio Arthuro Mota-Rolim
Joshua Martin
Sidarta Ribeiro

Índice Remissivo, 223

Estrutura do Sono 1

Suzana Veiga Schönwald
Günther Johannes Lewczuk Gerhardt

1. Introdução

Em um de seus belos contos de fadas, Andersen descreve um cenário que se aplica bem ao sono humano. Conta ele que, enquanto os humanos dormem à noite, os insetos da floresta reúnem-se para festejar. Com suas patinhas hábeis, tecem e constroem, a cada noite, castelos, pontes, estandartes; magníficas estruturas que se cobrem de orvalho e, iluminadas pela lua, enchem-se de reflexos coloridos. Ali, os minúsculos seres da floresta dançam, cantam e celebram. Eis que chega a alvorada; a trama rica e elaborada estremece e rompe-se com o calor do sol e as brisas fortes. Restarão meros farrapos dos castelos magníficos; a esses, na sua ignorância, os humanos chamarão de teias de aranhas, sem sequer imaginar as construções maravilhosas que lhes deram origem[1].

Assim parece a estrutura do sono humano: rica e bela, mas complexa e elusiva. O conjunto de informações que orientam nosso entendimento do sono deriva de uma vasta gama de estudos, desde observações não controladas em animais, passando por estudos eletrofisiológicos elegantes de bancada de laboratório, chegando a ensaios intervencionais em humanos e incluindo, mais recentemente, estudos de neuroimagem funcional, sem que se possa jamais capturar completamente a essência de um estado fisiológico que é, justamente, imerso em inconsciência. Apresentamos aqui um resumo seletivo dos principais aspectos da estrutura do sono humano, divididos, respectivamente, em "macro", "micro" e "meso" estrutura do sono.

2. Macroestrutura – a arquitetura geral do sono

Segundo a classificação proposta por Dement e Kleitmann, em 1957, e aceita até os dias de hoje, o sono humano é dividido em dois estados fisiológicos bem distintos: um estado caracterizado por atonia muscular, movimentos oculares rápidos e ocorrência frequente de sonhos, denominado sono REM (*Rapid Eye Movements*), e um estado denominado sono não REM (NREM), com diferentes graus de profundidade (NREM I, II, III e IV)[2]. O referencial para essa classificação em diferentes estágios é a análise visual sequencial da informação obtida por meio do registro de um conjunto de variáveis eletrofisiológicas (eletroencefalograma, movimentos oculares e tônus da musculatura submentoniana). Para fins de estagiamento do sono na prática clínica, os estágios de sono mais profundo (NREM III e IV, também denominados de sono de ondas lentas) são atualmente combinados em um estágio único, denominado N3[3].

A entrada em sono se dá de forma suave, e existe uma variabilidade considerável na forma como os diferentes processos fisiológicos ocorrerão na transição vigília-sono. Uma regra consistente é que, em adultos, a entrada em sono acontece a partir de sono NREM. A ocorrência do primeiro estágio de sono REM (latência para o sono REM) costuma ser no mínimo após 80 minutos de sono, considerando-se inequivocamente anormal uma entrada muito precoce em sono REM (abaixo de 15 minutos). Períodos de sono NREM e REM alternam-se ao longo da noite, organizados em ciclos (tipicamente, para um adulto jovem, quatro ou cinco ciclos), intercalados, às vezes, por breves períodos de vigília. Cada ciclo de sono tem uma duração aproximada de noventa minutos, mas a distribuição dos estágios dentro dos ciclos é variável, de tal forma que o sono N3 predomina no primeiro terço da noite e o sono REM, no último terço. Já o sono mais prevalente (N2) distribui-se de forma equilibrada ao longo da noite. Convencionalmente, a representação gráfica dos estágios de sono é feita por um histograma denominado "hipnograma" (mas existem outras maneiras de representar a estrutura de uma noite de sono). O hipnograma sintetiza a maior parte das informações da arquitetura do sono que são valorizadas na prática clínica (latências, proporções e grau de alternância dentre os diversos estágios de sono), permitindo uma visualização rápida da arquitetura do sono de uma noite inteira. A Figura 1.1A ilustra um hipnograma típico de uma noite de sono de um adulto jovem normal. A Tabela 1.1 apresenta o conjunto principal de informações que resumem a arquitetura (macroestrutura) característica do sono de adultos jovens.

A estrutura do sono sofre mudanças importantes ao longo da vida. Inicialmente, o sono é mais fragmentado, e consolida-se gradualmente ao longo do primeiro ano de vida. Ao contrário do adulto, a criança até um ano de idade tende a iniciar o sono a partir de sono REM, e os ciclos de sono são mais curtos (50-60 min.). Entretanto, as mudanças mais notáveis relativas à idade ocorrem na quantidade e intensidade do sono N3. O sono profundo é mais intenso e prevalente nas crianças e reduz-se com a idade, especialmente a partir da adolescência. Nos idosos, o sono tende a ser mais superficial e fragmentado, com maiores proporções de N1 e menores proporções de N3[3]. A seguir, descrevemos as principais características eletrofisiológicas dos diversos estágios de sono:

W – Vigília: estado desperto. Em geral, ocupa menos de 5% do período de sono de um adulto jovem normal. Costumam ocorrer movimentos palpebrais e movimentos oculares rápidos. O EEG contém atividade alfa e/ou atividade de frequências mistas de baixa amplitude.

N1: estágio de sono NREM mais superficial. A atividade eletrencefalográfica é composta por frequências mistas de voltagem relativamente baixa, sem movimentos oculares rápidos, com movimentos oculares lentos.

N2: estágio de sono NREM intermediário. Caracterizado por pequenas oscilações de 12 Hz a 14 Hz no traçado eletrencefalográfico (chamadas de fusos de sono, ou *spindles*) e complexos K (oscilações muito amplas e lentas, bi ou polifásicas). Estas estruturas aparecem com frequência sobre um fundo de oscilações de baixa amplitude.

N3: estágio de sono NREM profundo. Caracteriza-se, principalmente, pela presença de quantidades moderadas (20% a 50%) ou elevadas (acima de 50%) de atividades de ondas muito lentas (0,5 a 2 Hz), com alta amplitude (mínimo de 75 µV), correspondendo, respectivamente, aos estágios fisiológicos NREM 3 e 4. No estágio 4, o limiar para despertar é o mais alto do sono.

Sono REM: denominação baseada na característica mais marcante deste estado fisiológico, que é a presença dos *Rapid Eye Movements*, ou Movimentos Oculares Rápidos, que ocorrem de forma episódica. O EEG apresenta frequências mistas com voltagem relativamente baixa, e o tônus muscular submentoniano tem amplitude baixa. Além disso, observam-se oscilações denominadas ondas em dente de serra, que, apesar de não serem consideradas necessárias para a identificação do sono REM, ocupam de 1% a 13% do tempo despendido em sono REM[5].

TABELA 1.1
Principais informações que resumem a arquitetura do sono humano

Estrutura do sono noturno (adulto jovem)	
Entrada em sono típica	NREM 1
Latência para o sono	20 min
Ciclos de sono	4-5
Duração aproximada dos ciclos	90-110
Eficiência	≥ 85%
Latência para o sono R	90
% N1	2-5
% N2	45-55
% N3	10-20
% R	20-25

Valores aproximados, havendo grande variabilidade normal. Latência: tempo até o início do sono; Ciclo: um trecho completo de sono NREM+REM; Eficiência: tempo de sono referente ao período de sono; R: sono REM; N1: sono NREM 1; N2: sono NREM 2; N3: sono NREM 3.

Elaborado com base em[2].

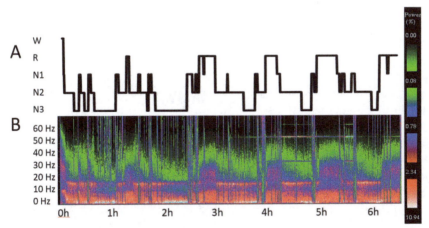

FIGURA 1.1 – A) Hipnograma representativo de uma noite de sono normal para um adulto jovem. W: vigília; R: sono REM; N1: sono NREM1; N2: sono NREM 2; N3: sono NREM 3. B) Espectrograma representativo das distribuições de frequência espectral para a mesma noite de sono, obtida por transformada janelada de Fourier (WFT, janelas contíguas de 30s) para o canal de EEG C3-A2. No eixo horizontal, está representada a passagem do tempo em horas. No eixo vertical está a variação das frequências. As cores denotam a "intensidade", ou seja, densidade espectral relativa em cada faixa de frequência, em uma escala logarítmica. Note-se, por exemplo, a intensidade da banda sigma (relacionada com a produção de fusos de sono) em sono N2 e a distribuição ampla de frequências em sono REM.

3. Microestrutura – a estrutura fina do sono

Podemos considerar como fazendo parte da microestrutura do sono informações que podem ser obtidas por meio do sinal de EEG, mas que não podem ser representadas em um hipnograma convencional, devido à sua alta resolução temporal. Quando um especialista técnico analisa um exame de sono para realizar o seu estagiamento, ainda que não o perceba, ele estará procedendo a uma sofisticada análise visual quantitativa da estrutura fina, ou microestrutura, do sono. Isso porque as mudanças que ocorrem na atividade de base do sinal de EEG ao longo da noite, ou seja, no seu conteúdo espectral (distribuição de frequências predominantes), juntamente com a distribuição de elementos fásicos (ou seja, de ocorrência intermitente, denominados grafoelementos caracterizadores do sono), formam a base da classificação do sono em estágios. Como exemplo, temos a presença de fusos e complexos K em sono N2, e de ondas em dente de serra em sono REM. A microestrutura do sono é rica nesses grafoelementos, que são epifenômenos de processos fisiológicos subjacentes[6]. Acredita-se que estejam relacionados com mecanismos protetores do sono, reações de despertar, respostas evocadas a estímulos e processamento de informação durante o sono[7]. A Figura 1.2 ilustra alguns exemplos de grafoelementos normais do sono humano. A seguir, descrevemos algumas das principais características eletrofisiológicas dos grafoelementos próprios do sono[8]:

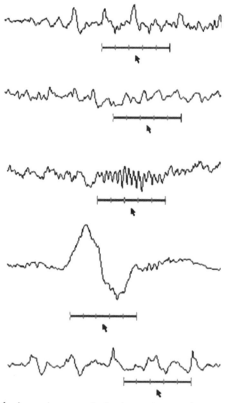

FIGURA 1.2 – Exemplos de grafoelementos caracterizadores do sono humano normal. A) Onda vértex; B) potenciais occipitais positivos do sono; C) fuso de sono; D) complexo K; E) ondas em dente de serra.

Onda aguda do vértex: potencial agudo, máximo no vértex, negativo em relação a outras áreas, ocorrendo isolado ou em salvas, com amplitude de voltagem variável, mas geralmente acima de 250 µV. Ocorrência predominante nos estágios mais superficiais de sono NREM.

Potencial occipital positivo do sono (POST): Potencial agudo máximo nas regiões occipitais, positivo em relação a outras áreas, ocorrendo isolado ou em salvas, com amplitude variável, geralmente abaixo de 50 µV.

Fuso de sono: surtos de atividade eletrencefalográfica fusiforme entre 11,5Hz e 15Hz, durando 0,5 a 1,5s. Os surtos são geralmente difusos, mas com maior voltagem nas áreas centrais da cabeça. A amplitude fica geralmente abaixo de 50µV em adultos. Estas ondas são um dos achados identificadores do estágio 2 de sono NREM; podem persistir nos estágios mais profundos, mas geralmente não são vistas em sono REM.

Complexo K: uma onda eletrencefalográfica aguda, bifásica, seguida por uma onda lenta de alta voltagem. O complexo dura no mínimo 0,5s e pode se acompanhar de um fuso de sono. Complexos K ocorrem espontaneamente durante o sono NREM e, juntamente com os fusos de sono, definem o estágio 2. São considerados como respostas evocadas a estímulos internos. Complexos K podem também ser desencadeados durante o sono por estímulos externos (especialmente auditivos).

Ondas em dente de serra: ondas com duração média aproximada de 250 ms e frequência entre 2 e 5 Hz, usualmente ocorrendo em salvas, com um ângulo maior que 80 graus em relação à linha de base e amplitude de 20 a 100 µV; apresentam uma ascensão lenta até um pico negativo, seguida de um declínio linear abrupto, terminando em um pico positivo. São mais proeminentes no vértex, com polaridade positiva na superfície e captadas de forma bilateral, simétrica e sincrônica nas áreas fronto-centrais.

As variações que ocorrem no conteúdo espectral do EEG ao longo de uma noite de sono podem ser visualizadas de maneira compacta em um gráfico denominado espectrograma[9]. Um exemplo encontra-se ilustrado na Figura 1.1B. Em um espectrograma de sono de noite inteira é possível reconhecer facilmente, por exemplo, atividade do tipo alfa (8-13 Hz) predominando em vigília, atividade sigma (12-15 Hz, característica dos fusos de sono) proporcionalmente mais ampla em sono N2, e atividades mais lentas, na faixa delta (abaixo de 3,5 Hz) predominando nos estágios mais profundos de sono. Já em sono REM, observa-se uma variação ampla de frequências, incluindo atividades mais rápidas, na faixa beta (acima de 20 Hz). Também é possível discernir uma transição rápida entre os estados de sono NREM e sono REM, e suave entre os estágios de sono NREM[10].

Além disso, a continuidade do sono costuma ser interrompida por breves despertares, ou microdespertares, que são definidos como modificações abruptas na frequência do EEG, podendo incluir atividade teta, alfa e beta (acima de 16 Hz), com pelo menos 3 segundos de duração[11]. Microdespertares são considerados episódios de ativação cortical transitória, e costumam estar acompanhados por algum grau de ativação autonômica, como por exemplo, uma taquicardia transitória. Os microdespertares geralmente passam despercebidos pelo próprio indivíduo. Entretanto, uma fragmentação excessiva do sono pode causar uma sensação de sono não reparador. Tipicamente, para um adulto jovem, a prevalência média de microdespertares fica ao redor de 5 a 15/h de sono.

4. Mesoestrutura – o padrão alternante cíclico do sono

Embora pouco utilizado neste contexto, o termo "mesoestrutura" pode auxiliar no entendimento de um padrão de sono bastante estudado em anos recentes, denominado padrão alternante cíclico[12,13]. Ao inspecionar o sono de uma noite inteira, é possível reconhecer a existência de padrões eletrofisiológicos estereotipados, que se alternam dentro de um mesmo ciclo e estágio de sono. Por exemplo, dentro do mesmo período de sono N2, poderá haver um trecho, durante vários minutos, em que predominam fusos de sono, mas os complexos K são escassos e estão ocorrendo de forma isolada; em seguida, haverá outro trecho, também durante vários minutos, com escassez quase completa de fusos de sono, porém, com complexos K abundantes e agrupados em "salvas" (sequências). Acredita-se que tais trechos correspondam, respectivamente, a períodos com menor e maior instabilidade fisiológica do sono, durante os quais a predisposição para despertar será diferenciada. Os períodos de instabilidade são caracterizados pela presença de elementos denominados complexos de despertar. Estes englobam os microdespertares, as salvas de complexos K, os surtos de ondas delta de grande amplitude, com ou sem atividade alfa sobreposta, e complexos K-alfa e K-delta.

5. Considerações finais

Ao analisarmos a estrutura do sono humano, é possível perceber com muita clareza a presença de oscilações que ocorrem em diferentes ordens de grandeza temporal, enfim, padrões fisiológicos que se alternam ao longo do tempo em questão de segundos, minutos, horas, dias ou prazos até maiores. Essa característica oscilatória de ritmos dentro de ritmos é muito própria da atividade biológica de um modo geral, e isso faz com que o sono humano acabe se constituindo em um ponto observatório verdadeiramente privilegiado dos mistérios da natureza, capaz de causar vertigens nos mais calejados pesquisadores. Se tomarmos como exemplo um dos principais elementos caracterizadores da estrutura do sono humano, como é o caso do fuso de sono, e o analisarmos detalhadamente do ponto de vista eletrofisiológico, poderemos acompanhar a ocorrência desses fenômenos oscilatórios em níveis crescentemente menores – as pequenas ondas que formam um fuso, as sequências de disparos elétricos que dão origem a cada pequena onda, as trocas iônicas de membrana neuronal que dão origem a cada disparo – enfim, níveis cada vez mais microscópicos, até os limites do conhecimento atômico. Como não se deixar contagiar por um tema tão fascinante?

■ Referências bibliográficas

1. Andersen, HC. The Complete Fairy Tales. Hertfordshire, Wordsworth Editions Limited, 2009.
2. Carskadon M, Dement WC. Normal Human Sleep: An Overview. In: Principles and Practice of Sleep Medicine Sixth Edition (Krieger MH, Roth T, Dement WC, eds). Philadelphia, PA: Elsevier 2017, 15-24.
3. ASDA, American Sleep Disorders Association; The International Classification of Sleep Disorders, revised. Diagnostic and Coding Manual. Minesota: Davies Printing Co., 1997.
4. Mitterling T, Högl B, Schönwald SV, Hackner H, Gabelia D, Biermayr M, et al. Sleep and Respiration in 100 Healthy Caucasian Sleepers - A Polysomnographic Study According to American Academy of Sleep Medicine Standards. Sleep 2015;38(6):867-75.
5. Pinto Jr LR, Peres CA, Russo RH, Remesar-Lopez AJ, Tufik S. Sawtooth waves during REM sleep after administration of haloperidol combined with total sleep deprivation in healthy young subjects. Brazilian Journal of Medical and Biological Research 2002;35:599-604.
6. Léger D, Debellemaniere E, Rabat A, Bayon V, Benchenane K, Chennaoui M. Slow-wave sleep: From the cell to the clinic. Sleep Medicine Reviews 2018;41:113-132.
7. Rasch B, Born J. About Sleep's Role in Memory. Physiol Rev 2013;93:681-766.
8. Chatrian GE, Bergamini L, Dondey M, Klass DW, Lenox-Buchtall M, Petersen I. A glossary of terms most commonly used by clinical electroencephalographers. Electroencephalography and Clinical Neurophysiology 1974;37:538-48.

9. Prerau MJ, Brown RE, Bianchi MT, Ellenbogen JM e Purdon PL. Sleep neurophysiological dynamics through the lens of multitaper spectral analysis. Physiology 2017;32:60-92.
10. Broughton R e Hasan J. Quantitative topographic electroencephalographic mapping during drowsiness and sleep onset. Journal of Clinical Neurophysiology 1995;12(4):372-86.
11. ASDA, American Sleep Disorders Association; Report – EG Arousals: Scoring rules and examples. Sleep 1992;15:173-84.
12. Terzano MG, Parrino L. Origin and significance of the Cyclic Alternating Pattern, Sleep Medicine Reviews 2000;4(1):101-23.
13. Terzano MG, Parrino L, Smerieri A, Chervin R, Chokroverty S, Guilleminault C et al. Atlas, rules, and recording techniques for the scoring of cyclic alternating pattern (CAP) in human sleep. Sleep Medicine 2002;3:187-99.

Fisiologia do Sono 2

Gabriel Natan Pires
Monica Levy Andersen
Sergio Tufik

1. Introdução

O ser humano dorme cerca de oito horas por noite, de modo que um terço do seu tempo de vida é dedicado ao sono. Durante esse período, diversas alterações fisiológicas ocorrem em todo o corpo, afetando diversos órgãos e sistemas, sendo possível diferenciar claramente os processos fisiológicos que ocorrem durante a vigília daqueles que tomam parte durante o sono. Ainda que as funções fisiológicas observadas na vigília e no sono compartilhem mecanismos e bases biológicas comuns, elas são substancialmente distintas quanto aos seus efeitos.

Apesar dessa distinção, nota-se que a maior parte do conhecimento sobre fisiologia atualmente disponível baseia-se nos fenômenos e atividades observados durante a vigília (fisiologia da vigília). Em contrapartida, a fisiologia do sono[1], importante a um terço do nosso tempo de vida e caracterizada por todos os fenômenos que ocorrem durante esse período, acaba por não ser igualmente abordada em cursos regulares de fisiologia e em livros textos desta disciplina. É importante notar que um conhecimento integral da fisiologia humana deve abordá-la em todas as suas conformações, tanto durante o sono quanto durante a vigília. Segundo Cardinali[1], a fisiologia humana apresenta três configurações: a vigília, o sono de ondas lentas e o sono REM[2]. Essa distinção torna a fisiologia do sono ainda mais importante, dado que duas dentre as três possíveis configurações fisiológicas são observadas especificamente enquanto dormimos.

A especificidade das funções fisiológicas, observadas em diversos sistemas do corpo durante o sono, pode ser entendida se considerarmos a gênese e controle neurológico do sono. Conforme discutido nos Capítulos 2 e 3, diversos sistemas de neurotransmissores

---
1 O termo "Fisiologia do Sono" é usado de dois modos distintos na literatura. O primeiro deles diz respeito aos mecanismos pelos quais o sono acontece, enquanto o segundo diz respeito às alterações fisiológicas ocorridas durante o período de sono (conforme utilizado nos livros-texto de Tufik (2008) e de Kryger (2017)). O presente capítulo adota a segunda definição. Para informações sobre os mecanismos envolvidos na gênese e funcionamento de sono, consulte os capítulos "Estrutura do Sono" e "Bases Neurais do Ciclo Vigília-Sono".
2 REM: Movimento rápido dos olhos. Sigla derivada do inglês: *rapid eye movement*. Esse estágio do sono é assim denominado devido à associação que apresenta com esses movimentos.

e regiões cerebrais são ativados de modo específico durante o sono. Associado a isso, o padrão de atividade cerebral altera-se durante o ciclo vigília-sono, apresentando-se de modo distinto em cada um dos seus estágios. Em geral, as funções fisiológicas de diversos sistemas acompanham essas alterações, auxiliando no entendimento dos motivos pelos quais a fisiologia do sono apresenta aspectos tão particulares.

O presente capítulo discutirá a fisiologia do sono, discutindo a interação entre o sono, seus diferentes estágios e o funcionamento de diversos sistemas fisiológicos.

2. Fisiologia do sono – aspectos gerais

Apesar da aparente quietude e passividade durante o sono, este é um período bastante peculiar e ativo do ponto de vista fisiológico. Como dito anteriormente, o sono é marcado por diversos processos fisiológicos específicos, os quais são diferentes dos observados durante a vigília. Contudo, nenhuma função fisiológica apresenta-se constante durante todo o período de sono. Elas costumam apresentar alterações ao decorrer da noite, geralmente relacionadas a algum estágio de sono específico. Assim, para a compreensão adequada das alterações fisiológicas descritas nesse capítulo, é essencial que se entenda a arquitetura do sono e as características envolvidas em cada estágio.

Ao notar um indivíduo dormindo, a primeira característica fisiológica perceptível é a redução de tônus muscular. Essa redução de tônus apresenta-se de modo gradual, de acordo com a sequência de fases de sono, tendo início no estágio N1. Durante o sono REM, atingem-se níveis mínimos de tônus muscular, condição chamada de atonia muscular (embora o tônus muscular nunca esteja completamente abolido). Desse modo, nota-se uma diminuição progressiva do tônus muscular ao decorrer de todos os estágios do sono, desde N1 até o sono REM. Algumas ressalvas devem ser feitas, dado que a atonia muscular não se aplica a todos os músculos. A redução de tônus é válida somente à musculatura estriada esquelética, não se aplicando à musculatura cardíaca, tampouco aos músculos lisos. Além disso, alguns músculos estriados como o diafragma e músculos associados ao movimento dos olhos não apresentam redução de tônus significativa.

A redução de tônus muscular de acordo com a sequência de fases de sono e sobretudo durante o sono REM apresenta alguns benefícios, tanto adaptativos quanto práticos. Do ponto de vista adaptativo, é importante que a redução de tônus muscular se instale durante o sono REM, evitando que movimentos sejam feitos, eventualmente concomitantes aos sonhos. Isso pode ser observado em um distúrbio de sono específico, chamado distúrbio comportamental do sono REM, na qual a atonia muscular é abolida e o indivíduo acometido apresenta movimentos amplos e marcantes durante este estágio de sono, de modo a atuar seus próprios sonhos. Do ponto de vista prático, a redução de tônus muscular é usada durante a polissonografia, tanto para estagiamento do sono quanto para diagnóstico de distúrbios de sono. No caso do estagiamento, eletrodos posicionados sobre os músculos do mento (queixo) auxiliam no reconhecimento do sono REM, sendo a redução da amplitude do sinal captado por este eletrodo um marcador deste estágio. Quanto aos distúrbios de sono, eletrodos posicionados nos músculos tibiais anteriores são utilizados para a identificação de uma condição chamada movimento periódico de pernas, bem como sobre os masseteres, para diagnóstico de bruxismo. As alterações observadas no tônus muscular são únicas, visto que esta é uma das poucas características que apresentam inibição gradativa de função ao decorrer das fases de sono (outro exemplo é a termorregulação, discutida na seção *Outros Tópicos em Fisiologia do Sono*). Outras funções não apresentam diminuição de função progressiva análoga à do tônus muscular.

O padrão fisiológico observado na atonia muscular e na termorregulação, em que as funções são progressivamente inibidas chegando a níveis mínimos durante o sono REM, é apenas uma dentre diversas possíveis apresentações. Outro padrão de atividade fisiológica comumente observado na fisiologia do sono apresenta redução progressiva de função durante o sono não REM (NREM), desde os estágios iniciais de sono (N1) até o sono de ondas lentas (N3), seguido por uma reativação importante e geralmente abrupta com o surgimento do sono REM. Esse padrão deve-se ao balanço entre a atividade das duas principais divisões do sistema nervoso autônomo: os sistemas nervosos parassimpático e simpático, sendo que o primeiro é predominante durante o sono NREM e o segundo emerge durante o sono REM. Nesse caso, por ação do sistema parassimpático, diversas funções fisiológicas são lentificadas ao decorrer dos estágios de sono, atingindo o nadir de atividade durante o estágio N3. Em contrapartida, durante o sono REM a ativação do sistema simpático faz com que essas funções sejam alteradas e ativadas. A modulação do sistema nervoso autônomo no sono é observada principalmente sobre os sistemas cardiovascular e respiratório. Também é possível observá-la em outros sistemas, como o gastrointestinal, ainda que nesse caso a distinção entre inibição e ativação não seja tão clara.

Em um terceiro caso, muitas características fisiológicas apresentam padrão de atividade relacionado com estágios de sono específicos, não necessariamente levando a inibição progressiva ao decorrer da noite. Essa relação é observada principalmente em relação ao sono de ondas lentas e ao sono REM. Este padrão de ativação é especialmente relevante ao sistema endócrino, visto que muitos hormônios apresentam padrão de liberação relacionado a um estágio específico. A Figura 2.1 demonstra os três padrões de atividade de funções fisiológicas discutidos acima (inibição ao decorrer do ciclo de sono, inibição no sono NREM seguido de ativação no sono REM, e relação específica com algum estágio de sono).

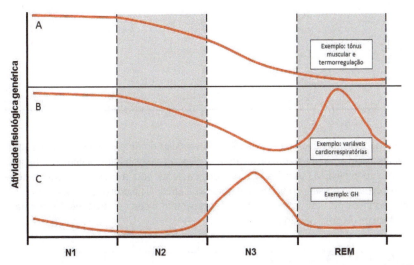

FIGURA 2.1 – Representação esquemática dos padrões atividade de diferentes funções fisiológicas em relação ao ciclo de sono. A: Lentificação progressiva da atividade durante todo o sono NREM (de N1 a N3), intensificando-se durante o sono REM. Padrão compatível com tônus muscular e termorregulação durante o sono. B: Lentificação progressiva de atividade durante o sono NREM, seguido de aumento de atividade durante o sono REM. Padrão compatível com variáveis cardiorrespiratórias. C: Atividade associada especificamente ao estágio N3 e ao surgimento de ondas lentas. Padrão compatível com a liberação de hormônio do crescimento (GH).

Dado os diferentes padrões de atividade e o efeito dos estágios de sono, as próximas seções abordarão a fisiologia do sono de acordo com o funcionamento dos diferentes sistemas biológicos. Deve-se entender que este capítulo tem como objetivo apresentar um panorama geral sobre a fisiologia do sono, discutindo os efeitos principais do sono sobre cada sistema biológico. De modo a fornecer informações mais detalhadas sobre cada um dos sistemas discutido, a cada seção será apresentada uma lista de leituras complementares.

3. Sistema cardiovascular

O sistema cardiovascular está sob forte influência do sistema nervoso autônomo durante o sono. Nesse caso, a atividade nervosa autônoma se mostra bastante estável durante todo o sono NREM, com predomínio do sistema nervoso parassimpático. Em contrapartida, durante o sono REM surgem instabilidades na atividade autônoma, marcadas principalmente por picos de atividade simpática. Essa definição geral explica o padrão de atividade básico do sistema cardiovascular durante o sono, apresentando uma inibição consistente durante o sono NREM e ativação durante o sono REM. Abaixo são discutidas as principais alterações cardiovasculares observadas no sono NREM e no sono REM separadamente. A Figura 2.2 apresenta uma representação esquemática do comportamento das variáveis cardiovasculares principais durante um ciclo de sono.

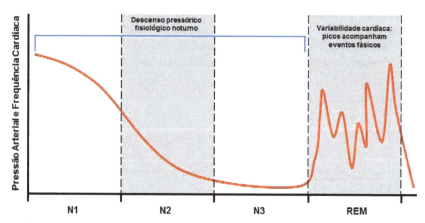

FIGURA 2.2 – Figura esquemática da atividade cardiovascular durante o ciclo de sono, sobretudo representado pela pressão arterial e frequência cardíaca. Nesses casos há uma diminuição nessas atividades durante todo o sono NREM (de N1 a N3). Especificamente para a pressão arterial, este fenômeno é denominado descenso pressórico fisiológico noturno. Com o início do sono REM essas variáveis voltam a subir, mas ao invés de uma ação constante, apresentam picos de atividade concomitantes com os fenômenos fásicos do deste estágio.

■ 3.1. Sono NREM

A atividade do sistema nervoso autônomo é bastante estável durante o sono NREM, tendo como componentes principais, a ativação do sistema parassimpático e a redução do tônus simpático. Essas características levam a uma inibição progressiva de diversas funções cardiovasculares. Pode-se afirmar que, de modo geral, a atividade cardiovascular é maior na vigília e tende a diminuir gradativamente durante o sono NREM, reduzindo do estágio N1 ao N3.

A ação do sistema nervoso autônomo é observada principalmente na pressão arterial sistólica, frequência cardíaca e débito cardíaco, os quais estão diminuídos durante o sono NREM e principalmente durante o sono de ondas lentas[2,3]. As bradicardias parecem ser uma consequência do aumento da atividade vagal, enquanto a hipotensão é atribuída à diminuição do tônus simpático[4]. Em conjunto, a diminuição destas funções representa uma oportunidade importante ao sistema cardiovascular para recuperação metabólica[5].

Com relação à frequência cardíaca, um evento específico pode ser notado durante o sono NREM, chamado arritmia sinusal respiratória. Durante a inspiração, a frequência cardíaca aumenta para se adequar ao aumento pontual do retorno venoso e do débito cardíaco, sendo seguida por diminuição progressiva da frequência cardíaca durante a expiração. Essa variabilidade na frequência cardíaca é normal, sendo um indicativo de boas condições cardiorrespiratórias[5]. Especificamente à redução da pressão arterial sistólica durante o sono NREM, dá-se o nome de descenso pressórico fisiológico noturno, a qual corresponde a uma diminuição igual ou superior a 10% dos valores obtidos durante a vigília[6,7]. Tanto as ausências do descenso da pressão arterial quanto da arritmia sinusal respiratória são associadas a eventos cardiorrespiratórios importantes a longo prazo, como insuficiência cardíaca, hipertensão arterial crônica, infarto agudo do miocárdio e acidente vascular encefálico[5,7].

Deve-se notar que nem todas as variáveis cardiovasculares comportam-se de maneira a se lentificar durante o sono NREM, já que algumas mantem-se estáveis durante o sono. É o caso, por exemplo, da pressão arterial pulmonar e da fração de ejeção ventricular[8].

3.2. Sono REM

Durante o sono REM, o equilíbrio entre os sistemas nervoso simpático e parassimpático é perdido. Principalmente, há aumento na atividade do sistema nervoso simpático e diminuição de atividade parassimpática, visto que o tônus vagal é suprimido[5]. Contudo, essa atividade aumentada do sistema nervoso simpático não é tônica e presente durante todo o período em que um indivíduo permanece neste estágio, mas apresenta-se de modo intermitente e concomitante às atividades fásicas do sono REM. Por consequência, os efeitos cardiovasculares do sono REM também são intermitentes, observando-se aumentos bruscos da pressão arterial e frequência cardíaca, geralmente concomitantes com as descargas adrenérgicas e os movimentos rápidos de olhos observados neste período[2,8]. Assim, nota-se intermitência de episódios de taquicardia e bradicardia, como demonstrado na Figura 2.2.

Adicionalmente, o sistema nervoso simpático apresenta efeitos importantes sobre o sistema vascular durante o sono. Há um aumento do tônus vascular durante este estágio, sendo esta uma das causas do aumento da pressão arterial observado durante o sono REM[9].

3.3. Demais considerações sobre sono e fisiologia cardiovascular

Além das variações observadas de acordo com os estágios de sono, as variáveis cardiovasculares também são impactadas pelo tempo de sono. Isso ocorre principalmente pela perda de líquido e diminuição do volume intravascular que ocorre ao decorre da noite, predispondo a maiores variações hemodinâmicas[6,8]. A privação de sono também implica em alterações importantes na função cardiovascular. Nesse caso, o aumento sustentado do tônus do sistema nervoso simpático e a alteração em mediadores inflamatórios parecem ser os principais causadores de disfunções cardiovasculares crônicas decorrentes da privação de sono. Dentre as principais consequências da falta de sono estão a hipertensão arterial, a insuficiência cardíaca e a aterosclerose[2,10]. Consequências similares também são observadas em alguns distúrbios de sono específicos, tais como a síndrome da apneia obstrutiva do sono, que predispõe a condições como obesidade, hipertensão arterial, aumento do diâmetro atrial esquerdo, arritmias cardíacas, dentre outras[11-14].

4. Sistema respiratório

Dois mecanismos distintos são responsáveis pelo controle da respiração durante a vigília. O primeiro desses mecanismos é voluntário, sendo associado à atividade cortical, enquanto o segundo é involuntário ou metabólico, tendo seu controle centralizado no tronco cerebral. O controle involuntário da ventilação reage tanto a estímulos metabólicos, como hipoxemia, hipercapnia e acidose, quanto a estímulos mecânicos exercidos sobre a caixa torácica e o parênquima pulmonar.

Durante o sono, cessa-se o controle voluntário da respiração, ao passo que o controle involuntário é diminuído, motivo pelo qual se observa hipotonia nos músculos associados à ventilação. Consequentemente à cessação do controle voluntários e diminuição do controle involuntário, nota-se um estado de hipoventilação e bradipneia durante o sono. Nesse estado, podem-se tolerar volumes menores de ventilação minuto e maiores níveis de gás carbônico em relação ao observado durante a vigília[16].

A arquitetura do sono e seus estágios são intimamente associados à respiração. Notam-se diferenças marcantes quando comparados os parâmetros respiratórios entre os sonos REM e NREM. A seguir, são descritas as principais características da fisiologia respiratória em cada um destes casos.

■ 4.1. Sono NREM

Durante o sono REM, as variáveis respiratórias apresentam algumas variações, as quais são dependentes da estabilidade do sono e da ocorrência de despertares nesse período. Devido a essas oscilações, a respiração durante o sono NREM pode ser subdivida em duas partes: sono NREM instável e sono NREM estável[17].

O sono NREM instável é composto pelo estágio N1 e parte do N2. Nesse período, há aumento na amplitude da respiração, a qual é pautada por estágios alternados de hiperventilação e hipoventilação. Essa alternância, nomeada respiração periódica, é observada em até 80% dos indivíduos. Por ocorrer nos estágios iniciais do sono, a respiração periódica é concomitante a diversos despertares, bem como a oscilações na pressão parcial de gás carbônico ($PaCO_2$). Assim, os períodos de hipoventilação são correspondentes ao sono, ao passo que a hiperventilação é relacionada aos despertares. Esse padrão ventilatório cessa em até 20 minutos, com o estabelecimento pleno do estágio N2.

Já o sono NREM estável compreende a parte consolidada do estágio N2 e o estágio N3. Nestes casos, tanto a frequência quanto a amplitude respiratória são estáveis e regulares. O volume respiratório observado chega a ser cerca de 15% menor do que o observado durante a vigília, sendo aprofundado gradualmente à medida que se chega a N3. Essa condição de hipoventilação é resultado da inibição do controle voluntário da respiração, aumento da resistência das vias aéreas e maior participação dos músculos da caixa torácica durante a respiração.

4.2. Sono REM

Com o surgimento do sono REM nota-se o aparecimento de uma dinâmica ventilatória irregular, na qual oscilações na amplitude e frequência respiratórias podem ser vistas. Desse modo, a ventilação durante o sono REM pode apresentar tanto períodos de hiperventilação, quanto de hipoventilação. Os períodos de hiperventilação ocorrem em concomitância com picos de atividade simpática, assim como o ocorrido com a frequência cardíaca e pressão arterial neste estágio do sono (ainda que a influência simpática direta sobre a respiração seja pequena). Há também concomitância com os movimentos rápidos dos olhos, característicos deste período. Com relação aos períodos de hipoventilação, isso se deve principalmente à diminuição da influência dos músculos torácicos na respiração.

5. Sistema digestório

Ainda que o sono NREM apresente predominância da atividade parassimpática, observa-se durante este estágio uma diminuição geral da função digestiva. A maior parte das alterações deste sistema durante a noite não parecem ser específica a algum estágio de sono, mas sim uma consequência do ciclo vigília-sono[17].

As alterações na fisiologia gastrointestinal durante o sono ocorrem em praticamente todos os órgãos deste sistema. Isso é notado desde o início do trato gástrico, em funções como deglutição e salivação, as quais se encontram consideravelmente inibidas durante o sono. Essa inibição é prejudicial quando concomitante a casos de refluxo gastroesofágico. Nesse caso, a frequência reduzida de deglutições durante o sono, associada à diminuição na quantidade de contrações primárias prejudica a retirada do material gástrico. Adicionalmente, a diminuição na salivação diminui a eficiência de sua neutralização[21-23]. As contrações secundárias também são diminuídas durante o sono NREM, contudo, durante o sono REM apresentam-se em níveis similares aos encontrados durante a vigília.

O tônus muscular no esfíncter esofágico superior encontra-se diminuído durante a noite, contribuindo para a relação entre sono e refluxo gastroesofágico. De modo geral, o tônus em toda a porção superior do trato gastrointestinal, e principalmente no esôfago, encontra-se reduzida durante o sono[21]. Com relação ao esvaziamento gástrico, nota-se que a velocidade de esvaziamento é bastante diminuída durante o sono, ainda que possa eventualmente ser mais rápida durante o sono REM. Esse esvaziamento lento se deve à redução da motilidade estomacal durante o sono (similar ao ocorrido com o esôfago)[24].

Com relação à motilidade intestinal, essa função é diminuída durante o sono em relação à vigília, mas não é abolida. Com relação ao cólon, sua atividade é inibida durante praticamente todo o período de sono, apresentando atividade somente associada aos despertares. Ainda, o tipo de movimento é distinto em relação ao despertar, sendo observados movimentos peristálticos lentos mediante despertares espontâneos e episódios de contração segmentar quando ocorrem despertares abruptos[24].

Uma interseção importante entre a fisiologia gastrointestinal e a gênese do sono é a sonolência pós-prandial. Por sonolência pós-prandial entende-se o período após as refeições em que se observa aumento dos relatos de sonolência. A principal explicação para esse fenômeno atribui um possível efeito hipnogênico à distensão intestinal, a qual estimularia a transmissão vagal e consequentemente o sono[25]. Outras possíveis explicações alegam que a sonolência pós-prandial é uma consequência da hipoglicemia pós-prandial, ou da alcalose metabólica gerada pela produção de ácido clorídrico no estômago (fenômeno conhecido como "maré alcalina").

6. Sistema endócrino

A relação entre sistema endócrino e sono é bastante heterogênea. Por ser formado por glândulas independentes, sem relação anatômica ou funcional entre si, a associação entre sistema endócrino e sono não pode ser generalizada, mas sim contextualizada a cada glândula e à produção e secreção de cada hormônio.

Em geral, pode-se dizer que o sono exerce controle sobre a secreção hormonal de dois modos distintos. No primeiro deles, a secreção de hormônios pode estar sob controle circadiano, caso em que a liberação hormonal ocorre aproximadamente no mesmo horário, independentemente da condição de sono do indivíduo (sono normal ou privação de sono). No segundo caso, a secreção hormonal pode estar associada ao sono, ou a um estágio de sono específico. Nessa condição, caso ocorra um episódio de privação de sono, a secreção hormonal não ocorre, sendo postergada até o próximo episódio de sono. Tanto o controle da secreção hormonal por influência circadiana quanto relacionada aos estágios de sono estão ilustrados na Figura 2.3. A seguir serão apresentados alguns dos hormônios com relação melhor descrita em relação ao sono. A Tabela 2.1 lista os principais hormônios, seus órgãos secretores e suas principais atividades.

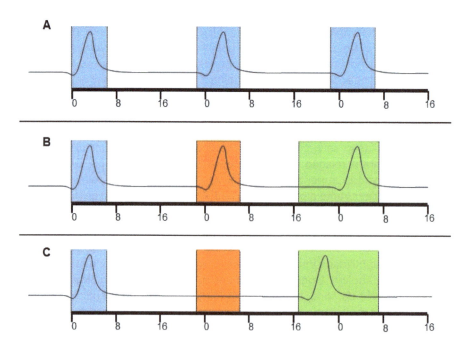

FIGURA 2.3 – Secreção hormonal em relação ciclo circadiano e ao sono. Alguns hormônios apresentam sua atividade relacionada à variação circadiana. Outros têm sua secreção modulada pelo sono. A: Secreção hormonal hipotética demonstrando sono normal por três noites consecutivas (barras azuis). Nota-se que a secreção hormonal é sempre associada ao sono. B: Secreção de sono mediante privação de sono (barra laranja) com consequente rebote (barra verde). Neste caso, independentemente da condição de sono, a secreção hormonal ocorre sempre no mesmo horário, evidenciando o controle circadiano sobre esta atividade hormonal (ex.: TSH). C: Mesma situação observada em B, porém demonstrando associação da atividade hormonal com o período de sono, independente do horário (ex.: GH).
Adaptado de Andersen e colaboradores[8].

TABELA 2.1
Hormônios, sítios de liberação e ações fisiológicas

Hormônio	Principal órgão secretor	Principal ação fisiológica
ACTH	Hipófise	Estímulo da secreção de cortisol
Aldosterona	Córtex adrenal	Regulação do balanço de sódio e potássio
Cortisol	Córtex adrenal	Relacionado ao estresse, ações anti-insulínicas
Estrogênio	Ovários	Estimula crescimento folicular
FSH	Hipófise	Estimula função ovariana e testicular
GH	Hipófise	Efeitos anabólicos globais
Grelina	Estômago	Hormônio relacionado à fome
Insulina	Pâncreas	Regulação da glicemia
Leptina	Tecido adiposo	Hormônio relacionado à saciedade
LH	Hipófise	Estimula função ovariana e testicular
Progesterona	Ovários	Proliferação do endométrio e manutenção da gravidez
Prolactina	Hipófise	Estímulo à lactação
Testosterona	Testículos	Estimula espermatogênese
TSH	Hipófise	Estímulo à secreção de hormônios tireóideos

■ 6.1. Hormônio adrenocorticotrófico (ACTH) e cortisol

A relação entre sono e o eixo hipotálamo-hipófise-adrenal (HPA) é bem estabelecida, tanto em situações normais quanto em condições de estresse. Dois hormônios componentes deste eixo possuem relação importante com a fisiologia do sono: ACTH e cortisol.

O cortisol, hormônio secretado pelas glândulas adrenais por efeito de ACTH, está sujeito a forte controle circadiano, tendo seu pico de secreção concentrado no início da manhã e valor mínimos ao observados ao anoitecer. O ACTH apresenta padrão de atividade semelhante ao cortisol, tendo seus níveis plasmáticos aumentados próximo ao despertar.

Apesar do controle circadiano marcante sobre esses hormônios, os estágios de sono e a privação de sono exercem controle importante sobre seus níveis. Como exemplos, sabe-se que despertares durante a noite acarretam em pulsos de liberação de cortisol[27]. Além disso, em modelos animais a privação de sono promove aumentos significativos na secreção desses hormônios[28]. A privação de sono também faz com que o nadir da secreção de cortisol seja menos antecipado e pronunciado em relação a uma condição de sono normal[27,29].

■ 6.2. Aldosterona

A aldosterona apresenta ritmicidade circadiana, com picos e nadires de secreção coincidentes com os do cortisol[16]. Porém, há também efeito pronunciado do sono sobre esse hormônio, visto que o padrão de secreção se altera de acordo com estágios de sono específicos. Essa alteração também ocorre em condições específicas, por exemplo, mediante trabalho em turno e como consequência da privação de sono. Com relação à estrutura de sono, pode-se observar que o pico de secreção de aldosterona é concomitante aos episódios de sono REM. Além disso, tanto a privação de sono quanto a inversão de turno são capazes de inibir o aumento noturno dos níveis de aldosterona[30,31].

■ 6.3. Hormônio luteinizante (LH) e hormônio foliculoestimulante (FSH)

Em adolescentes, alguns estudos demonstram aumento na concentração de LH e FSH durante o sono[32-34]. Ambos os hormônios gonadotrópicos apresentam padrão de secreção pulsátil durante toda a noite, de modo independente à secreção de testosterona. Sobretudo durante o início da adolescência, há um aumento importante na concentração plasmática de LH durante o sono[34]. Em adultos, esses hormônios não apresentam nenhum ritmo circadiano marcante, de modo que não há diferença significativa entre os níveis plasmáticos observados entre o dia e a noite.

Apesar da falta de efeito circadiano, a privação de sono pode possuir efeito sobre esses hormônios. Especialmente em casos de privação de sono parcial, os níveis de LH se elevam, ao passo que os níveis de FSH não parecem sofrer nenhum efeito significante.

■ 6.4. Testosterona

Os níveis plasmáticos de testosterona estão sob fortes efeitos circadianos, apresentando valores baixos à noite, no início do período de sono, e níveis máximos nas primeiras horas da manhã[35,36]. Esse padrão sugere que outros fatores além do LH possam contribuir para o controle do ritmo de secreção da testosterona[37]. O aumento da secreção da testosterona durante a noite parece estar relacionado à latência para o primeiro episódio de sono REM[37].

Com relação à falta de sono, notam-se diversos efeitos prejudiciais sobre a secreção de testosterona. Com relação à fragmentação de sono, mostra-se uma diminuição na amplitude do aumento noturno nos níveis de testosterona, sobretudo nos indivíduos que tiveram a quantidade de sono REM comprometida. Estudos em animais corroboram a importância do sono REM à secreção de testosterona. Após 96 horas de privação de sono paradoxal (análogo ao sono REM em humanos), há uma redução significativa nos níveis plasmáticos de testosterona, os quais não retornam aos valores normais mesmo após quatro dias de recuperação de sono[28].

■ 6.5. Progesterona

A progesterona possui relações importantes com o sono, especialmente em relação à qualidade do sono e respiração. Este hormônio tem um efeito hipnótico e indutor de sono importante, possuindo também efeitos estimulantes sobre a atividade respiratória. Por conta desses efeitos, a progesterona tem sido associada a uma diminuição do número de episódios de apneias centrais e obstrutivas do sono, sendo também um dos motivos para a prevalência elevada de apneias em mulheres na pós-menopausa[38].

A progesterona também parece ter um papel importante na gênese do sono REM. Em animais de experimentação, a administração de mifespristona, um antagonista dos receptores de progesterona, diminuiu a duração dos episódios de sono paradoxal[39]. Além disso, esse mesmo bloqueio da ação da progesterona leva a diminuição nos reflexos genitais em roedores. Dado que a ereção é um fenômeno físico importante observado durante o sono REM, estes resultados corroboram a relação da progesterona com esse estágio de sono[39].

6.6. Hormônio do crescimento (GH)

O GH apresenta níveis plasmáticos baixos e razoavelmente estáveis durante todo o ciclo vigília-sono. Essa estabilidade é interrompida por pulsos de secreção intermitentes, sendo o principal associado ao início do sono[40]. Adicionalmente, a secreção do GH é intimamente relacionada ao aparecimento de ondas delta no eletroencefalograma, de modo que há uma forte correlação entre o tempo de sono de ondas lentas e a quantidade de GH secretado[40,41]. A indução farmacológica do sono de ondas lentas promove aumento da secreção deste hormônio, corroborando a associação entre esse estágio de sono com o GH[42].

Os mecanismos envolvidos na relação entre GH e latência de sono não são completamente compreendidos. É possível que o sono exerça efeito direto sobre a secreção de GH, mas também se cogita um efeito do sono sobre outros hormônios que regulam sua secreção, como o hormônio liberador de GH (GHRH), somatostastina e grelina.

Quanto à regulação da secreção, nota-se uma influência evidente das condições de sono sobre o GH, mas baixo controle circadiano. Em condições de privação de sono, a secreção deste hormônio é fortemente inibida e seu padrão normal de secreção só é retomado caso o sono seja recuperado.

6.7. Prolactina

O controle da secreção da prolactina é diretamente ligado ao sono, visto que seus níveis plasmáticos são bastante aumentados em relação ao período de vigília. Sua secreção tem início de 60 a 90 minutos após o início do sono. Esse pico de ação provavelmente se dá por conta da diminuição da atividade dopaminérgica no início do sono, uma vez que a dopamina inibe a secreção de prolactina[43]. Por conta disso, os picos plasmáticos deste hormônio são observados nas primeiras horas da manhã[17]. A prolactina parece estar sob algum controle circadiano também. Contudo, independentemente do horário, o início do sono parece estimular a secreção desse hormônio[41].

6.8. Hormônio tireoestimulante (TSH)

O TSH tem sua secreção fortemente regulada por processos circadianos. Este hormônio tem seu pico concomitantemente ao início do sono, diminuindo seus níveis plasmáticos em seguida e atingindo valores mínimos no início da manhã. Apesar do predomínio do controle circadiano, as condições de sono também apresentam efeito significativo, sendo o sono um inibidor da secreção de TSH. Em condição de restrição de sono aguda, a secreção deste hormônio pode aumentar em até 200%[44,45]. Contudo, de modo crônico esse efeito parece ser revertido, já que após 14 dias consecutivos de restrição de sono a secreção desse hormônio apresenta-se diminuída[46].

7. Sistema renal

Tanto o fluxo urinário quanto a excreção de eletrólitos são maiores durante a vigília do que durante o sono. Esse fato indica que a função renal age sob influência circadiana. Porém, algumas variáveis fisiológicas, como fluxo urinário e osmolaridade, estão sob controle relacionado ao sono, já que variam de acordo estágios de sono específicos. Durante o sono REM observa-se aumento no fluxo, ao passo que a osmolaridade é aumentada durante o sono NREM.

O sistema renina-angiotensina-aldosterona também apresenta relação importante com o ciclo vigília-sono[30]. Renina e aldosterona apresentam níveis aumentados durante o sono de ondas lentas, concomitante à redução do tônus simpático. Outros hormônios associados ao sistema renal, como o peptídeo natriurético atrial e a vasopressina, não parecem estar sob efeito do ciclo vigília-sono.

8. Sistema reprodutor

Os efeitos primários do sono sobre o sistema reprodutor se dão sobre os hormônios deste sistema. Conforme já exposto na seção *Sistema Endócrino,* hormônios como testosterona, progesterona, estrogênio, LH e FSH têm sua secreção influenciada pelo sono e pelo ciclo circadiano, podendo também sofrer alterações em seus níveis plasmáticos devido à privação de sono. Além dos efeitos do sono sobre os hormônios sexuais, pode-se também notar o inverso, uma vez que alguns hormônios influenciam o sono, assim como a progesterona, que apresenta efeitos hipnóticos. Desse modo, a relação entre sono e hormônios sexuais é bidirecional.

Essa relação é a causa para as diferenças no padrão de sono entre homens e mulheres. Em geral, homens apresentam maior porcentagem de estágios N1 e N2, com redução na porcentagem de sono de ondas lentas e sono REM[52,53]. Adicionalmente, homens apresentam maiores índices de despertar e menor eficiência de sono, além de maior sonolência diurna.

Não apenas os hormônios sexuais estão sujeitos a alterações devido ao sono, mas também outras funções do sistema reprodutor. Essa influência se observa principalmente em mulheres, nas quais os períodos de maiores queixas relacionadas ao sono acontecem em períodos de oscilação hormonal, como durante a puberdade, ao decorrer do ciclo menstrual, durante a gestação e na transição menopausal[53]. Com relação ao ciclo menstrual, sabe-se que mulheres na fase lútea apresentam menor latência e diminuição no tempo de sono REM[54,55]. Quanto a queixas de baixa qualidade de sono, elas parecem estar mais presentes em mulheres com ciclos menstruais irregulares[56] ou naquelas que se encontram na fase folicular[57].

9. Outros tópicos em fisiologia do sono

Além das relações com os diversos sistemas biológicos descritos antes, o sono possui efeito em diversas outras funções fisiológicas. A seguir, são discutidas algumas delas.

■ 9.1. Termorregulação

A termorregulação é uma função fisiológica de grande relevância, apresentando relações muito importantes com o padrão de sono. Essa função é regulada principalmente pelo hipotálamo, uma região cerebral responsável também por parte do controle do ciclo vigília-sono e do ritmo circadiano. O fato de o hipotálamo ser uma estrutura comum tanto à termorregulação quanto ao sono é uma explicação possível para a relação íntima entre essas duas variáveis.

Em geral, a temperatura corporal apresenta ritmicidade circadiana. Temperaturas corporais menores são geralmente registradas durante o sono, ao decorrer da noite, ao passo que temperaturas corporais maiores são associadas à vigília. Com base nisso, é possível associar o início da queda de temperatura ao início do sono, enquanto a elevação da temperatura é relacionada ao despertar[59].

Com relação à arquitetura do sono, menores valores de temperatura são encontrados principalmente no terceiro ciclo de sono, o qual ocorre próximo à metade da noite. Adicionalmente, a capacidade termorregulatória varia ao decorrer de um ciclo de sono, de modo que a temperatura diminua desde N1 a N3. Durante o sono REM, a termorregulação hipotalâmica é inibida, momento no qual se observam as menores temperaturas corporais. Nessa condição, mecanismos acessórios tomam lugar para manutenção da temperatura, como alterações na pressão arterial, fluxo sanguíneo e tônus vasomotor periférico. A Figura 2.4 ilustra a variação de temperatura abordada tanto durante 24 horas, quanto ao decorrer de um ciclo de sono.

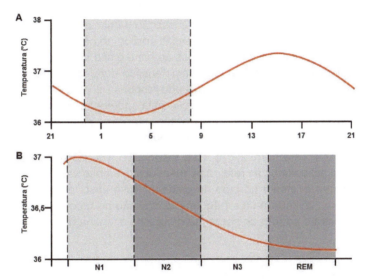

FIGURA 2.4 – Relação entre sono e temperatura corpórea. A: Variação hipotética da temperatura em um período de 24 horas. As menores temperaturas corporais são registradas no período noturno (barra cinza). B: Relação entre a temperatura corpórea e os diferentes estágio de sono. Pode-se notar que a temperatura diminui progressivamente com o aprofundamento do sono, alcançando valores mínimos durante o sono REM, quando a função termorregulatória está inibida.
Adaptado de Andersen e colaboradores[8].

■ 9.2. Controle da glicemia

A glicemia tende a permanecer estável durante a noite, apresentando no máximo algumas pequenas quedas, apesar do período de cerca de oito horas de jejum. Curiosamente, períodos de jejum equivalentes, mas conduzidos durante a vigília levam a quedas importante nos níveis de glicose. Esses fatos demonstram o efeito modulador do sono sobre a glicemia.

Em situações experimentais em que se faz a infusão contínua de glicose, caso em que a produção endógena é suprimida, há diminuição na tolerância à glicose. Nesse caso, o pico de glicemia ocorre na porção média da noite, com valores cerca de 25% maiores que os valores basais. Após isso, a tolerância à glicose parece aumentar, até que se atinjam os valores normais[60].

A queda no uso de glicose durante o sono se deve em grande parte pela redução do metabolismo cerebral nesse período. Essa diminuição não é constante e o uso de glicose varia de acordo com os estágios de sono. Durante o sono REM, há um aumento nas taxas de uso de glicose em relação ao sono NREM[61].

■ 9.3. Controle do apetite

A relação entre sono e controle de apetite é bidirecional. Ao passo que a privação de alimentação induz a menor tempo total de sono, a privação de sono é capaz de desencadear hiperfagia. Essa relação é modulada pela atividade das hipocretinas (ou orexinas), neuropeptídios situados no hipotálamo lateral, que promovem tanto a ingestão alimentar e a vigília[62].

A atividade das hipocretinas é dependente de ação de dois hormônios: a leptina, secretada pelas células adiposas e relacionada à sensação de saciedade, e a grelina, secretada tanto por células do fundo do estômago e células épsilon no pâncreas e está relacionada à fome. Ambos os hormônios estão relacionados ao sono e são alterados em casos de privação de sono. A leptina apresenta um pico característico durante a noite, tendo seus níveis dependendo da ingestão alimentar prévia e sendo responsável pela inibição da sensação de fome durante o sono. Esse padrão de secreção está sob controle circadiano, uma vez que este pico noturno se sustenta mesmo em indivíduos sujeitos a nutrição parenteral. Todavia, a amplitude da curva de secreção da leptina é diminuída mediante privação de sono[63,64].

Quanto à grelina, este hormônio é mais responsivo à rotina alimentar, apresentando picos de secreção associados às refeições. Além disso, é observado um pico de secreção noturno, ligeiramente posterior ao pico de grelina. Nesse caso, os efeitos da privação de sono são pequenos, levando a uma pequena diminuição no pico de secreção noturno. A Figura 2.5 demonstra o padrão de secreção de grelina e leptina durante o dia.

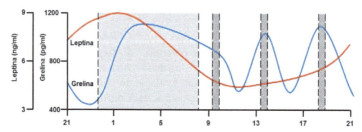

FIGURA 2.5 – Secreção de leptina e grelina durante 24 horas. A barra cinza clara representa o período de sono e as barras escuras representam as refeições (desjejum, almoço e jantar). A linha vermelha é uma representação da secreção de leptina e a linha azul representa a secreção de grelina.
Adaptado de Andersen e colaboradores e Van Cauter e Tasali[8,41].

10. Considerações finais

A fisiologia do sono é um campo em constante desenvolvimento, e novos achados são descritos periodicamente, abordando o modo pelo qual o sono afeta padrões de secreção hormonal, funções cardiorrespiratórias e demais atividades fisiológicas. Esses avanços são devidos à pesquisa em duas áreas principais: em pesquisas sobre o padrão de sono normal, por meio de registros polissonográficos, e em estudos empregando métodos de privação de sono. Além disso, paralelamente aos diversos estudos clínicos realizados, a pesquisa em animais de experimentação apresenta grande relevância à fisiologia do sono, permitindo a avaliação de diversas funções fisiológicas de modo mais aprimorado.

Essas pesquisas e o conhecimento gerado demonstram que o funcionamento dos diversos sistemas biológicos e órgãos durante o sono é bastante diferente do apresentado durante a vigília. Esse fato nos permite caracterizar claramente dois processos fisiológicos distintos e normais: a fisiologia da vigília, foco da maior parte dos ensinos em fisiologia, e a fisiologia do sono, responsável pelo funcionamento do corpo em cerca de um terço da vida.

Este capítulo teve como intenção principal traçar um panorama das alterações fisiológicas observadas durante o sono. O entendimento dos mecanismos e alterações fisiológicas que ocorrem enquanto dormimos são essenciais para a compreensão de temas avançados em medicina e biologia do sono, como, por exemplo, os efeitos a longo prazo da privação de sono, a polissonografia e os distúrbios de sono.

11. Diagnóstico

A fisiologia do sono é um assunto básico à medicina do sono, portanto não implicando diretamente sobre diretrizes e normatizações para diagnóstico dos distúrbios de sono. Contudo, as apresentações clínicas características de cada distúrbios de sono são em muitos casos alterações da fisiologia do sono, ou das manifestações características da fisiologia sistêmica durante o sono. Como exemplo, a apneia do sono cursa com alterações gasométricas importantes e o despertar a associado ao evento de apneia depende do funcionamento de estruturas importantes à fisiologia respiratória, tais como os quimioceptores centrais e periféricos. Assim, é importante que todo profissional envolvido no diagnóstico dos distúrbios de sono usem dos conhecimentos em fisiologia para embasar sua prática.

12. Tratamento

Similarmente ao discutido no quadro sobre diagnóstico, a fisiologia do sono é uma disciplina básica com enfoque primordial ao sono em condições normais. Ainda assim, o conhecimento sobre fisiologia do sono serve como base ao tratamento da maioria dos distúrbios do sono. Todo profissional envolvido no tratamento dos distúrbios do sono deve ter domínio sobre a fisiologia do sono a compreender o mecanismo de ação proposto por estas técnicas, bem como para garantir melhor adequação do tratamento proposto à cada caso.

■ Referências bibliográficas

1. Cardinali DP. Autonomic Nervous System - Basic and Clinical Aspects: Springer; 2017.
2. Tobaldini E, Costantino G, Solbiati M, Cogliati C, Kara T, Nobili L, et al. Sleep, sleep deprivation, autonomic nervous system and cardiovascular diseases. Neurosci Biobehav Rev. 2017;74(Pt B):321-9.
3. Bittencourt LRA, Marson O, Nery LE, Tufik S. Complicações cardiovasculares da síndrome da apneia do sono obstrutiva. Jornal Brasileiro de Pneumologia. 1998;24:7.
4. Mancia G. Autonomic modulation of the cardiovascular system during sleep. N Engl J Med. 1993;328(5):347-9.
5. Harper RM, Verrier RL. Cardiovascular physiology and coupling with respiration: Central and autonomic regulation. In: Kryger M, Roth T, Dement WC, editors. Principles and Practice of Sleep Medicine. 6 ed: Elsevier; 2017.
6. Zanchetti A. The physiologic relevance of smooth twenty-four-hour blood pressure control. J Hypertens Suppl. 1994;12(2):S17-23.
7. Vaz-de-Melo RO, Toledo JC, Loureiro AA, Cipullo JP, Moreno Júnior H, Martin JF. [Absence of nocturnal dipping is associated with stroke and myocardium infarction]. Arq Bras Cardiol. 2010;94(1):79-85.
8. Andersen ML, Alvarenga TA, Pires GN. Fisiologia do sono: regulação das atividades corporais. 2014.
9. Penzel T, Garcia C. Cardiovascular Disease and Sleep Dysfunction. In: Chokroverty S, Billiard M, editors. Sleep Medicine: Springer; 2015.

10. Cappuccio FP, D'Elia L, Strazzullo P, Miller MA. Sleep duration and all-cause mortality: a systematic review and meta-analysis of prospective studies. Sleep. 2010;33(5):585-92.
11. Poyares D, Cintra FD, Santos FM, De Paola A. Complicações cardiovasculares da SAHOS: Implicações fisiopatológicas e mecanismos modulatórios do sistema autônomo. In: Tufik S, editor. Medicina e Biologia do Sono: Manole; 2008.
12. Cintra FD, Poyares D, Guilleminault C, Carvalho AC, Tufik S, de Paola AA. [Cardiovascular comorbidities and obstructive sleep apnea]. Arq Bras Cardiol. 2006;86(6):399-407.
13. Cintra FD, Tufik S, Paola A, Feres MC, Melo-Fujita L, Oliveira W, et al. Cardiovascular profile in patients with obstructive sleep apnea. Arq Bras Cardiol. 2011;96(4):293-9.
14. Cintra FD, Leite RP, Storti LJ, Bittencourt LA, Poyares D, Castro LD, et al. Sleep Apnea and Nocturnal Cardiac Arrhythmia: A Populational Study. Arq Bras Cardiol. 2014;103(5):368-74.
15. Lanfranchi PA, Pépin JL. Cardiovascular physiology: Autonomic control in health and in sleep disorders. In: Kryger M, Roth T, Dement WC, editors. Principles and Practice of Sleep Medicine. 6 ed: Elsevier; 2017.
16. Eckert DJ, Butler JE. Respiratory Physiology: Understanding the Control of Ventilation. In: Kryger M, Roth T, Dement WC, editors. Principles and Practice of Sleep Medicine. 6 ed: Elsevier; 2017.
17. Andersen mL, Bittencourt LRA. Fisiologia do Sono. In: Tufik S, editor. Medicina e Biologia do Sono: Manole; 2008.
18. Heinzer R, Sériès F. Physiology of upper and lower airways. In: Kryger M, Roth T, Dement WC, editors. Principles and Practice of Sleep Medicine. 6 ed: Elsevier; 2017.
19. Horner RL. Respiratory physiology: Central neural control of respiratory neurons and motoneurons during sleep. In: Kryger M, Roth T, Dement WC, editors. Principles and Practice of Sleep Medicine. 6 ed: Elsevier; 2017.
20. Sowho M, Amatoury J, Kirkness JP, Patil SP. Sleep and respiratory physiology in adults. Clin Chest Med. 2014;35(3):469-81.
21. Kahrilas PJ, Dodds WJ, Dent J, Haeberle B, Hogan WJ, Arndorfer RC. Effect of sleep, spontaneous gastroesophageal reflux, and a meal on upper esophageal sphincter pressure in normal human volunteers. Gastroenterology. 1987;92(2):466-71.
22. Castiglione F, Emde C, Armstrong D, Schneider C, Bauerfeind P, Stacher G, et al. Nocturnal oesophageal motor activity is dependent on sleep stage. Gut. 1993;34(12):1653-9.
23. Dantas RO, Aben-Athar CG. [Aspects of sleep effects on the digestive tract]. Arq Gastroenterol. 2002;39(1):55-9.
24. Orr WC. Gastrointestinal physiology in relation to sleep. In: Kryger M, Roth T, Dement WC, editors. Principles and Practice of Sleep Medicine. 5 ed: Elsevier; 2011.
25. Kumar D, Idzikowski C, Wingate DL, Soffer EE, Thompson P, Siderfin C. Relationship between enteric migrating motor complex and the sleep cycle. Am J Physiol. 1990;259(6 Pt 1):G983-90.
26. Estep ME, Orr WC. The gut and sleep. In: Chokroverty S, Billiard M, editors. Sleep Medicine: Springer; 2015.
27. Follenius M, Brandenberger G, Bandesapt JJ, Libert JP, Ehrhart J. Nocturnal cortisol release in relation to sleep structure. Sleep. 1992;15(1):21-7.
28. Andersen mL, Martins PJ, D'Almeida V, Bignotto M, Tufik S. Endocrinological and catecholaminergic alterations during sleep deprivation and recovery in male rats. J Sleep Res. 2005;14(1):83-90.
29. Späth-Schwalbe E, Gofferje M, Kern W, Born J, Fehm HL. Sleep disruption alters nocturnal ACTH and cortisol secretory patterns. Biol Psychiatry. 1991;29(6):575-84.
30. Krauth MO, Saini J, Follenius M, Brandenberger G. Nocturnal oscillations of plasma aldosterone in relation to sleep stages. J Endocrinol Invest. 1990;13(9):727-35.
31. Charloux A, Gronfier C, Chapotot F, Ehrhart J, Piquard F, Brandenberger G. Sleep deprivation blunts the night time increase in aldosterone release in humans. J Sleep Res. 2001;10(1):27-33.
32. Boyar RM, Rosenfeld RS, Kapen S, Finkelstein JW, Roffwarg HP, Weitzman ED, et al. Human puberty. Simultaneous augmented secretion of luteinizing hormone and testosterone during sleep. J Clin Invest. 1974;54(3):609-18.
33. Fevre M, Segel T, Marks JF, Boyar RM. LH and melatonin secretion patterns in pubertal boys. J Clin Endocrinol Metab. 1978;47(6):1383-6.
34. Boyar R, Finkelstein J, Roffwarg H, Kapen S, Weitzman E, Hellman L. Synchronization of augmented luteinizing hormone secretion with sleep during puberty. N Engl J Med. 1972;287(12):582-6.
35. Evans JI, Maclean AM, Ismail AA, Love D. Circulating levels of plasma testosterone during sleep. Proc R Soc Med. 1971;64(8):841-2.
36. Evans JI, MacLean AW, Ismail AA, Love D. Concentrations of plasma testosterone in normal men during sleep. Nature. 1971;229(5282):261-2.
37. Andersen ML, Tufik S. The effects of testosterone on sleep and sleep-disordered breathing in men: its bidirectional interaction with erectile function. Sleep Med Rev. 2008;12(5):365-79.

38. Andersen ML, Bittencourt LRA, Antunes IB, Tufik S. Effects of progesterone on sleep: A possible pharmacological treatment for sleep-breathing disorders? Current Medicinal Chemistry. 2006;13(29):3575-82.
39. Andersen ML, Tufik S. Effects of progesterone blockade over cocaine-induced genital reflexes of paradoxical sleep-deprived male rats. Hormones and Behavior. 2005;47(4):477-84.
40. Van Cauter E, Plat L, Copinschi G. Interrelations between sleep and the somatotropic axis. Sleep. 1998;21(6):553-66.
41. Van Cauter E, Tasali E. Endocrine Physiology in Relation to Sleep and Sleep Disturbances. In: Kryger M, Roth T, Dement WC, editors. Principles and Practice of Sleep Medicine. 6 ed: Elsevier; 2017.
42. Van Cauter E, Plat L, Scharf MB, Leproult R, Cespedes S, L'Hermite-Balériaux M, et al. Simultaneous stimulation of slow-wave sleep and growth hormone secretion by gamma-hydroxybutyrate in normal young Men. J Clin Invest. 1997;100(3):745-53.
43. Spiegel K, Luthringer R, Follenius M, Schaltenbrand N, Macher JP, Muzet A, et al. Temporal relationship between prolactin secretion and slow-wave electroencephalic activity during sleep. Sleep. 1995;18(7):543-8.
44. Parker DC, Rossman LG, Pekary AE, Hershman JM. Effect of 64-hour sleep deprivation on the circadian waveform of thyrotropin (TSH): further evidence of sleep-related inhibition of TSH release. J Clin Endocrinol Metab. 1987;64(1):157-61.
45. Brabant G, Prank K, Ranft U, Schuermeyer T, Wagner TO, Hauser H, et al. Physiological regulation of circadian and pulsatile thyrotropin secretion in normal man and woman. J Clin Endocrinol Metab. 1990;70(2):403-9.
46. Kessler L, Nedeltcheva A, Imperial J, Penev PD. Changes in serum TSH and free T4 during human sleep restriction. Sleep. 2010;33(8):1115-8.
47. Hirotsu C, Andersen mL, Tufik S. Sono e hormônios. In: Paiva T, Andersen mL, Tufik S, editors. O sono e a Medicina do Sono: Manole; 2014.
48. Leproult R, Van Cauter E. Role of sleep and sleep loss in hormonal release and metabolism. Endocr Dev. 2010;17:11-21.
49. Andersen mL, Alvarenga TF, Mazaro-Costa R, Hachul HC, Tufik S. The association of testosterone, sleep, and sexual function in men and women. Brain Res. 2011;1416:80-104.
50. Park JG, Ramar K. Sleep and Chronic Kidney Disease. In: Kryger M, Roth T, Dement WC, editors. Principles and Practice of Sleep Medicine. 6 ed: Elsevier; 2017.
51. Rubin RT. Hormonal Regulation of Renal Function during Sleep. In: Orem J, editor. Physiology in Sleep: Academic Press; 2012.
52. Mong JA, Baker FC, Mahoney MM, Paul KN, Schwartz MD, Semba K, et al. Sleep, rhythms, and the endocrine brain: influence of sex and gonadal hormones. J Neurosci. 2011;31(45):16107-16.
53. Mong JA, Cusmano DM. Sex differences in sleep: impact of biological sex and sex steroids. Philos Trans R Soc Lond B Biol Sci. 2016;371(1688).
54. Baker FC, O'Brien LM. Sex Differences and Menstrual-Related Changes in Sleep and Circadian Rhythms. In: Kryger M, Roth T, Dement WC, editors. Principles and Practice of Sleep Medicine. 6 ed: Elsevier; 2017.
55. Baker FC, Driver HS. Circadian rhythms, sleep, and the menstrual cycle. Sleep Med. 2007;8(6):613-22.
56. Hachul H, Andersen mL, Bittencourt LRA, Santos-Silva R, Conway SG, Tufik S. Does the reproductive cycle influence sleep patterns in women with sleep complaints? Climacteric. 2010;13(6):594-603.
57. Guillermo CJ, Manlove HA, Gray PB, Zava DT, Marrs CR. Female social and sexual interest across the menstrual cycle: the roles of pain, sleep and hormones. BMC Womens Health. 2010;10:19.
58. Lee KA. Women's Health and Sleep Disorders. In: Chokroverty SA, Billiard M, editors. Sleep Medicine: Springer; 2015.
59. Weinert D, Waterhouse J. The circadian rhythm of core temperature: effects of physical activity and aging. Physiol Behav. 2007;90(2-3):246-56.
60. Plat L, Byrne MM, Sturis J, Polonsky KS, Mockel J, Féry F, et al. Effects of morning cortisol elevation on insulin secretion and glucose regulation in humans. Am J Physiol. 1996;270(1 Pt 1):E36-42.
61. Maquet P. Functional neuroimaging of normal human sleep by positron emission tomography. J Sleep Res. 2000;9(3):207-31.
62. Sakurai T. The neural circuit of orexin (hypocretin): maintaining sleep and wakefulness. Nat Rev Neurosci. 2007;8(3):171-81.
63. Simon C, Gronfier C, Schlienger JL, Brandenberger G. Circadian and ultradian variations of leptin in normal man under continuous enteral nutrition: relationship to sleep and body temperature. J Clin Endocrinol Metab. 1998;83(6):1893-9.
64. Mullington JM, Chan JL, Van Dongen HP, Szuba MP, Samaras J, Price NJ, et al. Sleep loss reduces diurnal rhythm amplitude of leptin in healthy men. J Neuroendocrinol. 2003;15(9):851-4.

Métodos Diagnósticos 3

Letícia Maria Santoro Franco Azevedo Soster
Leila Azevedo de Almeida
Manoel Alves Sobreira Neto

1. Aspectos históricos

O primeiro registro eletrofisiológico do sono ocorreu com Hans Berger, em 1929[1]. Ele documentou, por meio de um canal único de eletroencefalograma, o desaparecimento do ritmo alfa com o início do sono, com registro de atividade elétrica de menor amplitude. Entretanto, a documentação com a utilização de múltiplos canais, monitorando diferentes variáveis, durante toda a noite, ocorreu com Loomis e cols.[2], em 1937, em Tuxedo Park. Esse mesmo grupo descreveu vigília e estágios de sono, rotulando-os do seguinte modo: estágios A, B, C, D e E.

Em 1953, Eugene Aserinsky e seu mentor, Nathanial Kleitman, correlacionaram determinado tipo de atividade eletroencefalográfica com a movimentação rápida dos olhos e a presença de sonhos[3,4], descrevendo o sono associado a um movimento rápido dos olhos (sono REM). Pouco tempo depois, Dement, estagiário do laboratório de Kleitman, reagrupou os estágios do sono em REM e NREM, sendo este dividido em estágios 1, 2, 3 e 4, evoluindo com a criação do primeiro manual para padronização dos diferentes termos utilizados no estudo do sono, em 1968.

Em 1974, Jerome Holland, do grupo de Stanford, utilizou pela primeira vez o termo polissonografia para denominar os estudos do sono realizados durante a noite inteira. O termo deriva de *poly* (muitos, do grego) + *somnus* (sono, do latim) + *graphein* (escrever, do grego). Significa, então, registro gráfico de vários parâmetros durante o sono. O acréscimo dos múltiplos parâmetros, em particular respiratórios, cardíacos e de movimento, deu origem ao que hoje conhecemos polissonografia clínica[5,6].

Em 2007, a Academia Americana de Medicina do Sono (AAMS) publicou a primeira versão de manual padronizado chamado de Manual para Estadiamento de Sono e Eventos relacionados[7] da Academia Americana de Medicina do Sono, estando atualmente na versão 2.4[8]. Ocorreu ainda, no início deste século, o progressivo desenvolvimento e a aplicação clínica dos equipamentos de monitorização do sono com número reduzido de parâmetros para utilização em domicílio[9].

2. Fundamentos

O exame de polissonografia (PSG) consiste em método diagnóstico para monitorização do sono. A PSG é indicada em casos: com suspeita de Apneia Obstrutiva do Sono (AOS)[10]; para titulação de equipamento de pressão positiva; com suspeita de insônia refratária ao tratamento, cuja etiologia permanece indeterminada; ou com relato de atuação ou movimentação excessiva durante o sono. Pode ainda ser utilizada para a detecção de movimentos periódicos dos membros inferiores.

Os parâmetros habitualmente registrados são: eletrencefalograma, eletro-oculograma, eletromiograma submentoniano, eletrocardiograma, roncos, pressão nasal, por cânula, fluxo nasal e oral, por termistor, esforço torácico e abdominal, oximetria, capnografia, posição corporal, eletromiograma de tibiais anteriores, e vídeo sincronizado (Figura 3.1). A critério clínico, parâmetros adicionais podem ser registrados, como, por exemplo, derivações adicionais de eletroencefalograma e eletromiograma de masseter.

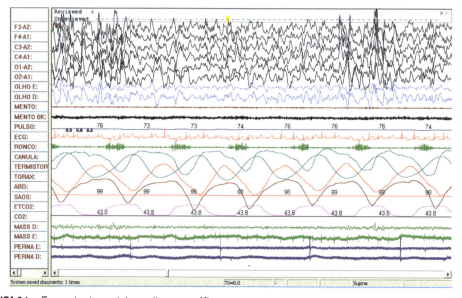

FIGURA 3.1 – Exemplo de registro polissonográfico.
Mento Bk – eletromiograma de mento, backup; ECG – eletrocardiograma; ABD – cinta de esforço abdominal; SAO$_2$ – saturação periférica de O$_2$; ETCO$_2$ – end tidal CO$_2$; MASS D – masseter direito.

Atualmente, além da polissonografia realizada em laboratório, existem métodos de avaliação domiciliar do sono, classificados em diferentes níveis, segundo a AAMS (Tabela 3.1). Tais métodos têm a vantagem de serem realizados no domicílio do paciente, evitando que o paciente durma em local diferente do habitual, além de permitirem avaliar o sono naqueles indivíduos que não podem ir ao laboratório, como nos indivíduos acamados. No entanto, tem como desvantagem a maior possibilidade de perda de dados coletados devido à impossibilidade de corrigir eletrodos que venham a se desprender durante a noite, estando indicado para indivíduos com alta probabilidade pré-teste para AOS. Além disso, não está indicado a utilização desses métodos diagnósticos domiciliares nos indivíduos com doença cardiorrespiratória significativa, fraqueza da musculatura respiratória devido a doença neuromuscular, suspeita de hipoventilação, uso crônico de medicação opioide, história prévia de acidente vascular cerebral ou insônia grave, visto que os exames domiciliares não foram validados para utilização nestas condições.

A quantidade de parâmetros avaliados na avaliação domiciliar depende do tipo de estudo utilizado (Tabela 3.1). É possível a realização de polissonografia com os mesmos parâmetros avaliados no laboratório, porém sem a supervisão por técnico (tipo II). Existem estudos domiciliares, classificados como tipo III, que avaliam somente os parâmetros cardiorrespiratórios, como: fluxo respiratório, esforço respiratório torácico e abdominal, eletrocardiograma e oximetria. Na avaliação do tipo IV, são coletados somente dados de oximetria e/ou eletrocardiografia. Esse último tipo de estudo tem acurácia bastante limitada para detecção dos transtornos respiratórios do sono.

TABELA 3.1
Classificação dos diferentes tipos de estudos do sono

Nível	Tipo de monitorização
I	Polissonografia laboratorial supervisionada
II	Polissonografia domiciliar não supervisionada
III	Monitorização cardiorrespiratória domiciliar
IV	Monitorização de um ou dois canais

Existe, ainda, a possibilidade de realização de polissonografia com montagem estendida. Trata-se de método com os mesmos sensores relatados antes, acrescido do sistema completo de todos os eletrodos de eletroencefalografia de acordo com o sistema internacional 10-20.

A eletroencefalografia é uma técnica que mede a diferença de potencial entre dois eletrodos e sua variação ao longo do tempo. Essa medida é representada por meio de um gráfico de ondas com frequência e amplitude variável, em que cada linha representa uma derivação, com a amplificação da diferença de potencial entre os eletrodos envolvidos (Figura 3.2). A duração do exame de eletroencefalograma é variável, com exames de rotina durando em torno de 30 minutos até exames com duração prolongada de vários dias[11]. Para documentação e avaliação de eventos durante o sono o exame deve ter idealmente duração mais prolongada. O exame de eletroencefalograma tem por objetivo avaliar atividade eletroencelográfica de base, atividade epileptiforme interictal, padrões eletroencefalográficos específicos de síndromes epilépticas e detecção de eventos ictais.

O exame de polissonografia convencional apresenta habitualmente um número de canais relacionados ao eletroencefalograma (EEG) entre seis e oito. Tal quantidade de eletrodos permite, como já descrito, diferenciar os diferentes estágios de sono e identificar os microdespertares, porém não possibilita a avaliação com fidedignidade de comportamentos anormais durante o sono. Tais comportamentos devem ser avaliados por monitorização eletroencefalográfica que inclua todos os eletrodos de EEG, de acordo com o sistema internacional 10-20, com vistas a avaliar possíveis crises epilépticas (Figura 3.3). Além disso, o exame deve ter sistema de áudio e vídeo sincronizado, permitindo a caracterização e a avaliação eletroencefalográfica simultânea dos eventos ictais. Pode-se ainda utilizar um maior número de canais de eletromiograma, em membros superiores, por exemplo, com intuito de verificar perda de atonia durante o sono REM, achado característico do transtorno comportamental do sono REM.

Esse tipo de exame, aqui descrito, é denominado videopolissonografia com montagem estendida e é indicado na avaliação de comportamentos e/ou vocalizações anormais durante o sono, permitindo o diagnóstico diferencial entre parassonias e crises epilépticas.

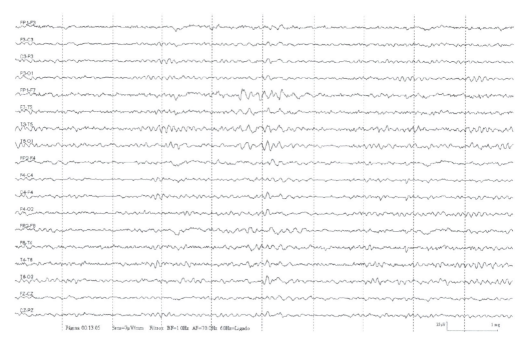

FIGURA 3.2 – Exemplo de eletroencefalograma normal.

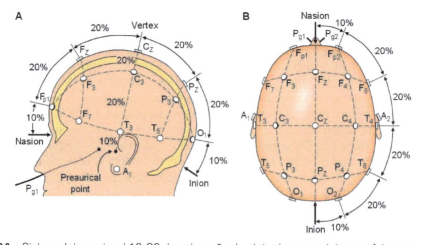

FIGURA 3.3 – Sistema Internacional 10-20 de colocação de eletrodos para eletroencefalograma.

3. Procedimentos

O exame de polissonografia deve ser realizado preferencialmente durante o período principal de sono do paciente. É importante a documentação das diferentes fases de sono NREM e de sono REM e sono na posição supina, sem que seja utilizada sedação, preferencialmente.

Antes da realização do exame, o paciente deve ser informado sobre os procedimentos, como colocação de eletrodos, utilização de equipamentos de pressão positiva, bem como da possibilidade de chamar o técnico em caso de alguma dificuldade. É recomendado ainda comunicar e solicitar autorização ao paciente para realização de monitorização com áudio e vídeo sincronizados.

Antes e após a realização do exame, é aplicado questionário, cujo objetivo é identificar fatores que possam influenciar na realização e na interpretação do exame. Durante o período do exame no laboratório, o técnico responsável deve anotar qualquer anormalidade ocorrida durante o exame, bem como quaisquer movimentos suspeitos durante o sono.

No registro da PSG são utilizados eletrodos de eletroencefalograma (EEG) (seis canais), eletro-oculograma (EOG) (dois canais), eletromiograma (EMG) de mento e de membros inferiores (três canais) e eletrocardiograma (um canal). Além disso, são utilizados dispositivos para monitorar o fluxo respiratório (cânula de pressão nasal e termistor oronasal); o esforço respiratório, pelas cintas de esforço respiratório torácica e abdominal; e a oximetria, por meio de sensor apropriado. Durante o exame, é realizada a gravação simultânea de áudio e vídeo. Todos os sensores são colocados na superfície do corpo por meio de pasta própria para este tipo de exame, dispensando acessos venosos ou qualquer intervenção invasiva. A duração da preparação da pessoa para o exame, isto é, a colocação de todos os sensores, dura em média uma hora.

Antes do início do registro do sono, assim como na manhã seguinte, após o despertar, recomenda-se a realização de calibração, em todos os pacientes que colaborem para a realização da mesma, seguindo os seguintes passos:

- Realizar e documentar a impedância nos eletrodos de EEG, EOG e EMG, sendo que esta deve ser menor ou igual a 5.000 Ω, podendo ser aceita até 10.000 Ω nos eletrodos de EMG de membros inferiores. Teste deve ser repetido ao final da calibração.
- Gravar, no mínimo, 30 segundos do EEG com o paciente acordado e deitado, com os olhos abertos e 30 segundos com o paciente na mesma posição, com os olhos fechados. Deve-se verificar a existência de artefatos no EEG que podem ser provenientes da sudorese, respiração, má colocação de eletrodos, eletrocardiograma ou do ambiente.
- Solicitar ao paciente que olhe para cima, para baixo e para os lados, sem movimentar a cabeça, seguido por piscamentos oculares, pelo menos cinco vezes. Verificar com isso o funcionamento do sinal do EOG.
- Solicitar ao paciente apertar os dentes ou mastigar por cinco segundos. Observar um aumento de pelo menos duas vezes o sinal do EMG de mento.
- Solicitar ao paciente que simule um ronco ou pigarro por cinco segundos. Verificar o sensor de ronco, reposicionando-o em caso de mau funcionamento.
- Solicitar ao paciente que respire normalmente e que interrompa a respiração por 10 segundos. Respirar, em seguida, somente pelo nariz e pela boca, isoladamente, por 10 segundos. Por fim, solicitar ao paciente que respire fundo e que exale o ar lentamente (expiração prolongada). Ajustar os sensores respiratórios e as cintas de esforço para que tenham um sinal adequado, verificar se estes estão na mesma fase e identificar o sinal durante a inspiração e a expiração.
- Solicitar ao paciente que flexione o pé e os dedos em cada um dos pés, por pelo menos cinco vezes. Caso esteja monitorando os membros superiores, solicitar flexão e extensão dos dedos. Verificar se o sinal de EMG dos membros estão adequados.
- Ajustar o sinal do ECG para que tenha ondas evidentes com a deflexão da onda R para cima.
- Verificar que o sinal do oxímetro de pulso esteja adequado, bem como a verificação da frequência cardíaca.

Atualmente, diferente do que ocorria no passado, os sinais gerados são digitais havendo, com esse processo de digitalização, necessidade de preocupação com a amplitude (resolução digital) e a resolução temporal (taxa de amostragem) dos mesmos. A resolução digital mínima recomendada é de 12 bits por amostra e a taxa de amostragem varia dependendo do canal gravado. Vale ainda ressaltar que cada canal gravado deve ter configurado um filtro de baixa e alta frequência adequado para aquele tipo de sinal adquirido (Tabela 3.2).

TABELA 3.2
Parâmetros recomendados para polissonografia digital, por canal

Canal	Taxa de amostragem (Hz) Desejado recomendado	Filtro de baixa frequência (Hz)	Filtro de alta frequência (Hz)
EEG	500 200	0,3	35
EOG	500 200	0,3	35
EMG	500 200	10	100
ECG	500 200	0,3	70
Termistor	100 25	0,1	15
Cintas	100 25	0,1	15
Cânula de pressão	100 25	≤ 0,03 ou DC	100
Fluxo/PAP	100 25	DC	DC
Ronco	500 200	10	100

A interpretação dos exames de PSG pode ser realizada por técnico leitor seguida por revisão por médico com atuação em Medicina do Sono ou diretamente pelo médico. Essa em geral é realizada utilizando as regras estabelecidas no Manual para Estadiamento de Sono e Eventos relacionados da Academia Americana de Medicina do Sono (AAMS), atualmente na versão 2.5.

A análise da polissonografia muda dependendo da faixa etária, existindo regras diferentes para lactentes, crianças e adultos. Durante a análise da PSG são verificadas, avaliadas e quantificadas as seguintes variáveis:

- Estadiamento das fases do sono.
- Marcação de microdespertares.
- Análise de eventos cardíacos.
- Análise de movimentos:
  - Marcação de movimentos periódicos de membros (PLM);
  - Marcação de ativação muscular alterna de pernas (ALMA);
  - Marcação de tremor hipnagógico dos pés (HFT);
  - Marcação de mioclonia fragmentar excessiva (EFM);
  - Marcação de bruxismo;
  - Avaliação das características do transtorno comportamental do sono REM;
  - Avaliação das características do transtorno do movimento rítmico.

- Marcação de eventos respiratórios e dessaturações associadas:
  - Marcação de apneias;
  - Marcação de hipopneias;
  - Marcação de despertar relacionado a esforço respiratório;
  - Marcação de hipoventilação;
  - Marcação de respiração periódica;
  - Marcação do padrão respiratório de Cheyne-Stokes.

Além desses eventos, é importante analisar movimentos e/ou comportamentos anormais durante o sono pela avaliação do eletroencefalograma e do vídeo sincronizados.

4. Elaboração do laudo da polissonografia

É recomendado que o laudo da PSG descreva uma série de parâmetros, tais como: variáveis gerais relacionadas ao sono, eventos relacionados ao despertar, cardíacos, relacionados a movimentos, respiratórios e outras variáveis (alterações eletroencefalográficas, alterações comportamentais e hipnograma).

Dentre as variáveis gerais que têm relação com o sono, é importante destacar: o horário em que as luzes foram apagadas e acesas, o tempo total de sono (TTS), o tempo total de gravação, a latência para o início do sono, a latência para o início do sono REM, o tempo acordado após o início do sono, a eficiência do sono, o tempo em cada estágio do sono e o percentual de cada estágio do sono em relação ao TTS.

O relato dos eventos relacionados ao despertar deve conter o número de microdespertares, bem como o índice de microdespertares, que consiste no número de microdespertares dividido pelo tempo total de sono. Com relação ao relato de eventos cardíacos é recomendado que o relatório contenha: a frequência cardíaca média durante o sono, as maiores e as menores frequências cardíacas no sono e na gravação e o relato de arritmias cardíacas, caso elas ocorram.

O relatório dos movimentos durante o sono deve conter: o número de movimentos periódicos dos membros durante o sono (MPMS), assim como o número destes eventos que ocorrem associados aos microdespertares. Ainda é importante a quantificação em índices que consiste na divisão destes números pelo TTS.

Os eventos respiratórios devem ser mensurados com as seguintes variáveis: número de apneias obstrutivas, mistas e centrais, número de hipopneias, de despertares relacionados a esforço respiratório (*Respiratory Effort-Related Arousal* – RERA) e de dessaturações, de modo isolado ou em combinações, como a somação de apneias, hipopneias e RERAs. É de extrema importância que um índice seja gerado para cada um destes números, pela divisão desses pelo TTS. Assim, é fundamental o relato dos seguintes índices: índice de apneia, índice de hipopneia, índice de apneia-hipopneia e o índice de distúrbios respiratórios (número apneias + hipopneias + RERAs dividido pelo TTS). Ainda é importante o relato da ocorrência de respiração de Cheyne-Stokes, de respiração periódica, de hipoventilação e de ronco, bem como o nível médio e mínimo de saturação arterial de oxigênio.

Por fim, deve constar no laudo da PSG o relato de: eventos relacionados a diagnósticos de problemas no sono, anormalidades apresentadas no eletroencefalograma (alterações da atividade de base, presença de paroxismos epileptiformes, de crises epilépticas e de padrões eletroencefalográficos sugestivos de alguma patologia), anormalidades no eletrocardiograma não relatadas no item de escores cardíacos, descrição de comportamentos apresentados e o hipnograma, que consiste na representação gráfica dos diferentes estágios do sono que pode estar acompanhada da representação dos diferentes eventos.

O laudo de polissonografia pode ainda trazer considerações a respeito das parâmetros técnicos para a realização daquele exame, como: a impedância, taxa de amostragem, os filtros de baixa e alta frequência, em cada um dos diferentes canais polissonográficos aferidos, além de especificações dos equipamentos utilizados e dos profissionais envolvidos na realização daquele exame, além dos critérios utilizados para quantificação dos eventos respiratórios e a versão do Manual de Estadiamento do Sono e Eventos Relacionados da AASM utilizada (Figura 3.4).

Laudo de Polissonografia			
Nome: JEJEOMS MAAA		Data: 01/01/1880	
Indicação: Ronco + sono não restaurador			
Início do exame:	22:14:54	"Light Off": 22:26:54	
Término do exame:	05:53:05	"Light On": 05:53:05	
Tempo total de sono (TST):		6,5 horas	
Tempo total de gravação (TRT):		7,4 horas	
Tempo acordado após início do sono:		83,9 minutos	
Eficiência do Sono:		**87,0 %**	
Número de despertares:		39	
Índice de despertares:		6,0	

Latências (minutos)	
N1	2,5
N2	7,5
N3	-
REM	109,0

Continuidade do sono	Número	# em REM	# em NREM	Índice	Índice REM	Índice NREM
Microdespertares (MCD)	426	71	355	**65,5**	69,6	65,1
MCD associados a eventos respiratórios	141	39	102	21,8	38,2	18,7
MCD associados à PLM	0	0	0	0,0	0,0	0,0

Estágios do sono	Minutos	% Tempo total de sono
N1	72,0	**18,5**
N2	255,0	**65,7**
N3	0,0	**0,0**
REM	61,2	**15,8**
NREM	327,0	**84,2**

FIGURA 3.4 – Modelo de laudo de polissonografia.

Continua...

Continuação

Posição	Supino	Direito	Esquerdo	Prono
NREM	62,0	113,5	151,5	0,0
REM	4,5	31,2	25,5	0,0
TTS	66,5	144,7	177,0	0,0

Eventos respiratórios	Esquerda	Direita	Prono	Supino	Total
Índice de apneia (NREM)	0,4	0,5	-	8,7	2,0
Índice de apneia (REM)	0,0	0,0	-	26,7	2,0
Índice de apneia (Total)	0,3	0,4	-	9,9	2,0
Índice de hipopneia (NREM)	16,6	7,4	-	35,8	17,1
Índice de hipopneia (REM)	47,1	32,7	-	26,7	38,2
Índice de hipopneia (total)	21,0	12,9	-	35,2	20,4
Índice de apneia+hipopneia (NREM)	17,0	7,9	-	44,5	19,1
Índice de apneia+hipopneia (REM)	47,1	32,7	-	53,3	40,2
Índice de apneia+hipopneia (total)	**21,4**	**13,3**	**-**	**45,1**	**22,4**
Índice de distúrbio respiratório (IDR)					**24,2**
Índice de dessaturação (≥3%)	25,1	36,1	-	37,9	31,4

Eventos respiratórios	# de eventos	Índice/Hr
Obstrutiva	12	1,9
Central	0	0,0
Mista	1	0,2
Hipopneia	132	20,4
Hipopneia obstrutiva		
Hipopneia central		
Apneia+hipopneia	**145**	**22,4**
Esforço respiratório associado a despertar	**12**	**1,8**

Saturação e frequência cardíaca	Min SaO_2	Max SaO_2	Média O_2	Min FC	Max FC	Média FC
Vigília	89,0	98,0	95,1	44,0	89,0	54,5
REM	89,0	98,0	94,3	45,0	78,0	55,0
NREM	89,0	98,0	94,5	43,0	89,0	51,7
Sono	89,0	98,0	94,5	43,0	89,0	52,2
Total	89,0	98,0	94,5	43,0	89,0	52,5

Saturação de oxigênio em função do tempo total de sono			
< 70%: 0,0	70%-79%: 0,0	80%-89%: 0,1	90%+: 99,9	Artefato em O_2% (TIB): 0,0

FIGURA 3.4 – Modelo de laudo de polissonografia.

Continua...

Continuação

Eventos cardíacos	
Bradicardia	-
Assistolia	-
Taquicardia	-
Taquicardia com QRS estreito	-
Taquicardia com QRS alargado	-
Fibrilação atrial	-
Outros	-

Movimentos periódicos dos membros	# em REM	# em NREM	Total de movimentos	Índice
Periódico (Total)	0	0	0	0,0
Periódico c/despertar	0	0	0	0,0

Outros:	
Alterações eletroencefalográficas:	-
Padrão respiratório tipo Cheyne-Stokes (CSR):	-
Tempo em minutos em CSR	
Hipoventilação:	-
Roncos	Presente
Bruxismo:	-
Tremor hipnagógico dos pés:	-
Ativação muscular alterna das pernas:	-
Mioclonia fragmentar excessiva	-
Sono REM sem atonia:	**Presente, em 15 épocas, do tipo fásico, sem fenômenos clínicos associados**
Movimentos periódicos dos membros em vigília	-
Distúrbio rítmico do movimento:	-

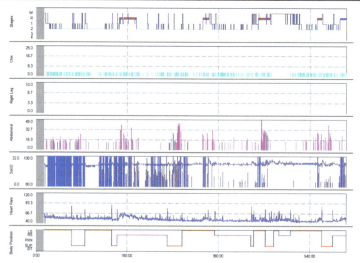

FIGURA 3.4 – Modelo de laudo de polissonografia.

Continua...

Continuação

> **Conclusão**
> Exame realizado sob boas condições técnicas evidenciou:
> - Redução da latência do sono
> - Aumento do índice de despertar
> - Ausência de sono N3 e redução de sono REM
> - Presença de roncos
> - Aumento do índice de apneias + hipopneias (IAH 22,4/h) e do índice de distúrbios respiratórios (IDR 24,2/h), com predomínio em decúbito dorsal e estágio REM
> - Presença de dessaturações
> - Presença de sono REM sem atonia
>
> **Correlação clínica**
> Os achados são compatíveis com Apneia Obstrutiva do Sono de grau **MODERADO e sono REM sem atonia.**
>
> **Parâmetros polissonográficos:**
> - Derivações no EEG: F3, F4, C3, C4, O1, O2, M1 e M2;
> - Eletro-oculograma direito e esquerdo;
> - Eletromiograma de superfície no mento;
> - Eletromiograma de superfície em membro inferior esquerdo e direito;
> - Fluxo aéreo: cânula de pressão nasal e termistor;
> - Sensor de ronco: microfone;
> - Saturação periférica de oxigênio;
> - Eletrocardiograma;
> - Esforço respiratório: cintas de pletismografia de indutância torácica e abdominal;
> - Videomonitorização sincronizado;
> - Posição corporal.
>
> **Observações:**
> - Dessaturação: episódio com queda ≥ 3% da linha de base.
> - Hipopneia: redução do fluxo aéreo nasal ≥ 30% da linha de base, com duração de ao menos 10 segundos, associado a despertar e/ou dessaturação e que ao menos 90% do evento preencha o critério de redução de amplitude.

FIGURA 3.4 – Modelo de laudo de polissonografia.

5. Teste das latências múltiplas do sono[12,13]

■ 5.1. Fundamentos

O teste das latências múltiplas do sono (TLMS) permite avaliar de maneira objetiva a sonolência diurna excessiva, por meio da estimativa da latência ao sono no dia seguinte a uma noite de sono.

Nesse caso, considera-se a *latência ao sono* uma medida indireta válida de sonolência, uma vez que reflete a tendência ou facilidade para o início do sono, em condições padronizadas, na ausência de estímulos externos para o alerta. Ainda, o TLMS permite documentar a presença de sono REM durante breves cochilos diurnos, condição não encontrada em uma arquitetura do sono normal.

O protocolo mais utilizado de TLMS consiste de cinco oportunidades breves de cochilo (20 minutos), no dia seguinte a uma polissonografia de noite inteira, com duas horas de intervalo entre cada teste, sendo o primeiro deles iniciado após duas horas do despertar do paciente.

A polissonografia de noite inteira deve ser realizada na véspera do TLMS, uma vez que privação de sono, fragmentação de sono, e outros transtornos do sono influenciam nos resultados do teste.

Os parâmetros registrados durante o TLMS são o eletrencefalograma, o eletro-oculograma, o eletromiograma submentoniano, e o eletrocardiograma, com o objetivo de se determinar a latência ao sono em cada cochilo, e, em última análise, a latência média ao sono, bem como a presença ou ausência de episódios de sono REM ao início do sono (*Sleep-Onset REM Periods* – SOREMPs).

O TLMS é considerado positivo para narcolepsia, segundo a Classificação Internacional de Distúrbios do Sono, 3ª ed., quando a latência média ao sono é ≤ 8 minutos e há ocorrência de ao menos dois SOREMPs. Observou-se que a grande maioria dos pacientes com narcolepsia apresenta documentação objetiva de sonolência excessiva diurna, representada por latência média ao sono < 8 minutos em 90% dos casos. Ainda, que a presença de ≥ 2 SOREMPs é muito comum em tais pacientes (sensibilidade de 0,78 e especificidade de 0,93).

O TLMS é formalmente indicado para o diagnóstico de Narcolepsia Tipo I, Narcolepsia Tipo II, e Hipersonia Idiopática, e pode ser indicado na documentação de Hipersonia Secundária a Condições Médicas. Para o diagnóstico diferencial de Hipersonias de Origem Central, os resultados do TLMS devem ser avaliados conjuntamente com dados clínicos e da polissonografia diagnóstica. Segundo critérios da Classificação Internacional de Medicina do Sono - 3ª Ed.:

- Na Narcolepsia do Tipo I, o paciente apresenta sonolência excessiva há ao menos 3 meses e ao menos um dos critérios: I. Cataplexia + TLMS positivo II. Diminuição de hipocretina no liquor.
- Na narcolepsia do Tipo II, o paciente apresenta sonolência excessiva há ao menos 3 meses, na ausência de condições que a justifiquem, e TLMS positivo. Não há cataplexia, e a hipocretina no liquor não é dosada ou encontra-se normal.
- Na Hipersonia Idiopática, o paciente apresenta sonolência diurna excessiva há ao menos 3 meses, sem condições que a justifiquem. A sonolência excessiva é documentada por um dos critérios: I. Ao menos 11 horas de tempo total de sono em polissonografia de 24 horas ou em actigrafia associada a diário de sono (ao menos 7 dias) II. Diminuição da latência média ao sono no TLMS (≤ 8 minutos), sem ocorrência de 2 SOREMPs.
- Na Hipersonia Secundária a Condições Médicas, se o TLMS for realizado, a latência média ao sono é ≤ 8 minutos, sem ocorrência de 2 SOREMPs.

Observou-se que o TLMS apresenta resultados reprodutíveis em estudos teste-reteste em pacientes saudáveis, e boa concordância intra e inter avaliador em pacientes com distúrbios do sono. No entanto, resultados falsos positivos e falsos negativos foram ambos estimados em 16%, para um ponto de corte de 5 minutos de latência média ao sono. Os procedimentos do teste devem ser rigorosamente observados, no intuito de minimizar resultados errôneos.

Em 1992, a Associação Americana de Distúrbios do Sono, atualmente Academia Americana de Medicina do Sono, publicou orientações sobre o uso clínico do TLMS, revisadas em 2005. Os procedimentos para realização, laudo e interpretação do TLMS descritos a seguir foram adaptados de tais recomendações.

■ 5.2. Procedimentos

As recomendações se dirigem a adolescentes e adultos, devido à falta de evidências suficientes para padronização e interpretação do teste em crianças.

- Nas duas semanas que antecedem o exame, o paciente deve ser orientado a suspender medicações estimulantes e medicações supressoras de sono REM. É fundamental que tal procedimento seja praticado. A suspensão dessa última classe de medicação poucas horas ou poucos dias antes do exame pode resultar em aumento rebote do teor de sono REM e resultados falsos positivos do TLMS. A utilização de demais medicações deve ser avaliada caso a caso, de acordo com seu potencial sedativo ou estimulante.
- Ao menos na semana anterior ao exame, e idealmente nas duas semanas anteriores, o paciente deve ser orientado a manter horários regulares de sono, evitando privação, o que deve ser documentado pelo diário de sono (ou actigrafia).
- Na polissonografia de noite inteira realizada na véspera do TLMS, o paciente deve fazer uso, se for o caso, dos dispositivos terapêuticos para Apneia Obstrutiva do Sono, como aparelho de pressão positiva ou dispositivo intraoral. Na presença de Transtorno de Ritmo Circadiano, a polissonografia deve ser realizada durante o período principal de sono do paciente, e o TLMS imediatamente após o mesmo.
- *Screening* sanguíneo e/ou urinário de substâncias potencialmente estimulantes ou sedativas pode ser indicado na manhã do teste. Em recente estudo, Anniss e colaboradores verificaram 16% de positividade do *screening* urinário para tais substâncias, sendo que nenhum paciente relatou previamente o uso das mesmas.
- Na manhã do TLMS, após o despertar do paciente, técnicos devem ser orientados a manter os sensores relativos ao teste (sensores de eletrencefalograma, eletro-oculograma, eletromiograma submentoniano e eletrocardiograma), e retirar demais sensores de polissonografia.
- O paciente deve ser orientado a consumir café da manhã leve (ao menos 1 hora antes do primeiro teste). Deve manter-se fora do ambiente de dormir, até o início do primeiro teste de latência, e no intervalo entre cada teste. Após os demais testes, lanches leves podem ser consumidos.
- Medicações sedativas ou psicoestimulantes, cafeína, e exposição excessiva à luz devem ser evitadas durante todo o dia de teste, assim como, idealmente, nicotina e atividade fisicamente estimulante. Tabagismo deve ser interrompido no mínimo 30 minutos antes de cada teste e atividade física no mínimo 15 minutos.
- O primeiro teste se inicia duas horas (1,5 a 3 horas) após o despertar do paciente, e os demais testes após duas horas de início do teste anterior, em horários fixos. Exemplo: 8h – 10h – 12h – 14h – 16h.
- A cada teste, o paciente deve ser conduzido ao ambiente de dormir, e a calibração biológica dos parâmetros registrados deve ser realizada. O paciente deve sentir-se confortável e possíveis queixas devem ser resolvidas. Após orientação para "manter-se quieto, confortável e tentar iniciar o sono", as luzes devem ser apagadas. O ambiente de dormir deve ser silencioso, escuro, e manter temperatura adequada ao paciente.
- Cada teste deve ser encerrado após vinte minutos de seu início, caso o paciente não apresente sono. Caso o paciente apresente sono, o teste deve ser prolongado por 15 minutos a partir da primeira época de sono, com o objetivo de documentar a presença ou a ausência de sono REM nos primeiros 15 minutos de sono (SOREMP).

Obs.: Existe variação do protocolo exposto, com execução de 4, e não 5, testes ou oportunidades de cochilo.

5.3. Elaboração e interpretação do laudo do TLMS[14,15]

Os seguintes parâmetros devem ser relatados no laudo do TLMS: horário de início e término de cada teste, latência ao sono em cada teste, latência média ao sono, presença ou ausência de SOREMP em cada teste.

Exemplo:

Teste	Início	Término	Latência ao sono	SOREMP
1°	08:00:20 h	08:18:20 h	03 minutos	SIM
2°	10:00:40 h	10:17:40 h	02 minutos	SIM
3°	12:00:17 h	12:25:47 h	10 minutos	NÃO
4°	14:00:26 h	14:16:26 h	01 minuto	SIM
5°	16:00:32 h	16:20:32 h	20 minutos	NÃO

Latência média ao sono: 7,2 minutos.

- Em cada teste, a latência ao sono considerada é o tempo decorrido entre o apagar das luzes e a primeira época de sono. Caso o paciente não tenha apresentado sono, o valor de 20 minutos deve ser considerado para o cálculo da latência média. A latência ao sono REM é o tempo entre a primeira época de sono e a primeira época de sono REM, independente da ocorrência de épocas de vigília ou outros estágios de sono durante esse tempo. O episódio de SOREMP é definido como a ocorrência de sono REM dentro de 15 minutos a partir da primeira época de sono.

- O TLMS é considerado positivo quando as duas condições encontram-se presentes: 1. Latência média ao sono ≤ 8 minutos. 2. Ocorrência de 2 episódios de SOREMP (em ao menos 2 das 5 oportunidades de cochilo). Deve ser observado que, de acordo com a Classificação Internacional de Distúrbios do Sono, 3ª ed., para o diagnóstico de Narcolepsia, a ocorrência de SOREMP na polissonografia de noite anterior ao teste pode ser contabilizada para preencher o critério de ao menos 2 SOREMPs.

- Resultados positivos diante de apneia obstrutiva do sono não tratada, privação de sono na semana e/ou na noite anterior ao exame, suspensão recente de medicações supressoras de sono REM, podem representar falsos positivos. O resultado positivo pode ser questionável caso o tempo total de sono na noite anterior seja menor que 6 horas. Resultados negativos diante do uso de medicações supressoras de sono REM podem representar falsos negativos.

- Em um paciente com quadro clínico compatível com hipersonia idiopática, ou hipersonia secundária a condição médica, a latência média ao sono ≤ 8 minutos confirma o diagnóstico. Caso ocorram ainda 2 SOREMPs, o diagnóstico deve ser alterado para narcolepsia do tipo II.

- Paciente com sinais e sintomas clínicos de narcolepsia, com TLMS negativo, podem ter diagnóstico confirmado pela diminuição de hipocretina no liquor ou pela repetição *a posteriori* do TLMS.

- O teste deve ser repetido quando realizado em condições não ideais, quando apresenta resultados duvidosos, ou quando não confirma diagnóstico de narcolepsia em casos suspeitos.

6. Métodos subjetivos de avaliação do sono

Questionários e escalas de sono são instrumentos para medidas subjetivas de sono. São utilizados tanto na rotina clínica para fins diagnósticos qualitativos e ou quantitativos, monitorização da resposta aos tratamentos, estudos epidemiológicos e pesquisa clínica.

A escolha do instrumento a ser utilizado deve pautar-se na finalidade; aspectos operacionais, facilidade de aplicação, confiabilidade e validade.

Objetivo do uso de escalas e questionários:
- Tem como objetivo traçar o padrão de sono do indivíduo e avaliar condições específicas do sono.

Vantagens do uso do método:
- As vantagens do uso de escalas e questionários estruturados são: o fato de ser não invasivo, de baixo custo, com possibilidade de fornecer auxílio diagnóstico e seguimento clínico, ser de fácil treinamento, permitir identificação com mais clareza das situações da prática clínica, além de serem aplicáveis tanto em consultório como em laboratório.
- Para o paciente, é também uma oportunidade de auto-observação.
- Na prática clínica, permite maior e melhor detalhamento da queixa e uma estimativa mais objetiva da gravidade do transtorno. Para clínicos com menor experiência em transtornos do sono, pode ajudar a levantar suspeita sobre algumas condições específicas.
- No laboratório de sono, adiciona qualidade do atendimento, uma vez que individualiza a abordagem e permite ao revisor do exame obter mais informações que possam auxiliar na elaboração do laudo.

Fatores limitantes:
- Apesar de se tratarem de instrumentos de fácil aplicação e disponíveis, o idioma pode ser um fator limitante. Por isso, o uso de escalas validadas para a própria língua é importante.
- Outro fator limitante é a possibilidade de erros de interpretação, tendo-se em mente que os aspectos culturais são muito influenciadores também na interpretação desses instrumentos.
- Há vários instrumentos de avaliação subjetiva de sono, validados ou não no Brasil. Eles se dispõem a avaliar o sono em geral, os transtornos respiratórios do sono, síndrome das pernas inquietas e insônia.

6.1. Escala de distúrbios de sono para crianças – *Sleep Disturbance Scale for Children* (SDSC) – Anexo A

Desenvolvida em 1996, por Bruni et al.[16], e validada para o português em 2009[17], essa escala versa sobre vários aspectos de padrões comportamentais relacionados ao sono infantil. É reconhecida como um instrumento reprodutível e válido, além de ser capaz de fazer distinção dentre os seis grupos de distúrbios do sono mais comuns na criança e no adolescente: desordens de iniciar e manter o sono, transtornos respiratórios relacionados ao sono, transtornos do despertar, desordens da transição sono-vigília, sonolência excessiva diurna e hiperidrose no sono.

Há pontuação específica para cada uma das áreas. É de uso livre e disponível gratuitamente na rede.

6.2. Questionário de Berlim – *Berlin Questionnaire* (BQ) – Anexo B

Ferramenta amplamente utilizada para triagem de distúrbios respiratórios relacionados ao sono[18]. Inclui a análise de dez itens, organizados em três categorias, incluindo roncos e apneias presenciadas, sonolência diurna, hipertensão arterial sistêmica e presença de obesidade. Inclui ainda dados de idade, sexo, altura, peso, circunferência cervical e etnia. Está validada para a língua portuguesa desde 2011 e também é de uso livre.

6.3. Escala de sonolência de Epworth – Anexo C

Escala desenvolvida com base na necessidade de quantificar as queixas de sonolência excessiva diurna, observando a propensão a adormecer em determinadas situações[19,20], tanto com envolvimento de atividades quantos em ambientes soporíferos. Varia de 0 a 24 seu resultado, sendo níveis acima de dez considerados sonolência excessiva. Está adequadamente validada para o português desde 2009[21] e disponível gratuitamente para uso.

6.4 Índice de qualidade de sono de Pittsburgh (PSQI-BR) – *Pittsburgh Sleep Quality Index* – (PSQI) – Anexo D

Trata-se de um dos poucos instrumentos desenvolvidos para avaliar a qualidade de sono. Elaborado em 1989, o índice de qualidade de sono de Pittsburgh (PSQI)[22], teve como principais objetivos avaliar a qualidade de sono de maneira prática e padronizada, fazer uma distinção entre "bons" e "maus" dormidores e criar um índice de fácil utilização e interpretação. Possui tradução para diversos idiomas, sendo que a versão validada para a língua portuguesa recebeu o nome de Índice de qualidade de sono de Pittsburgh (PSQI-BR) em 2010[23].

O PSQI avalia a qualidade de sono ao longo do último mês. É composto por 19 questões autoadministradas, divididas em sete grupos, que abrangem diversos aspectos relacionados a qualidade do sono. É graduado em uma escala de 4 pontos, com variação de 0 a 3. Outras cinco questões são direcionadas ao parceiro de quarto do avaliado e não fazem parte do escore total. A pontuação final varia de 0 a 21 e índices mais elevados indicam pior qualidade de sono.

O público-alvo é bastante amplo, porém foi criada como medida de rastreio para a identificação de "bons" e "maus" dormidores[24].

A PSQI é protegida por direitos autorais e sua utilização depende da autorização dos órgãos responsáveis vinculados a University of Pittsburgh. Pode ser utilizada de maneira gratuita em situações específicas.

6.5. Escala de graduação da síndrome das pernas inquietas (EGSPI) – *Restless Legs Syndrome Rating Scale* – (IRLS) – Anexo E

Criada por especialistas do Grupo Internacional das Pernas Inquietas em 2002, a escala de graduação da síndrome das pernas inquietas (EGSPI)[25] é um instrumento que tem como principal objetivo avaliar a gravidade dos sintomas de pernas inquietas de uma maneira prática e objetiva. Foi validada para a língua portuguesa em 2008[26].

A EGSPI é composta por dez questões que abordam aspectos da SPI, como intensidade, frequência, problemas de sono associados, impacto sobre o humor e funcionamento diário. Cada questão possui cinco alternativas que correspondem a uma escala crescente de intensidade, variando de 0 a 4. A pontuação total pode ser de 0 a 40. As questões devem ser respondidas baseadas nos sintomas presentes nas últimas duas semanas. A pontuação final representa a gravidade, sendo que para valores de 0 a 10 é considerado leve, de 11 a 20 moderado, de 21 a 30 grave e de 31 a 40 muito grave.

A EGSPI é protegida por direitos autorais e sua utilização depende da autorização dos órgãos responsáveis de acordo com as normas do Grupo Internacional das Pernas Inquietas.

■ 6.6. Questionário de matutinidade e vespertinidade – *Morningness Eveningness Questionnaire* (MEQ) – Anexo F

O cronotipo pode relacionar-se com a capacidade de adaptação e o desempenho de atividades diárias quando são exigidas mudanças dos hábitos de sono que possam determinar privação ou débito desse importante estado funcional.

O cronotipo tem sido avaliado com o *Morningness Eveningness Questionnaire* (MEQ)[28]. O uso desse questionário permite, em pesquisas epidemiológicas de larga escala, examinar os perfis de preferência circadiana de acordo com a idade e o gênero. Na prática clínica, é o mais utilizado e validado mundialmente para a identificação de cronotipos.

Trata-se um instrumento de autoavaliação que contém 19 questões, atribuindo-se a cada resposta um valor, cuja soma varia de 16 a 86. Pontuações acima de 58 classificam os indivíduos como matutinos, abaixo de 42 como vespertinos e de 42 a 58 como intermediários ou indiferentes.

■ 6.7 Diário de sono – Anexo G

Desenvolvido como ferramenta importante na avaliação do sono, para melhor avaliação do padrão do mesmo e dos hábitos das crianças. Todas as crianças participantes do estudo preencheram este diário pelo período de quatro semanas.

Anexo A – Escala de distúrbios de sono em crianças

Escala de distúrbios de sono em crianças

Nome da criança:_____Idade: _____Data: ____/____/____

Instruções: Este questionário permitirá compreender melhor o ritmo sono-vigília de sua criança e avaliar se existem problemas relativos a isto. Procure responder todas as perguntas. Ao responder considere cada pergunta em relação aos últimos 6 meses de vida da criança. Preencha ou faça um "X" na alternativa (resposta) mais adequada. Para responde as questões abaixo, sobre sua criança, leve em conta a seguinte escala:

1. Quantas horas a criança dorme durante a noite	(1) 9-11 horas	(2) 8-9 horas	(3) 7-8 horas	(4) 5-7 horas	(5) Menos de 5 h
2. Quanto tempo a criança demora para adormecer	(1) Menos de 15 min	(2) 15-30 min	(3) 30-45 min	(4) 45-60 min	(5) Mais de 60 min
	Nunca	Ocasionalmente (1 ou 2 × por mês)	Algumas vezes (1 ou 2 × por semana)	Quase sempre (3 ou 5 × por semana)	Sempre (todos os cias)
3. A criança não quer ir para cama para dormir					
4. A criança tem dificuldade para adormecer					
5. Antes de adormecer a criança está agitada, nervosa ou sente medo					
6. A criança apresenta "movimentos bruscos", repuxões ou tremores ao adormecer					
7. Durante a noite a criança faz movimentos rítmicos com a cabeça e o corpo					
8. A criança diz que está vendo "coisas estranhas um pouco antes de adormecer					
9. A criança transpira muito ao adormecer					
10. A criança acorda mais de duas vezes durante a noite					
11. A criança acorda durante a noite e tem dificuldade em adormecer novamente					
12. A criança mexe-se continuamente durante o sono					
13. A criança não respira bem durante o sono					
14. A criança para de respirar por alguns instantes durante o sono					

15. A criança ronca					
16. A criança transpira muito durante a noite					
17. A criança levanta-se e senta-se na cama ou anda enquanto dorme					
18. A criança fala durante o sono					
19. A criança range os dentes durante o sono					
20. Durante o sono a criança grita angustiada, sem conseguir acordar					
21. A criança tem pesadelos que não lembra no dia seguinte					
22. A criança tem dificuldade em acordar pela manhã					
23. Acorda cansada, pela manhã					
24. Ao acordar a criança não consegue movimentar-se ou fica como se estivesse paralisada por uns minutos					
25. A criança sente-se sonolenta durante o dia					
26. Durante o dia a criança adormece em situações inesperadas sem avisar					

Pontuação

Distúrbios de Início e Manutenção do Sono (somar os escores dos itens 1, 2, 3, 4, 5, 10, 11)	Aceitável até 21	
Distúrbios Respiratórios do Sono (somar os escores dos itens 13, 14, 15)	Aceitável até 06	
Distúrbios do Despertar (somar os escores dos itens 17, 20, 21)	Aceitável até 11	
Distúrbios da Transição Sono-Vigília (somar os escores dos itens 6, 7, 8, 12, 18, 19)	Aceitável até 23	
Sonolência Excessiva Diurna (somar os escores dos itens 22, 23, 24, 25, 26)	Aceitável até 19	
Hiper-hidrose do Sono (somar os escores dos itens 9, 16)	Aceitável até 07	
Escore Total (somar os 6 escores parciais)		

Anexo B – Questionário de Berlim – *Berlin Questionnaire*

Altura _____m   Peso _____kg   Idade _____   Sexo Masculino/Feminino
Escolha a resposta correta para cada questão.

Categoria 1:

1. Ressona?
☐ a. Sim
☐ b. Não
☐ c. Não sei
Se ressona:

2. O seu ressonar é:
☐ a. Ligeiramente mais alto do que a sua respiração
☐ b. Tão alto como quando fala
☐ c. Mais alto do que quando fala
☐ d. Tão alto que pode ser ouvido noutras divisões da casa

3. Com que frequência ressona?
☐ a. Quase todos os dias
☐ b. 3-4 vezes por semana
☐ c. 1-2 vezes por semana
☐ d. 1-2 vezes por mês
☐ e. Nunca ou quase nunca

4. O seu ressonar alguma vez incomodou outras pessoas?
☐ a. Sim
☐ b. Não
☐ c. Não sei

5. Alguma pessoa notou que parava de respirar durante o sono?
☐ a. Quase todos os dias
☐ b. 3-4 vezes por semana
☐ c. 1-2 vezes por semana
☐ d. 1-2 vezes por mês
☐ e. Nunca ou quase nunca

Categoria 2

6. Com que frequência se sente cansado ou fatigado depois de uma noite de sono?
☐ a. Quase todos os dias
☐ b. 3-4 vezes por semana
☐ c. 1-2 vezes por semana
☐ d. 1-2 vezes por mês
☐ e. Nunca ou quase nunca

7. Durante o dia, sente-se cansado, fatigado ou sem capacidade para o enfrentar?
☐ a. Quase todos os dias
☐ b. 3-4 vezes por semana
☐ c. 1-2 vezes por semana
☐ d. 1-2 vezes por mês
☐ e. Nunca ou quase nunca

8. Alguma vez adormeceu enquanto dirigia?
☐ a. Sim
☐ b. Não
Se respondeu sim:

9. Com que frequência é que isso ocorre?
☐ a. Quase todos os dias
☐ b. 3-4 vezes por semana
☐ c. 1-2 vezes por semana
☐ d. 1-2 vezes por mês
☐ e. Nunca ou quase nunca

Categoria 3
10. Tem hipertensão arterial?
☐ a. Sim
☐ b. Não
☐ c. Não sei

Pontuação do Questionário de Berlim:
Categoria 1: itens 1, 2, 3, 4 e 5
Item 1 – se a resposta foi sim – 1 ponto I
tem 2 – se a resposta foi c ou d – 1 ponto
Item 3 – se a resposta foi a ou b – 1 ponto
Item 4 – se a resposta foi a – 1 ponto
Item 5 – se a resposta foi a ou b – 2 pontos
Pontuação: Categoria 1 é positiva se a pontuação é maior ou igual a 2 pontos.

Categoria 2: itens 6, 7 e 8 (item 9 deve ser considerado separadamente)
Item 6 – se a resposta foi a ou b – 1 ponto
Item 7 – se a resposta foi a ou b – 1 ponto
Item 8 – se a resposta foi a – 1 ponto
Categoria 2 é positiva se a pontuação é maior ou igual a 2 pontos.

Categoria 3 é positiva se a reposta ao item 10 é sim ou se o índice de massa corporal (IMC) do doente é superior a 30 kg/m².
Doente de alto risco para SAOS: duas ou mais categorias com pontuação positiva.
Doente de baixo risco para SAOS: nenhuma ou apenas uma categoria com pontuação positiva.

Anexo C – Escala de sonolência de Epworth
Escala de sonolência de EPWORTH (ESS-BR)
Nome: _____
Data: _____   Idade (anos) _____
Qual a probabilidade de você cochilar ou dormir, e não apenas se sentir cansado, nas seguintes situações? Considere o modo de vida que você/seu filho tem levado recentemente. Mesmo que você/seu filho não tenha feito algumas destas coisas recentemente, tente imaginar como elas o afetariam.
Escolha o número mais apropriado para responder cada questão.
0 = nunca cochilaria
1 = pequena probabilidade de cochilar
2 = probabilidade média de cochilar
3 = grande probabilidade de cochilar

Situação

Situação	Chance de cochilar
Sentado e lendo	
Assistindo TV	
Sentado, quieto, em um lugar público (por exemplo, em um teatro, reunião ou palestra)	
Andando de carro por uma hora sem parar, como passageiro	
Deitado para descansar a tarde quando a situação permite	
Sentado e falando com alguém	
Sentado quieto após o almoço	
Em um carro parado no trânsito por alguns minutos	

Anexo D – Escala de Pittsburgh para avaliação da qualidade do sono – *Pittsburgh Sleep Quality Index* (PSQI)

Nome: _____ Idade: _____
Entrevistador: _____ Data: ___/___/___

Instruções: As questões abaixo se relacionam aos seus hábitos usuais de sono durante o mês passado somente. Suas respostas devem ser feitas da maneira mais precisa possível indicando a maioria dos dias e noites do mês passado. Por favor, responda a todas as perguntas.

1. Durante o mês passado, quando você geralmente foi se deitar? Hora de dormir usual _____				
2. Durante o mês passado, quanto tempo (em minutos) geralmente você levou para pegar no sono em cada noite? Número de minutos _____				
3. Durante o mês passado, quando você geralmente se levantou de manhã? Hora de despertar usual _____				
4. Durante o mês passado, quantas horas de sono você teve a noite? (Este número pode ser diferente do número de horas que você passa na cama.) Horas de sono por noite _____				
	Nenhuma durante o mês passado (0)	Menos que uma vez por semana (1)	Uma ou duas vezes por semana (2)	Três ou mais vezes por semana (3)
5. Para cada uma das questões restantes, marque a melhor resposta. Por favor, responda a todas as perguntas. Durante o mês passado, quantas vezes você teve problemas para dormir devido a...				
Não conseguir pegar no sono nos primeiros trinta minutos?				
Acordar no meio da noite, de madrugada ou muito cedo pela manhã?				
Precisar ir ao banheiro no meio da noite?				
Não conseguir respirar confortavelmente?				
Tossir ou roncar alto?				
Sentir muito frio?				
Sentir muito calor?				
Ter sonhos ruins ou pesadelos?				
Sentir dores?				
Outra(s) razão(ões); por favor, descreva: _____ Quantas vezes, durante o mês passado, você teve problemas para dormir devido a esta(s) razão(ões)?				
	Muito boa (0)	Boa (1)	Ruim (2)	Muito ruim (3)
6. Durante o mês passado, como você classificaria a sua qualidade de sono de uma maneira geral?				
	Nenhuma durante o mês passado (0)	Menos que uma vez por semana (1)	Uma ou duas vezes por semana (2)	Três ou mais vezes por semana (3)
7. Durante o mês passado, quantas vezes você precisou tomar remédios (prescritos ou não pelo médico) para ajudá-lo a dormir?				
8. Durante o mês passado, quantas vezes você teve problema para ficar acordado enquanto dirigia, se alimentava ou estava em alguma atividade social?				

	Nenhuma dificuldade	Um problema leve	Um problema razoável	Um grande problema
9. Durante o mês passado, que grau de dificuldade você teve para se manter animado e realizar suas tarefas?				
10. Você tem um(a) companheiro(a) ou mora com alguém? ( ) Sem companheiro(a)/Mora sozinho(a) ( ) Companheiro(a) ou "convivente" dorme no mesmo quarto, mas não na mesma cama ( ) Companheiro(a) ou "convivente" dorme em outro quarto ( ) Companheiro(a) dorme na mesma cama			
11. Se você tem um(a) companheiro(a) ou mora com alguém, pergunte a ele(a) quantas vezes, durante o mês passado, você teve...					

	Nenhuma durante o mês passado (0)	Menos que uma vez por semana (1)	Uma ou duas vezes por semana (2)	Três ou mais vezes por semana (3)
Ronco alto?				
Longas pausas entre uma respiração e outra enquanto estava dormindo?				
Movimentos bruscos com as pernas enquanto dormia?				
Episódios de desorientação ou confusão durante o sono?				
Outros transtornos enquanto você dorme? Por favor, descreva: _____				

Instruções para Pontuação da Escala de Pittsburgh para Avaliação da Qualidade de Sono (PSQI)
A Escala de Pittsburgh para Avaliação da Qualidade de Sono (PSQI) contém 19 questões autoavaliativas e 5 questões avaliadas pelo companheiro(a) ou "convivente" (se um destes for disponível). Apenas as questões autoavaliativas são incluídas na pontuação. Os 19 itens autoavaliativos são combinados para formar 7 componentes de pontuação, cada
um tendo de 0 a 3 escores. Em todos os casos, um escore "0" indica nenhuma dificuldade, enquanto um escore "3" indica dificuldade severa. Os sete componentes de pontuação são posteriormente adicionados para formar um escore "global", tendo de 0 a 21 pontos, "0" indicando nenhuma dificuldade e "21" indicando dificuldades severas em todas as áreas.

A pontuação procede da seguinte maneira:
Componente 1: Qualidade de sono subjetiva
#Escore 6 (0-3)   Escore do Componente 1: _____
Componente 2: Latência do sono
#Escore 2 (≤ 15 min (0), 16-30 min (1), 31-60 min (2), > 60 min (3)) + #Escore 5a (se a soma for igual a 0 = 0; 1-2 = 1; 3-4 = 2; 5-6 = 3)   Escore do Componente 2: _____
Componente 3: Duração do sono
#Escore 4 (> 7 (0); 6-7(1), 5-6 (2), < 5 (3))   Escore do Componente 3: _____
Componente 4: Eficiência do sono habitual
(Total # de horas de sono / Total # de horas na cama) × 100
> 85% = 0, 75-84% = 1, 65-74% = 2, < 65% = 3   Escore do Componente 4: _____
Componente 5: Distúrbios do sono
Soma dos escores 5b a 5j (0 = 0, 1-9 = 1, 10-18 = 2, 19-27 = 3)   Escore do Componente 5: _____
Componente 6: Uso de medicação para dormir
#Escore 7   Escore do Componente 6: _____
Componente 7: Disfunções no período do dia
#Escore 8 + #Escore 9 (0 = 0, 1-2 = 1, 3-4 = 2, 5-6 = 3)   Escore do Componente 7: _____
Escore Global do PSQI: _____

Anexo E – Escala de graduação da síndrome das pernas inquietas (EGSPI)

Nome: _____ Data: ___/___/___

1. Por favor, avalie a **gravidade** de seu(s) problema(s) de insônia nas duas últimas semanas:

	Nenhuma	Leve	Média	Grave	Muito grave
Dificuldade em dormir	0	1	2	3	4
Dificuldade em voltar a dormir no meio da noite	0	1	2	3	4
Dificuldade porque acorda cedo demais	0	1	2	3	4

2. Qual a sua taxa de **satisfação/insatisfação** com o seu padrão de sono atual?
Muito satisfeito..Muito insatisfeito
0   1   2   3   4

3. Quanto você acha que seu problema de sono **interfere** com seu funcionamento diário (por exemplo, fadiga diurna, habilidade de funcionar no trabalho/nas deveres diários, concentração, memória, humor, etc.)?

Nada	Um pouco	Mais ou menos	Muito	Imensamente
0	1	2	3	4

4. Quanto você acha que os outros **percebem** sobre seu problema de sono em termos de comprometimento de sua qualidade de vida?

Nada	Pouquíssimo	Um pouco	Muito	Totalmente
0	1	2	3	4

5. Quanto você se **preocupa/aflige** sobre seus problemas de sono atuais?

Nada	Um pouco	Mais ou menos	Muito	Imensamente
0	1	2	3	4

ANEXO F – Questionário de matutinidade-vespertinidade – Versão de autoavaliação (MEQ-SA)1

Nome: _____ Data: _____ Para cada questão, por favor selecione a resposta que melhor descreve você checando o ícone correspondente.
Faça seus julgamentos baseado em como você tem se sentindo nas semanas recentes.

1. Aproximadamente que horário você acordaria se estivesse inteiramente livre para planejar seu dia?
[5] 05:00–06:30 h
[4] 06:30–07:45 h
[3] 07:45–09:45 h
[2] 09:45–11:00 h
[1] 11:00–12:00 h

2. Aproximadamente em que horário você iria deitar caso estivesse inteiramente livre para planejar sua noite?
[5] 20:00–21:00 h
[4] 21:00–22:15 h
[3] 22:15–00:30 h
[2] 00:30–01:45 h
[1] 01:45–03:00 h

3. Caso você usualmente tenha que acordar em um horário especifico pela manhã, quanto você depende de um alarme?
[4] Nem um pouco
[3] Razoavelmente
[2] Moderadamente
[1] Bastante

4. Quão fácil você acha que é para acordar pela manhã (quando você não é despertado inesperadamente)?
[1] Muito difícil
[2] Razoavelmente difícil
[3] Razoavelmente fácil
[4] Muito fácil

5. Quão alerta você se sente durante a primeira meia hora depois que você acorda pela manhã?
[1] Nem um pouco alerta
[2] Razoavelmente alerta
[3] Moderadamente alerta
[4] Muito alerta

6. Quanta fome você sente durante a primeira meia hora depois que você acorda?
[1] Nem um pouco faminto
[2] Razoavelmente faminto
[3] Moderadamente faminto
[4] Muito faminto

7. Durante a primeira meia hora depois que você acorda pela manhã, como você se sente?
[1] Muito cansado
[2] Razoavelmente cansado
[3] Moderadamente desperto
[4] Muito desperto

8. Caso você não tenha compromissos no dia seguinte, em que horário você iria deitar comparado com seu horário de dormir usual?
[4] Raramente ou nunca mais tarde
[3] Menos que uma 1 hora mais tarde
[2] 1-2 horas mais tarde
[1] Mais de 2 horas mais tarde

9. Você decidiu fazer atividade física. Um amigo sugere que faça isso por uma hora duas vezes por semana, e o melhor horário para ele é entre 7-8hs. Tendo em mente nada a não ser seu próprio "relógio" interno, como você acha que seria seu desempenho?
[4] Estaria em boa forma
[3] Estaria razoavelmente em forma
[2] Acharia difícil
[1] Acharia muito difícil

10. Em aproximadamente que horário da noite você se sente cansado, e, como resultado, necessitando de sono?
[5] 20:00–21:00 h
[4] 21:00–22:15 h
[3] 22:15–00:45 h
[2] 00:45–02:00 h
[1] 02:00–03:00 h

11. Você quer estar no seu melhor desempenho para um teste que você sabe quer será mentalmente exaustivo e durará duas horas. Você esta inteiramente livre para planejar seu dia. Considerando apenas seu "relógio" interno, qual desses quatro horários de teste você escolheria?
[6] 08–10 h [4] 11–13 h
[2] 15–17 h
[0] 19–21 h

12. Caso você tivesse que se deitar as 23:00hs, quão cansado você estaria?
[0] Nem um pouco cansado
[2] Um pouco cansado
[3] Moderadamente cansado
[5] Muito cansado

13. Por alguma razão, você se deitou na cama varias horas depois que o usual, mas não há necessidade para acordar em um horário específico na manhã seguinte. Qual dos seguintes você mais provavelmente faria?
[4] Acordarei no horário usual, mas não voltaria a dormir
[3] Acordarei no horário usual e depois iria cochilar
[2] Acordarei no horário usual, mas iria voltar a dormir
[1] Não acordaria até mais tarde que o usual

14. Em uma noite, você tem de ficar acordado entre as 04:00-06:00hs, para realizar um plantão noturno. Você não tem compromissos com horários no dia seguinte. Qual das alternativas melhor se adequaria para você?
[1] Não iria para cama até o plantão ter terminado
[2] Teria um cochilo antes e dormiria depois
[3] Teria um bom sono antes e um cochilo depois
[4] Dormiria somente antes do plantão

15. Você tem duas horas de atividade física pesada. Você esta inteiramente livre para planejar seu dia. Considerando apenas seu "relógio" interno, qual dos seguintes horários você iria escolher?
[4] 08–10 h [3] 11–13 h
[2] 15–17 h
[1] 19–21 h

16. Você decidiu fazer atividade física. Uma amiga sugere que faça isso por uma hora duas vezes por semana, e o melhor horário para ela é entre 22:00- 23:00hs. Tendo em mente apenas seu próprio "relógio" interno, como você acha que seria seu desempenho?
[1] Estaria em boa forma
[2] Estaria razoavelmente em forma
[3] Acharia difícil
[4] Acharia muito difícil

17. Suponha que você pode escolher seus próprios horários de trabalho. Assuma que você trabalha um dia de cinco horas (incluindo intervalos), seu trabalho é interessante e você é pago baseado no seu desempenho. Em aproximadamente que horário você escolheria começar?
[5] 5 horas começando entre 05–08 h
[4] 5 horas começando entre 08–09 h
[3] 5 horas começando entre 09–14 h
[2] 5 horas começando entre 14–17 h
[1] 5 horas começando entre 17–04 h

18. Em aproximadamente que horário do dia você se sente no seu melhor?
[5] 05–08 h [4] 08–10 h
[3] 10–17 h [2] 17–22 h
[1] 22–05 h

19. Um escuta sobre "tipos matutinos" e "tipos vespertinos", qual desses tipos você se considera sendo?
[6] Definitivamente um tipo matutino
[4] Mais um tipo matutino que um tipo vespertino
[2] Mais um tipo vespertino que um tipo matutino
[1] Definitivamente um tipo vespertino

Pontuação total para todas as 19 questões: primeiro, some os pontos que você circulou e coloque sua pontuação total de matutinidade-vespertindade aqui: _____
Pontuações podem variar entre 16-86. Pontuações de 41 e abaixo indicam "tipos vespertinos". Pontuações de 59 e acima indicam "tipos matutinos". Pontuações entre 42-58 indicam "tipos intermediários".

Anexo G – Diário de sono

Nome:_____
Data de nascimento:__/__/__
Marcar com um risco o horário que ficou dormindo I
Marcar com uma bola a noite em que fez xixi na cama 0

Dia	1	2	3	4	5	6	7	8	9	10	11	12	13	14	15
Horário															
6															
7															
8															
9															
10															
11															
12															
13															
14															
15															
16															
17															
18															
19															
20															
21															
22															
23															
24															
1															
2															
3															
4															
5															

■ Referências bibliográficas

1. Gloor P. (1969). Hans berger on electroencephalography. American Journal of EEG Technology, 9(1), 1-8.
2. Loomis AL, Harvey EN, Hobart GA. (1937). Cerebral states during sleep, as studied by human brain potentials. Journal of experimental psychology, 21(2), 127.
3. Aserinsky E, Kleitman N. Regularly occurring periods of eye motility, and concomitant phenomena, during sleep. Science, 1953. 118(3062): p. 273-4.
4. Aserinsky E, Kleitman N. (1955). Two types of ocular motility occurring in sleep. Journal of applied physiology, 8(1), 1-10.
5. Hirshkowitz M. Polysomnography Challenges. Sleep Med Clin 2016; 11(4): p. 403-411.
6. Rechtschaffen A, Kales R. A manual for standartized terminology, techniques and scoring system for sleep stages in human subjects. 1968, Washington, D.C.: NIH Publication.

7. Iber C, et al. The AASM Manual for Scoring of Sleep and Associated Events. 1st ed. 2007, Westchester, Illinois: American Academy of Sleep Medicine.
8. Berry RB, Brooks R, Albertario CL, Harding SM et al. for the American Academy of Sleep Medicine. The AASM Manual for the Scoring of Sleep and Associated Events: Rules, Terminology and Technical Specifications. Version 2.5. Darien, IL: American Academy of Sleep Medicine. 2018.
9. Collop NA, et al. Clinical guidelines for the use of unattended portable monitors in the diagnosis of obstructive sleep apnea in adult patients. Portable Monitoring Task Force of the American Academy of Sleep Medicine. J Clin Sleep Med 2007;3(7): 737-47.
10. Kapur VK, et al. Clinical Practice Guideline for Diagnostic Testing for Adult Obstructive Sleep Apnea: An American Academy of Sleep Medicine Clinical Practice Guideline. J Clin Sleep Med 2017;13(3):479-504.
11. Michel V, et al. Long-term EEG in adults: sleep-deprived EEG (SDE), ambulatory EEG (Amb-EEG) and long-term video-EEG recording (LTVER). Neurophysiol Clin 45(1):47-64.
12. Standards of Practice Committee of the American Academy of Sleep Medicine. Practice parameters for clinical use of the multiple sleep latency test and the maintenance of wakefulness test. Sleep 2005;28(1):113-121.
13. Review by the MSLT and MWT Task Force of the Standards of Practice Committee of the American Academy of Sleep Medicine. Sleep 2005;28(1):123-144.
14. An American Sleep Disorders Association Report: The clinical use of the multiple sleep latency test. Sleep 1992;15:268-276.
15. Anniss AM, Young A. O'Driscoll D.M., Importance of Urinary Drug Screening in the Multiple Sleep Latency Test and Maintenance of Wakefulness Test. J Clin Sleep Med, 2016. 12(12): p. 1633-1640.
16. Bruni O, Ottaviano S, Guidetti V, Romoli M, Innocenzi M, Cortesi F, et al. The sleep disturbance scale for children (SDSC) construction and validation of an instrument to evaluate sleep disturbances in childhood and adolescence. Journal of Sleep Research 1996;5(4):251-61.
17. Ferreira VR, Carvalho LBC, Ruotolo F, de Morais JF, Prado LBF, Prado GF. Sleep Disturbance Scale for Children: Translation, cultural adaptation, and validation. Sleep Medicine 2009;10(4):457-63.
18. Netzer NC, Stoohs RA, Netzer CM, Clark K, Strohl KP. Using the Berlin Questionnaire to identify patients at risk for the sleep apnea syndrome. Annals of Internal Medicine 1999;131(7):485.
19. Vaz AP, Drummond M, Caetano Mota P, Severo M, Almeida J, Carlos WJ. Translation of Berlin Questionnaire to Portuguese language and its application in OSA identification in a sleep disordered breathing clinic. Revista Portuguesa De Pneumologia 2011;17(2): p 59-65.
20. Johns MW. Sensitivity and specificity of the multiple sleep latency test (MSLT), the maintenance of wakefulness test and the Epworth sleepiness scale: Failure of the MSLT as a gold standard. Journal of Sleep Research 2000;9(1):5-11.
21. Bertolazi AN, Fagondes SC, Hoff LS, Pedro VD, Menna Barreto SS, Johns MW. Portuguese-language version of the Epworth sleepiness scale: validation for use in Brazil. Jornal Brasileiro De Pneumologia 2009;35(9):877-83.
22. Buysse DJ, Reynolds CF, Monk TH, Berman SR, Kupfer DJ. The Pittsburgh Sleep Quality Index: a new instrument for psychiatric practice and research. Psychiatry Res 1989;28(2):193-213.
23. Bertolazi AN, Fagondes SC, Hoff LS, Dartora EG, Miozzo IC, de Barba ME, et al. Validation of the Brazilian Portuguese version of the Pittsburgh Sleep Quality Index. Sleep Med 2011;12(1):70-5.
24. Carpenter JS, Andrykowski MA, Psychometric evaluation of the Pittsburgh Sleep Quality Index. J Psychosom Res 1998;45(1):5-13.
25. Walters AS, LeBrocq C, Dhar A, Hening W, Rosen R, Allen RP, et al. Validation of the International Restless Legs Syndrome Study Group rating scale for restless legs syndrome., Sleep Med 2003;4(2):121-32.
26. Masuko AH, Carvalho LB, Machado MA, Morais JF, Prado LB, Prado GF. Translation and validation into the Brazilian Portuguese of the restless legs syndrome rating scale of the International Restless Legs Syndrome Study Group. Arq Neuropsiquiatr 2008;66(4):832-6.
27. International restless legs syndrome study group [Internet]. International Restless Legs Syndrome Study Group Rating Scale (IRLS). Disponível em: http://irlssg.org/
28. Horne JA, Östberg O. A self-assessment questionnaire to determine morningness–eveningness in human circadian rhythms. Intl J Chronobiol 1976;4:97-110.

Insônia 4

4.1 Conceito de Insônia

Rosa Hasan

1. Introdução

A insônia é um transtorno do sono muito prevalente na prática clínica, seja de modo independente ou comórbido com outro transtorno médico ou psiquiátrico[1]. Trata-se de uma experiência universal, sendo que não há quem não tenha passado por uma noite insone. Acredita-se que a prevalência de alguma forma de insônia afete, ao menos, um terço da população mundial e, na maioria dos casos, não há diagnóstico ou tratamento adequados a esta condição[2].

As consequências imediatas da insônia são, por vezes, menos dramáticas que aquelas observadas em outros transtornos do sono. Porém, a literatura mostra que os efeitos adversos da insônia em longo prazo na saúde, metabolismo e produtividade são substanciais e estão fortemente associados ao aumento dos gastos com saúde[3]. Pacientes insones tem uma chance 6,7 vezes maior de precisar de tratamento médico por alguma razão[4]. Estudos acerca do impacto econômico da insônia discutem tanto custos diretos (consultas, exames e medicamentos) como aqueles indiretos (acidentes, absenteísmo e menor produtividade) e concluem que o custo da insônia não tratada é substancialmente maior que o custo do seu tratamento[5].

Assim, a conscientização sobre a importância da insônia e seu tratamento adequado, tanto dentre os pacientes como, dentre os profissionais da saúde, pode reduzir significativamente seu impacto social e econômico para a sociedade, bem como reduzir a morbimortalidade relacionada ao transtorno.

2. Conceito e critérios diagnósticos

O termo insônia é comumente utilizado para referir-se a diversas queixas sobre sono de má qualidade, inabilidade em adormecer ou de manter-se dormindo, porém o transtorno de insônia engloba as queixas noturnas de dificuldade em iniciar o sono, manutenção do mesmo, ou ainda despertar antes do horário desejado, desde que haja oportunidade adequada para o sono e com consequências diurnas associadas ao mau desempenho do sono[6,7]. Queixas comuns diurnas relacionadas à insônia são fadiga, déficit de atenção, déficit de concentração de memória, alterações no humor, irritabilidade, falta de motivação e propensão maior a erros e a acidentes, também podemos ter sintomas somáticos, como tensão, cefaleias, sintomas gastrointestinais, piora de dor ou dor. E no caso da insônia crônica, um sintoma interessante é a preocupação com o desempenho do sono[7,8].

As principais referências utilizadas hoje para determinar o diagnóstico dos transtornos do sono são o Manual Diagnóstico e Estatístico de Transtornos Mentais (DSM-5) e a Classificação Internacional de Transtornos do Sono.

De acordo com a Classificação Internacional de Transtornos do Sono[6], para um adequado diagnóstico de insônia crônica, os critérios A ao F devem ser preenchidos:

A. O paciente relata, ou é observado por pais ou cuidadores, um ou mais dos seguintes:
   1. Dificuldade para iniciar o sono;
   2. Dificuldade para manter o sono;
   3. Despertar antes do desejado;
   4. Resistência em ir para a cama no horário apropriado;
   5. Dificuldade para adormecer sem a intervenção dos pais ou cuidador.
B. O paciente relata, ou é observado por pais ou cuidadores, um ou mais dos seguintes relacionados à dificuldade para dormir à noite:
   1. Fadiga/mal-estar;
   2. Prejuízo na atenção, concentração ou memória;
   3. Prejuízo social, familiar, ocupacional ou no desempenho acadêmico;
   4. Perturbação no humor/irritabilidade;
   5. Sonolência diurna;
   6. Problemas comportamentais (p. ex.: hiperatividade, impulsividade ou agressividade);
   7. Redução da motivação, energia ou iniciativa;
   8. Propensão a erros ou acidentes;
   9. Preocupação ou insatisfação com o sono.
C. As queixas de sono/vigília relatadas não podem ser explicadas apenas pela oportunidade inadequada (tempo suficiente destinado para o sono) ou circunstâncias inadequadas (ambiente seguro, escuro, silencioso e confortável) para o sono;
D. As perturbações do sono e os sintomas diurnos associados ocorrem pelo menos 3 vezes na semana;
E. As perturbações do sono e os sintomas diurnos associados estão presentes há pelo menos 3 meses;
F. A dificuldade do sono/vigília não é melhor explicada por outro transtorno do sono.

O DSM-5 acrescenta dois itens aos critérios considerados pela Classificação Internacional, quais sejam:

G. A insônia não é atribuída aos efeitos fisiológicos de alguma substância (p. ex., abuso de drogas ilícitas, medicamentos);
H. A coexistência de transtornos mentais e de condições médicas não explica adequadamente a queixa predominante de insônia.

Casos que preenchem todos os critérios, exceto os critérios de frequência ou duração para transtorno de insônia crônica, devem ser especificados como transtorno de insônia de curto prazo.

Outros transtornos de insônia devem ser atribuídos a casos raros que não conseguem preencher os critérios para transtorno de insônia de curto prazo, mas que ainda assim apresentam sintomas de insônia suficientes para justificar a atenção clínica.

Concluindo, a característica essencial do transtorno de insônia é a insatisfação com a quantidade ou a qualidade do sono associada a queixas de dificuldade para iniciar ou manter o sono. As queixas de sono são acompanhadas de sofrimento clinicamente significativo ou prejuízo no funcionamento social, profissional ou em outras áreas importantes da vida do indivíduo. A perturbação do sono pode ocorrer durante o curso de outro transtorno mental ou condição médica ou de modo independente importante ressaltar que nesses casos a insônia precisa ser tratada como outro transtorno e não como sintoma, dessa maneira contribuindo para melhor prognóstico do paciente[7].

O conceito de insônia engloba sintomas noturnos, caracterizados por dificuldade de adormecer ou manter do sono, ocorrendo isoladamente (sintoma) de maneira esporádica ou intermitente, sendo que no transtorno de insônia além dos sintomas noturnos, obrigatoriamente há consequências diurnas, em condições adequadas para dormir. É classificado quanto à duração em agudo, intermitente ou crônico, bem como se comórbido ou não com doenças clínicas e/ou psiquiátricas.

O reconhecimento do transtorno de insônia e seu adequado tratamento são de suma importância para a saúde e qualidade de vida do portador, evitando as consequentes morbidades e impactos socioeconômicos decorrentes dessa prevalente condição.

■ Referências bibliográficas

1. Morin CM, Benca R. Chronic insomnia. Lancet 2012;379(9821):1129–41.
2. Ohayon MM (2002) Epidemiology of insomnia: what we know and what we still need to learn. Sleep Med Rev 6(2): 97–111.
3. Insomnia: Recent developments and future directions *in* Principles and Practice of Sleep Medicine 6th edition. Meir Kryeger, Thomas Roth and William C. Dement. 2017. Section 11, Chapter 80; 757-60.
4. Ban HJ, Kim SC, Seo J, Kang HB, Choi JK (2011) Genetic and metabolic characterization of insomnia. PLoS One 6(4):18455.
5. Daley M, Morin CM, LeBlanc M, Gre´goire JP, Savard J (2009) The economic burden of insomnia: direct and indirect costs for individuals with insomnia syndrome, insomnia symptoms, and good sleepers. Sleep 32(1): 55–64.
6. American Academy of Sleep Medicine. *International Classification of Sleep Disorders*, 3rd ed. Darien, IL: American Academy of Sleep Medicine;2014.
7. American Psychiatric Association. Manual Diagnóstico e Estatístico de Transtornos Mentais (DSM-5), 5ª edição; 2013.

4.2 Etiopatogenia do Transtorno da Insônia

Raimundo Nonato Delgado Rodrigues
Andrea Frota Bacelar Rego
Luciano Ribeiro Pinto Junior
Geraldo Nunes Vieira Rizzo

1. Introdução

Um bom sono depende de um tempo total de sono adequado ao lado de uma perfeita qualidade do mesmo. Uma insônia ocorre quando um desses fatores, ou ambos, ocorre. As insônias podem ser classificadas em dois tipos: as insônias sintomáticas. quando estão associadas a outras condições médicas, e o transtorno da insônia (TI), quando o sintoma insônia constitui a própria doença. Este capítulo aborda a fisiopatologia do TI. Os mecanismos envolvidos na gênese e cronificação do TI são complexos, constituindo um desafio na compreensão, diagnóstico e tratamento desse frequente transtorno do sono[1,2].

A promoção do sono e da vigília decorre de diversos mecanismos biológicos envolvendo estruturas anatômicas, químicas, moleculares, com repercussões cognitivas e emocionais. O principal núcleo envolvendo a promoção do sono é o núcleo pré-óptico ventrolateral no hipotálamo (VLPO), o qual é constituído por um grupo de células gabaérgicas cujas projeções aparentemente coordenam a expressão dos estados de sono nas diversas regiões cerebrais. A adenosina por sua vez acumula-se durante a vigília também tendo participação na produção do sono[3].

A vigília, por outro lado, depende provavelmente de diversos sistemas ascendentes que incluem neuromediadores como a hipocretina, a histamina, acetilcolina, noradrenalina e serotonina.

Na cronificação do TI, sugere-se alguns mecanismos neurobiológicos como alterações da homeostase sono-vigília, do relógio circadiano e dos fatores intrínsecos de controle do sono-vigília, tendo como resultado uma hiperatividade do sistema de despertar (mecanismo de resposta ao estresse)[4-8]. Além desses fatores neurobiológicos o TI também está associado a distúrbios comportamentais, cognitivos e psicossociais.

2. Fatores neurobiológicos

■ 2.1. Alteração intrínseca nos sistemas de geração do sono e da vigília

Tais sistemas são de uma complexidade tal que diversos mecanismos fisiopatológicos dele podem emergir. Assim, uma hiperatividade de qualquer dos sistemas ativadores ascendentes, ou ainda uma redução da capacidade de inibição desses núcleos ativadores por disfunção do VLPO, são mecanismos possíveis para o TI. Uma hiperatividade noradrenérgica do lócus *coeruleus* provavelmente representa destacado papel na atividade dos sistemas de vigília e na própria hiperatividade simpática diurna identificada nos pacientes com insônia[9-11].

Da mesma maneira, no TI existe uma ativação excessiva do sistema reticular ativador ascendente, que inclui hipocretina, histamina, acetilcolina, noradrenalina e serotonina, ou uma redução da atividade dos sistemas promotores de sono, como a área préoptica ventrolateral (VLPO), além do sistema melatoninérgico e o sistema neuroesteroidal não hormonal, cujo exemplo maior é o sulfato de pregnenolona (PREG-S). Este último sistema tem sido relacionado à função de agonista endógeno do receptor benzodiazepínico.

Esta ativação somática e cortical contribui para manter funcionantes os processos cognitivos durante o sono, distorcendo a percepção do início e da duração do sono, importantes características da insônia[4-8].

■ 2.2. Alteração dos mecanismos de homeostase sono-vigília

Denomina-se processo "S" o mecanismo de controle do sono de natureza cumulativa, no qual a necessidade de sono aumenta durante a vigília. Essa pressão do sono aumenta progressivamente, sendo independente do ritmo circadiano. A adenosina, por exemplo, produto do metabolismo das células cerebrais, acumula-se durante a vigília e poderia favorecer o aparecimento do sono. No TI, haveria uma provável perturbação nesse controle homeostático do sono, com uma atenuação da pressão do sono durante o tempo passado em vigília, possivelmente associada a um defeito na percepção da necessidade de sono[12].

2.3. Eixo hipotálamo-hipófise-adrenal (E-HHA) e estresse

A insônia também pode estar relacionada a uma hiperatividade do eixo HHA, promovendo um aumento do estado de alerta. Nos insones pode-se observar um aumento da concentração plasmática de elementos resultantes do metabolismo do eixo HHA, como o hormônio adrenocorticotrófico (ACTH) e o cortisol.

A hiperfunção do eixo HHA também ocorre durante o dia, o que sugere que a insônia é uma doença que existe durante as 24 horas e não apenas à noite. Essa resposta exagerada ao estresse se deve a uma disfunção do sistema hipotálamo-hipófise-adrenal, que ocorreria por tendência genética associada à exposição precoce a eventos estressogênicos.

A exposição repetida ao longo da vida levaria ao desenvolvimento de uma amplificação da resposta ao estresse (talvez por alterações secundárias no hipocampo), com desenvolvimento de dificuldade marcante para dormir durante ou após período de estresse. Essa hiperatividade do eixo HHA leva a uma ativação do sistema nervoso simpático, com níveis elevados de catecolaminas, elevação da temperatura corporal, alta taxa metabólica basal e frequência cardíaca mais elevada durante o sono[13,14].

3. Papel do ritmo circadiano

de acordo com este modelo, a alteração primária seria uma disfunção no relógio circadiano resultando em uma dessincronização no horário de propensão ao sono-vigília, incompatibilizando-se com o sono normal[12].

No TI, ocorre uma alteração primária do relógio circadiano resultando em uma dessincronização no horário de propensão ao sono-vigília[12]. Evidências ligando a insônia a marcadores de disfunção circadiana, incluindo ritmos de temperatura corporal tardia ou avançada, ou aumento da temperatura corpórea média noturna em diferentes fenótipos de insônia, sugerem desregulação desse processo[12].

Nas insônias, ocorre uma desregulação do eixo hipotálamo-hipófise-adrenal com alterações na ritmicidade do cortisol circadiano. No entanto, os padrões secretórios do cortisol flutuam com um ritmo circadiano e ultradiano. Acredita-se que os pulsos de cortisol ultradiano estejam envolvidos na manutenção da vigília durante o dia e sua ausência relativa à noite pode permitir a consolidação do sono e/ou despertares noturnos mais curtos. É possível que a vigília que ocorre na insônia crônica possa estar associada à ocorrência desses pulsos de cortisol à noite.

Pacientes com insônia apresentam níveis inferiores de melatonina durante a noite quando comparados a indivíduos saudáveis. Além disso, essa alteração é maior em função do tempo de duração da insônia, ou seja, indivíduos com insônia com duração maior que cinco anos apresentam níveis de melatonina inferiores quando comparados com aqueles com evolução inferior a cinco anos[15].

4. Fatores neurofuncionais

Estudos funcionais com PET (tomografia por emissão de pósitron) e RNM-funcional (ressonância nuclear magnética funcional) em insones têm demonstrado alterações regionais, com redução do metabolismo, particularmente envolvendo ínsula, amígdala e hipocampo[8,16-18].

5. Fatores cognitivos e comportamentais

Todos esses fatores aqui analisados levam a mudanças comportamentais e principalmente a modificações cognitivas com pensamentos inadequados, e o foco de atenção passa a ser a sensação ou a percepção que já não se consegue dormir, permanecendo sempre em estado de alerta durante as 24 horas. Um estado de hiperalerta parece possuir um papel central na gênese do TI[20].

■ 5.1. Insônia, hiperalerta e a percepção do sono

O estado de hiperalerta observado nos insones talvez seja o fator biológico mais conhecido e aceito. Como já visto, algumas estruturas do sistema nervoso central poderiam estar envolvidas nesse estado de hiperalerta, como amígdala e o eixo hipotálamo-hipófise adrenal, gerando aumento de ritmos rápidos na atividade elétrica cerebral.

Em concordância com os aspectos neurofisiológicos, uma hiperatividade do eixo HHA também poderia explicar esse estado de hiperalerta com consequente redução da percepção do estado de sono ao mesmo tempo que ocorre um aumento na percepção do estado de vigília. Os insones tendem a subestimar o tempo total de sono durante a noite, diferentemente de indivíduos normais que, por outro lado, muitas vezes referem ter dormido mais do que objetivamente acontece[21,22]. Estudos com polissonografia e percepção do sono mostraram que o tempo total de sono e a arquitetura do sono dos insones é praticamente igual ao de voluntários normais[21-24]. A privação seletiva de sono REM também pode reduzir a capacidade de percepção do tempo de sono total quando comparado com o tempo medido pelo PSG. 24. Esses achados reforçam a influência da privação do sono na percepção do sono.

A diferença de percepção não é atribuível a parâmetros ou medidas de fragmentação comumente mensuradas na polissonografia e actigrafia. Uma visão mais aprofundada se faz necessária para a compreensão das complexas relações entre a percepção do sono e as medidas objetivas convencionais[23,24].

Diversos fatores podem modificar essa percepção do sono, desde situações emocionais, físicas e mesmo ambientais. Entender esses mecanismos cognitivos tem importância não somente não somente no estudo etiopatogênico das insônias, mas também no direcionamento da terapia cognitiva comportamental, com o objetivo de, além da mudança de comportamentos, também reestruturar esses aspectos cognitivos[19-24].

6. Insônia e a microestrutura do sono

O futuro talvez esteja em estudos da microestrutura do sono que abranja a análise da atividade elétrica cerebral e suas variações durante o sono. Estudos utilizando eletroencefalograma quantitativo demonstraram uma alteração na atividade beta em indivíduos insones durante o sono NREM (*non rapid eye movement*), quando comparados a controles[25].

Os fusos poderiam ter uma função de filtragem de estímulos sensoriais durante o sono, particularmente os auditivos. A manutenção de um estado de hiperalerta por uma deficiência desses grafoelementos poderia ser fator primordial na má percepção do estado de sono[26,27]. Estudos com ruídos durante a noite não percebidos, como proximidade de aeroportos, ruas movimentadas, podem interferir na continuidade de nosso sono. Novas tecnologias, já existentes, poderão mensurar essa microestrutura do sono[28-31].

O sono é constituído de diferentes estados de consciência e diversos níveis de despertabilidade. Durante a noite, pode-se ter um despertar completo tendo-se consciência do acordar, até despertares breves, como microdespertares (*arousals*), despertares corticais, cognitivos e autonômicos. Desses despertares não temos consciência.

7. Insônia e o tempo total de sono

O grupo de Vigontzas tem sugerido que baseando-se na PSG pode-se separar os insones em dois grupos: aqueles que apresentam o tempo total de sono abaixo de seis horas e os que apresentam tempo de sono igual ou maior do que 6 horas[32,33]. As maiores complicações a longo prazo dos insones ocorreriam em insones com maior redução efetiva do tempo total de sono. Insones com sono curto seriam mais vulneráveis a doenças cardiovasculares, endócrinas e cognitivas[34-45].

8. Fatores psicossociais

Estratégias desadaptativas são desenvolvidas pelo insone, com intuito de obter mais sono, especialmente tempo excessivo na cama e ocorrência de comportamentos diferentes de sono na cama/quarto. Os insones apresentam uma ativação fisiológica e cognitiva, com pensamentos intrusivos relacionados a problemas domésticos ou profissionais, preocupações excessivas com o dia seguinte ou revisão quase compulsiva do que aconteceu no dia anterior. A ativação emocional se caracteriza por emoções negativas, desespero ou raiva, traços de personalidade como perfeccionismo, transtornos do humor e ansiedade. As cognições disfuncionais são caracterizadas por preocupações sobre falta de sono e suas respectivas causas[46].

Os insones apresentam uma maior reatividade a estressores psicossociais, preocupações relacionadas ao sono e sofrem com as possíveis consequências da sua perda. Sabendo que um quadro de insônia pode ser precipitado por evento estressor, é possível que uma associação negativa entre o sono, o horário para dormir e o ambiente possa se estabelecer. Os insones podem desenvolver tanto hábitos inadequados de sono (cochilos diurnos, aumento do tempo de cama, uso excessivo de cafeína) quanto expectativas irreais relacionadas a ele (uma preocupação excessiva nas consequências da perda do sono). Isso, em conjunto, pode exacerbar e perpetuar um quadro de insônia.

Se o componente neurobiológico está associado aos fatores predisponentes e os cognitivos se relacionam com os fatores perpetuantes, são os fatores psicossociais que estarão implicados com os componentes desencadeantes da insônia[47].

Os fatores precipitantes podem ser de natureza física, psíquica ou social, como doenças, morte, conflitos sociais ou doenças psiquiátricas. Os fatores sociais geralmente constituem mudanças de ciclo de vida, como casamento, separações, nascimento de filhos, perda de familiares ou entes queridos, mudanças profissionais ou econômicas, doenças, próprias ou de familiares.

Dessa forma, nas mulheres, é muito comum o início da insônia com o aparecimento da menopausa, importante fase na mulher, quando ocorrem mudanças físicas, hormonais e psicológicas, envolvendo aspectos familiares e afetivos[48-51].

9. Fatores genéticos

Acredita-se que um dos principais fatores predisponentes passaria por um fator constitucional de natureza genética, porém os estudos ainda são controversos e não conclusivos. Estudo recentes com moscas *Drosophila* que apresentavam traços de alternância repouso/reatividade semelhantes à insônia humana, foram identificados nada menos de 755 genes com homólogos humanos, os quais apresentavam alterações em sua expressão quando comparados a moscas sem "insônia". Tais genes associavam-se sobretudo a percepção sensorial, metabolismo e atividade neuronal[50].

Estudo do programa *Genome Wide Association*, identificaram diversos polimorfismos significativamente associados a sintomas de insônia em genes envolvidos em processos de neuroplasticidade, reatividade ao estresse e excitabilidade neuronal[51]. A complexidade da interação dos diversos genes até agora descritos parece refletir, ao menos em parte, a heterogeneidade dos sintomas e consequências do Transtorno de Insônia.

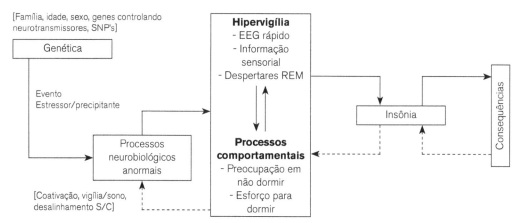

FIGURA 4.2-1 – Fisiopatologia da insônia. Resumo esquemático da fisiopatologia do transtorno de insônia. Modificado de Levanson, Chest, 2015[8].

■ Referências bibliográficas

1. American Psychiatric Association. Diagnostic and Statistical Manual of Mental Disorders. 5th ed. Washington, DC: American Psychiatric Association; 2013.
2. American Academy of Sleep Medicine. ICSD – The International Classification of Sleep Disorders, Revised: diagnostic and coding manual. 3rd ed. Darien, IL: American Academy of Sleep Medicine; 2014.
3. Andersen M, Pinto Jr LR, Tufik S. O sono normal. In Pinto Jr LR. Sono e seus Transtornos. Atheneu, SP, 2012, p 1-14.
4. Rodrigues RND. Mecanismos neurobiológicos envolvidos nas insônias primárias. In: Pinto Jr., LR. Diretrizes para o diagnóstico e tratamento da insônia. Rio de Janeiro: Elsevier, 39-46, 2008.
5. Pinto Jr LR, Alves RC, Caixeta E, et al. New guidelines for diagnosis and treatment of insomnia. Arq Neuropsiquiatr. 2010 Aug;68(4):666-75.
6. Rizzo G, Rodrigues RND, Eckeli AL et al. Fisiopatologia. In Bacelar A, Pinto Jr LR. Insônia – Do Diagnóstico ao Tratamento. Omnifarma, SP, 2013 pp 21-31.
7. Pinto Jr LR. Insônia: diagnóstico. In Pinto Jr LR. Sono e seus Transtornos. Atheneu, SP, 2012, p 27-44.
8. Levenson JC, Kay DB, Buisse DJ. The pathophysiology of insomnia. Chest 2015; 147(4):1179-92.
9. Lushington K, Dawson D, Lack L. Core body temperature is elevated during constant wakefulness in elderly poor sleepers. Sleep. 2000 Jun 15;23(4):504-10.
10. Bonnet MH, Arand DL. 24-Hour metabolic rate in insomniacs and matched normal sleepers. Sleep 1995 Sep;18(7):581-8.
11. Mendelson WB, Garnett D, Gillin JC, Weingartner H. The experience of insomnia and daytime and nighttime functioning. Psychiatry Res 1984;12(3):235-50.
12. Borbély AA. A two process model of sleep regulation. Hum Neurobiol 1982;1(3): 195-204.
13. Vgontzas AN, Bixler BO, Lin HM et al. Chronic insomnia is associated with nyctohemeral activation of the hypothalamic-pituitary-adrenal axis: clinical implications. J Clin Endocrinol Metab 2001; 86:3787-3794.

14. Palagini L, Faraguna U, Mauri M, Gronchi A, Morin CM, Riemann D. Association between stress-related sleep reactivity and cognitive processes in insomnia disorder and insomnia subgroups: preliminary results. Sleep Med 2016;19:101-7.
15. Hajak G, Rodenbeck A, Staedt J, Bandelow B, Huether G, Ruther E. Nocturnal plasma melatonin levels in patients suffering from chronic primary insomnia. J Pineal Res 1995; 19(3):116-22.
16. Khazaie H, Veronese M, Noori K, Emamian F, Zarei M, Ashkan K, Leschziner GD, Eickhoff CR, Eickhoff SB, Morrell MJ, Osorio RS, Spiegelhalder K, Tahmasian M, Rosenzweig I. Functional reorganization in obstructive sleep apnoea and insomnia: A systematic review of the resting-state fMRI. Neurosci Biobehav Rev 2017; 77:219-231.
17. Chen, C. Chang, G.H. Glover, I.H. Gotlib. Increased insula coactivation with salience networks in insomnia. Biol Psychol 2014; 97:1-8.
18. Nofzinger EA, Buysse DJ, Germain A, Price JC, Miewald JM, Kupfer DJ. Functional neuroimaging evidence for hyperarousal in insomnia. Am J Psychiatry 2004; 161(11):2126-8.
19. Espie CA. Understanding insomnia through cognitive modelling. Sleep Med Rev 2007; 8(Supp 4):S3-S8.
20. Edinger JD, Fins AI. The distribution and clinical significance of sleep time misperceptions among insomniacs. Sleep 1995; 18(4):232-9.
21. Pinto LR Jr, Pinto MC, Goulart LI. Sleep perception in insomniacs, sleep-disordered breathing patients, and healthy volunteers - an important biologic parameter of sleep. Sleep Med 2009; 10(8):865-8.
22. Castro LS, Poyares D, Leger D, Tufik S, Bittencourt LR. Objective prevalence of insomnia in the Sao Paulo, Brazil, epidemiologic sleep study. Ann Neurol 2013;74(4):537-46
23. Goulart LI, Pinto LR Jr, Perlis ML, Martins R, Caboclo LO, Tufik S, Andersen ML. Effects of different sleep deprivation protocols on sleep perception in healthy volunteers Sleep Med 2014; 15(10):1219-24.
24. Cervena K, Dauvilliers Y, Espa F et al. Effect of cognitive behavioural therapy for insomnia on sleep architecture and sleep EEG power spectra in psychophysiological insomnia. J Sleep Res 2004; 13(4):385-93.
25. Thien Thanh Dang-Vu, Ali Salimi, Soufiane Boucetta , Kerstin Wenzel , Jordan O'Byrne , Marie Brandewinder Berthomier C, Gouin J-P Sleep spindles predict stress-related increases in sleep disturbances
26. Dang-Vu TT, Salimi A, Boucetta S, Wenzel K, O'Byrne J, Brandewinder M, Berthomier C, Gouin J-P. Sleep spindles predict stress-related increases in sleep disturbances. Frontiers in Human Neurosc 2015; 9:68.
27. Baliatsas C, van Kamp I, Swart W, Hooiveld M, Yzermans J. Noise sensitivity: Symptoms, health status, illness behavior and co-occurring environmental sensitivities. Environ Res 2016; 150:8-13.
28. Halperin D. Environmental noise and sleep disturbances: A threat to health? Sleep Sci 2014;7(4):209-12.
29. McGuire S, Muller U, Elmenhorst EM, Basner M. Inter-individual differences in the effects of aircraft noise on sleep fragmentation. Sleep 2016; 39(5):1107-10.
30. Michaus DS, Feder K, Keith SE, Voicescu SA, Marro L, Than J et al. Effects of wind turbine noise on self-reported and objective measures of sleep. Sleep 2016; 39(1):97-109.
31. Fernandez-Mendoza J, Vgontzas AN, Liao D, Shaffer mL, Vela-Bueno A, Basta M, Bixler EO. Insomnia with objective short sleep duration and incident hypertension: the Penn State Cohort. Hypertension 2012; 60(4):929-3
32. Fernandez-Mendoza J, Shaffer mL, Olavarrieta-Bernardino S, Vgontzas AN, Calhoun SL, Bixler EO, Vela-Bueno A. Cognitive-emotional hyperarousal in the offspring of parents vulnerable to insomnia: a nuclear family study. J Sleep Res 2014 Oct;23(5):489-98.
33. Vgontzas AN, et al. Insomnia with short sleep duration and mortality: the Penn State cohort. Sleep 2010; 33:1159-64.
34. VgontzasAN, Kales A, Bixler EO, Manfredi RL, Vela-Bueno A. Usefulness of polysomnographic studies in the differential diagnosis of insomnia. Int J Neurosci 1995; 82:47-60, 1995.
35. Fernandez-Mendoza J, He F, LaGrotte C, Vgontzas AN, Liao D, Bixler EO. Impact of the Metabolic Syndrome on Mortality is Modified by Objective Short Sleep Duration. J Am Heart Assoc 2017; 17;6(5).
36. Fernandez-Mendoza J, He F, Vgontzas AN, Liao D, Bixler EO. Objective short sleep duration modifies the relationship between hypertension and all-cause mortality. J Hypertens 2017; 35(4):830-836.
37. Fernandez-Mendoza J, Baker JH, Vgontzas AN, Gaines J, Liao D, Bixler EO. Insomnia symptoms with objective short sleep duration are associated with systemic inflammation in adolescents. Brain Behav Immun 2017; 61:110-116.
38. Fernandez-Mendoza J, Calhoun SL, Vgontzas AN, Li Y, Gaines J, Liao D, Bixler EO. Insomnia Phenotypes Based on Objective Sleep Duration in Adolescents: Depression Risk and Differential Behavioral Profiles. Brain Sci 2016; 13:6(4).
39. Li Y, Vgontzas AN, Fernandez-Mendoza J, Kritikou I, Basta M, Pejovic S, Gaines J, Bixler EO. Objective, but Not Subjective, Sleepiness is Associated with Inflammation in Sleep Apnea. Sleep 2016; 10.

40. Fernandez-Mendoza J, Shea S, Vgontzas AN, Calhoun SL, Liao D, Bixler EO. Insomnia and incident depression: role of objective sleep duration and natural history. J Sleep Res 2015; 24(4):390-8.
41. Li Y, Vgontzas AN, Fernandez-Mendoza J, Bixler EO, Sun Y, Zhou J, Ren R, Li T, Tang X. Insomnia with physiological hyperarousal is associated with hypertension. Hypertension 2015; 65(3):644-50.
42. Fernandez-Mendoza J, Vgontzas AN. Insomnia and its impact on physical and mental health. Curr Psychiatry Rep 2013; 15(12):418.
43. Vgontzas AN, Fernandez-Mendoza J, Miksiewicz T, Kritikou I, Shaffer mL, Liao D, Basta M, Bixler EO. Unveiling the longitudinal association between short sleep duration and the incidence of obesity: the Penn State Cohort. Int J Obes (Lond) 2014; 38(6):825-32.
44. Vgontzas AN, Fernandez-Mendoza J, Liao D, Bixler EO. Insomnia with objective short sleep duration: the most biologically severe phenotype of the disorder. Sleep Med Rev 2013; 17(4):241-54.
45. Pinto MCR. Componente psicossocial nas insônias: fatores desencadeantes e perpetuantes. In: Pinto Jr., LR. Diretrizes para o diagnóstico e tratamento da insônia. Rio de Janeiro: Elsevier, 2008 p 53-55.
46. Spielman AJ, Caruso LS, Glovinsky PB. A behavioral perspective on insomnia treatment. Psychiatr Clin North Am 1987; 10(4):541-53.
47. Kappler C, Honagen F. Psychosocial aspects of insomnia. Results of a study in general practice. Eur Arch Psychiatry Clin Neurosci 2001; 253:49-52.
48. Leger D, Guilleminault C, Bader G, Levy E, Paillard M. Medical and socio-professional impact of insomnia. Sleep 2002; 25:625-9.
49. Drake CL, Friedman NP, Wright KP, Roth T. Sleep reactivity and insomnia: genetic and environmental influences. Sleep 2011; 34 (9):1179-88.
50. Ban HJ, Kim SC, Seo J, Kang HB, Choi JK. Genetic and metabolic characterization of insomnia. PloS One 2011;6(4):18455.

4.3 Diagnóstico

4.3.1 Diagnóstico das Insônias

Gisele Minhoto
Veralice Meireles de Bruim
Luciano Ribeiro Pinto Junior

1. Introdução

Insônia se caracteriza pela queixa de insatisfação com a quantidade ou qualidade do sono, com dificuldade para iniciar e/ou manter o sono e/ou despertar precoce. Isso acarreta um comprometimento do funcionamento social, ocupacional ou educacional geralmente no dia seguinte à noite mal dormida[1,2].

As insônias podem ser agudas ou terem uma evolução crônica. A insônia aguda dura menos de três meses e geralmente surge como resposta a fatores estressores de natureza psicogênica, médica ou ambiental. As insônias agudas ou transitórias são decorrentes de um fator precipitante causal claramente identificável em uma pessoa com sono previamente normal sem queixas anteriores. As insônias crônicas são aquelas que frequentemente levam o paciente a procurar o médico, uma vez que tendem a se desenvolver durante meses, anos, ou mesmo por toda uma vida[1-9].

Insônia pode ser um sintoma que ocorre em outras condições médicas ou comportamentais, ou pode constituir uma entidade própria, denominada de Transtorno da

Insônia (TI). As insônias também podem estar associadas à transtornos depressivos, transtornos de ansiedade, outras condições médicas, ao uso de substâncias lícitas ou ilícitas, uso de medicamentos ou à higiene do sono inadequada. Os termos insônia sintomática, insônia comórbida, insônia associada e insônia secundária frequentemente se confundem[4].

A insônia, independentemente de sua etiologia, está associada a uma gama de sintomas adversos como transtornos físicos, mentais e emocionais, como alterações do humor, ansiedade, irritabilidade, dificuldade de concentração e memorização. Na insônia inicial, o paciente apresenta dificuldade para iniciar o sono, enquanto a insônia de manutenção é caracterizada por despertares durante a noite que podem ser de curta ou de longa duração[1-9].

O universo do insone depende de transtornos intrínsecos, constitucionais e neurobiológicos, que modificam o funcionamento do sistema nervoso central, enquanto fatores extrínsecos cronificam e alteram cognitivamente a percepção que o insone tem de seu estado de sono, desenvolvendo com o tempo comportamentos e pensamentos inadequados.

O diagnóstico das insônias é essencialmente clínico, por meio de uma anamnese extensa e detalhada. A utilização de questionários do sono e de medidas objetivas, como a actigrafia e a polissonografia também podem ser adequados e necessários para o seu diagnóstico.

2. Anamnese

O paciente com insônia apresenta queixas muito variadas relativas ao seu sono e ao seu desempenho na rotina diurna. Dessa maneira, para o diagnóstico do transtorno, é necessária cuidadosa avaliação clínica, sendo que a anamnese deve abranger detalhada história do sono e das queixas relativas a ele, histórico clínico e psiquiátrico, e psiquiátrico, além de dados acerca do uso de medicações, e de substâncias lícitas e ilícitas, como por exemplo, álcool e cafeína incluindo dose e horário em que uso. O sono tem estreita relação com a vida familiar, social e profissional dos indivíduos, assim, é possível afirmar que a insônia pode interferir em todos esses âmbitos ou sofrer influência deles. Desse modo, na anamnese, é importante identificar fatores biopsicossociais que podem predispor o indivíduo ao transtorno de insônia, assim como possíveis fatores precipitantes e perpetuantes desse quadro, uma vez que são significativos tanto para o diagnóstico quanto para o tratamento da insônia[3,5-7].

O TI engloba sintomas como dificuldade de iniciar o sono, dificuldade de manter o sono, despertar precoce e complicações diurnas relacionadas à baixa qualidade do sono[6]. Esses sintomas podem ocorrer isolada ou simultaneamente, assim, deve-se avaliar a existência de um ou mais deles, bem como identificar se a insônia é comórbida com doenças clínicas ou transtornos mentais[10].

A anamnese deve incluir também outras informações, como época de início da insônia, existência de fator precipitante, duração do transtorno (meses ou anos), frequência com que ocorre (noites por semana), curso da insônia (variação ao longo do tempo), fatores que podem influenciá-la aumentando ou reduzindo os sintomas e, ainda, tratamentos já realizados e a resposta obtida com eles[3,5,8,9].

Deve igualmente fazer parte da anamnese a avaliação dos itens relacionados.

3. Sintomas noturnos

É fundamental incorporar à anamnese informações sobre hábitos do sono (incluindo-se as diferenças entre as noites de semana e fins de semana), como horário em que o indivíduo deita na cama e horário em que apaga a luz para dormir, horário em que acorda e que levanta pela manhã, tempo necessário para adormecer, atividades que realiza na cama antes de dormir (assistir à televisão, ler, usar celular ou computador), número de despertares e tempo em que permanece acordado durante a noite, além de impressões sobre a qualidade do sono[3,5,8,9]. No que se refere ao ambiente, são importantes dados sobre a cama, número de pessoas que dormem no mesmo quarto e no mesmo móvel, luminosidade do ambiente, sons e temperatura do local, bem como existência de televisão, computador ou aparelhos de som no ambiente de dormir[11,12].

4. Fatores comportamentais

Os pacientes podem desenvolver determinados comportamentos no intuito de combater o problema do sono, no entanto, é possível que esses mesmos comportamentos colaborem para a perpetuação da insônia. Portanto, as informações sobre eles são importantes para o tratamento da insônia. Nesse sentido, os hábitos mais frequentes são: passar mais tempo na cama na tentativa de conseguir recuperar o tempo de sono, verificar seguidamente as horas e utilizar a cama e o quarto para atividades que podem atrapalhar o sono (assistir à televisão, usar computador, comer). Os pacientes com insônia demonstram, ainda, aumento de ansiedade próximo do horário de dormir e, com isso, ficam mais alertas[7], além de apresentarem pensamentos disfuncionais que podem interferir no sono[13].

5. Hábitos diurnos

Alguns hábitos diurnos também devem ser avaliados, como cochilos, horários das refeições, período e tipo de trabalho/estudo, atividade física (sobretudo, seu horário), ingestão de álcool, uso de drogas, cigarro e medicações, assim como devem ser incorporadas à anamnese informações sobre a qualidade de vida do paciente e as consequências diurnas da insônia (fadiga, sonolência, problemas cognitivos)[3,7,14-16].

6. História clínica e psiquiátrica

A detalhada história clínica do paciente também deve fazer parte da anamnese, a fim de que seja investigada a presença de possíveis comorbidades clínicas que podem interferir no sono, assim como seus tratamentos, por exemplo, condições clínicas que cursam com dor[11] e alterações hormonais associadas à menopausa[17].

A comorbidade de insônia e depressão já está bastante estabelecida. Alguns estudos demonstram que 90% dos pacientes com depressão apresentam insônia, sendo muito prevalente a simultaneidade de insônia inicial, insônia de manutenção e despertar precoce[18]. Tal comorbidade pode afetar indivíduos de qualquer idade[19], desde crianças[20] até idosos[21,22]. Destaca-se que o risco de suicídio nos pacientes com insônia é maior do que em pacientes que não apresentam esse problema do sono[23-26]. Igualmente, é frequente a comorbidade entre insônia e ansiedade[27]. Dessa maneira, a anamnese deve avaliar a presença de transtornos de ansiedade e de depressão e o risco de suicídio.

7. Ocorrência de outros transtornos do sono

A avaliação acerca de eventos anormais que acontecem durante o sono também deve ser realizada, uma vez que demais transtornos do sono podem coexistir e a insônia pode ser uma manifestação independente de um desses sintomas. Os principais transtornos que apresentam relação com a insônia são síndrome das pernas inquietas, movimento periódico de membros, apneia obstrutiva do sono e transtorno de ritmo circadiano[3,5-7,9].

O Quadro 4.3.1-1 mostra os principais fatores que devem ser abordados na anamnese de um paciente com queixa de insônia.

QUADRO 4.3.1-1 Diagnóstico das insônias – anamnese
Dificuldade de adormecer
Presença de despertares
Despertar muito antes do despertador (despertar precoce)
Início dos sintomas
Evolução dos sintomas: duração, frequência, gravidade e curso
Fatores desencadeantes e perpetuantes
Hábitos diurnos
Hábitos noturnos
Condições do ambiente de dormir
Horários para ir para a cama e levantar
Condições do quarto e da cama: luminosidade, barulho e temperatura
Companheiro(a) de cama
Presença de animais na cama
Atividades na cama: leitura, TV, computadores, *tablets*, celulares
Despertares noturnos
Relato de ronco e movimentos de pernas
Uso de estimulantes como cafeína
Medicamentos utilizados
Tratamentos utilizados para insônia e reposta a esses
Horário das refeições e tipos de alimentos principalmente à noite
Ingestão de bebidas alcoólicas próximo da hora de se deitar
Prática de atividade física: horário e frequência
Cochilos
Ansiedade e depressão
Condições emocionais
Outras condições médicas
Avaliação psicossocial
História familiar de insônia
Lazer

8. Questionários

Questionários do sono também são úteis para avaliação de qualidade do sono, gravidade da insônia, sonolência diurna, assim como inventários para *screenning* de depressão e ansiedade[1-3,5,7]. Dentre os questionários do sono, pode se citar o Questionário de Pittsburgh (PSQI – *Pittsburgh Sleep Quality Index*) que não avalia especificamente insônia, assim não pode ser usado para o diagnóstico de insônia; o Índice de Gravidade de Insônia (*Insomnia Severity Index – ISI*) que pode ser útil para detectar insônia[29].

9. Diário do sono

O diário do sono é fortemente recomendado e contém informações que permitem a avaliação do padrão de sono e ajudam a diferenciar a insônia do transtorno de ritmo circadiano. O instrumento é considerado a principal maneira para avaliação subjetiva do sono. O paciente deve ser instruído a preenchê-lo todos os dias, preferencialmente, no máximo uma hora após acordar pela manhã. Os dados centrais do diário do sono, segundo um consenso de especialistas elaborado em 2012, são: horário em que o indivíduo vai para a cama; horário em que tenta dormir; tempo que demora para adormecer; número de despertares, sem contar o último despertar; total de tempo que duram os despertares; horário do último despertar; horário em que levanta da cama para começar o dia; avaliação da qualidade do sono; comentários relevantes sobre o sono. O mesmo grupo de especialistas criou mais duas versões expandidas do diário do sono; em uma delas foram acrescentados dados sobre o despertar precoce e, em outra, dados sobre atividades diurnas, por exemplo, cochilos e uso de cafeína, álcool e medicações[30,31].

A Figura 4.3.1-1 mostra um modelo de diário de sono e a Figura 4.3.1-2 apresenta um algoritmo para diagnóstico da insônia crônica.

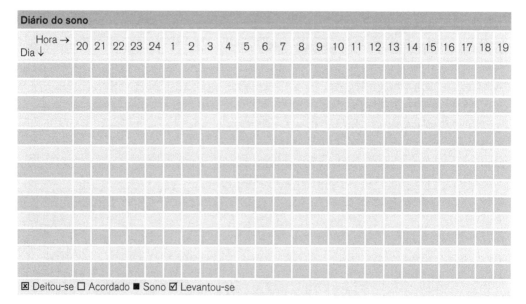

FIGURA 4.3.1-1 – Modelo de diário de sono. Deve-se anotar na primeira coluna vertical os dias da semana e na horizontal as horas correspondentes a um dia de 24 horas. Em cada casela coloca-se os principais eventos como, horário de se deitar, de despertares, de sono e de se levantar.

Insônia •• 69

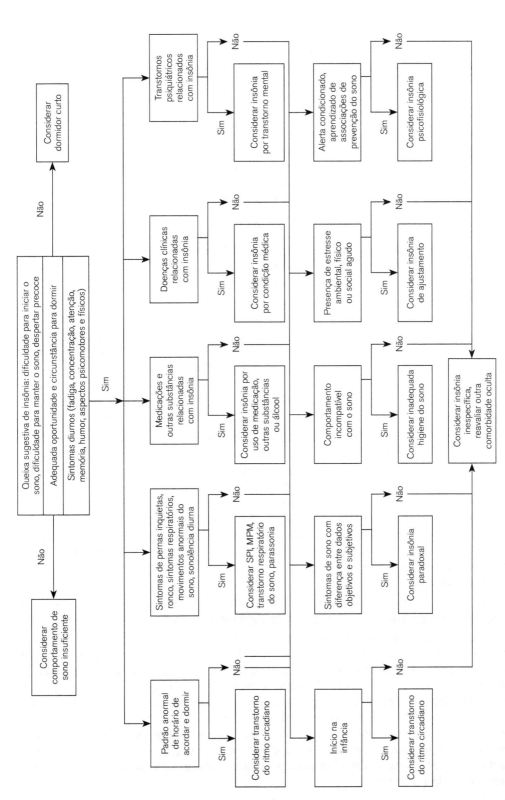

FIGURA 4.3.1-2 – Algoritmo para avaliação da insônia crônica[5].

10. Polissonografia (PSG) nas insônias

A PSG introduzida na prática clínica na década de sessenta, tornou-se um dos principais métodos diagnósticos para os transtornos do sono. A sua indicação nos transtornos respiratórios relacionados ao sono passou a ser mandatória não só para diagnóstico da apneia do sono, assim como para avaliar a sua gravidade, ao considerar a saturação da oxi-hemoglobina, despertares e fragmentação do sono[32-36].

A indicação da PSG nos casos de insônia, ainda é alvo de discussão. A PSG não faz diagnóstico de insônia, uma vez que seu diagnóstico é essencialmente clínico, obtido com uma perfeita, extensa e adequada anamnese. Além desses aspectos, a PSG nos insones pode evidenciar outros distúrbios intrínsecos do sono, como apneia obstrutiva e transtornos do movimento, modificando a estratégia terapêutica[37-39].

A indicação sistemática de PSG nos casos de insônia mostrou que muitos insones apresentam tempo total de sono e arquitetura próximas ao de um bom dormidor, ao se avaliar a eficiência, latência e estágios do sono. Desse modo, no cerne do transtorno da insônia encontra-se um distúrbio cognitivo caracterizado pelo estado de hiperalerta, o qual tem como denominador final um estado de percepção inadequada do sono[40-45].

Utilizando-se uma tecnologia mais minuciosa, pode-se observar níveis diferentes de despertabilidade durante a noite. A presença de bandas de alta frequência da atividade elétrica cerebral (banda beta) poderia ocorrer em muitos insones[46-52]. Essa banda beta também parece estar presente no estado de vigília, sugerindo uma hiperatividade de 24 horas, com baixa inibição cortical e filtragem de atenção.

O padrão alternante cíclico ocorre principalmente durante o sono N2 e se caracteriza por oscilações de ativação e inibição cortical e suas variações também podem explicar a percepção inadequada do sono em muitos casos de insônia[53].

A presença de grafo-elementos do sono que ocorrem durante o sono N2, como os fusos do sono (*spindles*) e o complexo K também podem estar associados ao transtorno de insônia. Isso porque os fusos têm papel na redução da transmissão cortical de estímulos sensoriais externos, isolando o córtex do meio externo e preservando a estabilidade do sono. Desse modo, o comprometimento da percepção do sono que acontece nos pacientes com insônia pode estar relacionado com a redução desses grafo-elementos. É possível que esses pacientes não consigam filtrar todos esses estímulos externos. Com isso, sugere-se que pode haver uma correlação negativa entre o índice de gravidade da insônia e os fusos, ou seja, quanto mais grave a insônia menor o número de fusos[54,55].

De qualquer maneira, todos esses parâmetros descritos aqui não são avaliados rotineiramente em uma PSG e constituem a microestrutura do sono[46-55].

No entanto, a PSG pode ser útil para dividir as insônias, com base no tempo total de sono, em dois grupos: insônia com duração curta de sono (menos de seis horas de sono) e insônia com duração longa de sono (maior do que seis horas). A importância dessa divisão é em função de que os quadros de insônia com duração curta do sono parecem ser mais graves, apresentando maiores consequências clínicas e psiquiátricas a longo prazo, assim como, apresentam pior resposta terapêutica. Os pacientes com duração longa do sono, por sua vez, parecem responder melhor à terapia cognitivo comportamental para a insônia, uma vez que o tempo total de sono pode ser igual ao de um bom dormidor, o que poderia estar associado a uma pior percepção do sono[56-59].

11. Actigrafia

O actígrafo consiste em um sensor com a forma semelhante a um relógio, preso ao pulso do paciente, o qual registra atividade muscular do antebraço (movimentos). A actimetria, por meio de gráficos, pode indiretamente indicar períodos de vigília (movimentos) e períodos de sono (ausência de movimentos). Com esse dispositivo associado a um diário de sono pode-se estimar o tempo de sono, a latência do sono e a eficiência do sono. Sua grande vantagem é a habilidade de coletar dados de sono e vigília em um ambiente domiciliar por longos períodos de tempo. Fator limitante importante para indicações da actigrafia, reside ainda no fato de que esse procedimento está restrito a alguns serviços e não constitui um exame clínico de rotina nos diversos laboratórios[60-67].

O Quadro 4.3.1-2 mostra os principais instrumentos para avaliação dos insones.

QUADRO 4.3.1-2 Principais instrumentos de avaliação dos insones
Anamnese
Questionários (Índice de Gravidade de Insônia)
Diário de sono
Polissonografia
Actigrafia

■ Referências bibliográficas

1. American Psychiatric Association. Diagnostic and Statistical Manual of Mental Disorders. 5th ed. Washington, DC: American Psychiatric Association; 2013.
2. American Academy of Sleep Medicine [AASM] (2014) International classifications of sleep disorders (ICDS), 3ª Ed. Darien, IL: American Academy of Sleep Medicine.
3. Pinto Jr. LR, Alves RC, Caixeta E, et al. New guidelines for diagnosis and treatment of insomnia. Arq Neuropsiq 2010; 68:666-675,
4. Pinto Jr LR, Rizzo G, Minhoto G, De Bruin VM. Diagnóstico diferencial das insônias e suas comorbidades. In Bacelar A, Pinto Jr LRP. Insônia – do Diagnóstico ao Tratamento. Omnifarma, 2013, SP, p 46-84.
5. Sateia MJ, Doghramji K, Hauri PJ, Morin CM. Evaluation of Chronic Insomnia. Sleep. 2000;23:1-66.
6. Chesson A, Hartse K, Anderson WM, Davila D, Johnson S, Littner Mi et al. Practice parameters for the evaluation of chronic insomnia. Sleep [Internet]. 2000;23(2):237-41.
7. Schutte-Rodin S, Broch L, Buysse D, Dorsey C, Sateia M. Clinical guideline for the evaluation and management of chronic insomnia in adults. J Clin Sleep Med. 2008;4(5):487-504.
8. Sateia MJ, Buysse DJ, Krystal AD, Neubauer DN, Heald JL. Clinical Practice Guideline for the Pharmacologic Treatment of Chronic Insomnia in Adults: An American Academy of Sleep Medicine Clinical Practice Guideline. J Clin Sleep Med. 2017;13(2):307-49.
9. Gupta R, Das S, Gujar K, Mishra K, Gaur N, Majid A. Clinical Practice Guidelines for Sleep Disorders. Indian J Psychiatry. 2017;59(Suppl1):S116-S138.
10. Riemann D, Baglioni C, Bassetti C et al. European guideline for the diagnosis and treatment of insomnia. J Sleep Res. 2017 Dec;26(6):675-700.
11. Baliatsas C, van Kamp I, Swart W, Hooiveld M, Yzermans J. Noise sensitivity: Symptoms, health status, illness behavior and co-occurring environmental sensitivities. Environ Res 2016; 150:8-13.
12. Halperin D. Environmental noise and sleep disturbances: A threat to health? Sleep Sci 2014;7(4):209-12.
13. Morphy H, Dunn KM, Lewis M, Boardman HF, Croft PR. Epidemiology of insomnia: a longitudinal study in a UK population. Sleep. 2007;30(3):274-80.
14. Jaehne A, Unbehaun T, Feige B, Lutz UC, Batra A, Riemann D. How smoking affects sleep: a polysomnographical analysis. Sleep Med. 2012; 13(10):1286-92.
15. Lohsoonthorn V, Khidir H, Casillas G, et al. Sleep quality and sleep patterns in relation to consumption of energy drinks, caffeinated beverages, and other stimulants among Thai college students. Sleep Breath. 2013; 17(3):1017-28.

16. Kappler C, Honagen F. Psychosocial aspects of insomnia. Results of a study in general practice. Eur Arch Psychiatry Clin Neurosci 2003; 253:49-52.
17. Tal JZ, Suh SA, Dowdle CL, Nowakowski S. Treatment of insomnia, insomnia symptoms, and obstructive sleep apnea during and after menopause: Therapeutic approaches. Curr Psychiatry Rev. 2015;11(1):63-83.
18. Park SC, Kim JM, Jun TY, Lee MS, Kim JB, Jeong SH et al. Prevalence and clinical correlates of insomnia in depressive disorders: The CRESCEND study. Psychiatry Investig. 2013;10(4):373-81.
19. Gruber R, Wiebe, Cassoff. Sleep patterns and the risk for unipolar depression: a review. Nat Sci Sleep. 2012 May;4:63.
20. Gregory AM, Rijsdijk FV, Lau JY, Dahl RE, Eley TC. The direction of longitudinal associations between sleep problems and depression symptoms: a study of twins aged 8 and 10 years. Sleep. 2009;32(2):189-99.
21. Paudel M, Taylor BC, Ancoli-Israel S, Blackwell T, Maglione JE, Stone K et al. Sleep disturbances and risk of depression in older men. J Sleep Disorders. 2013;36(7):1033-40.
22. Jaussent I, Bouyer J, Ancelin ML, Akbaraly T, Peres K, Ritchie K et al. Insomnia and Daytime Sleepiness Are Risk Factors for Depressive Symptoms in the Elderly. Sleep. 2011 Aug;34(8):1103-10.
23. McCall WV, Blocker JN, D'Agostino R, Kimball J, Boggs N, Lasater B, et al. Insomnia severity is an indicator of suicidal ideation during a depression clinical trial. Sleep Med. 2010;11(9):822-7.
24. Nadorff RM, Nazem S, Fiske A. Insomnia Symptoms, Nightmares, and Suicide Risk: Duration of Sleep Disturbance Matters. Suicide Life-Threatening Behav. 2013 Apr;43(2):139-49.
25. Trockel M, Karlin BE, Taylor CB, Brown GK, Manber R. Effects of cognitive behavioral therapy for insomnia on suicidal ideation in veterans. Sleep. 2015;38(2):259-65.
26. Bjørngaard JH, Bjerkeset O, Romundstad P, Gunnell D. Sleeping Problems and Suicide in 75,000 Norwegian Adults: A 20 Year Follow-up of the HUNT I Study. Sleep. 2011 Sep;34(9):1155-9.
27. Soehner AM, Harvey AG. Prevalence and Functional Consequences of Severe Insomnia Symptoms in Mood and Anxiety Disorders: Results from a Nationally Representative Sample. Sleep. 2012;35(10):1367-75.
28. Yu DS. Insomnia Severity Index: psychometric properties with Chinese community-dwelling older people. J Adv Nurs. 2010 Oct;66(10):2350-9.
29. Bastien CH, Vallieres A, Morin CM. Validation of the Insomnia Severity Index as an outcome measure for insomnia research. Sleep Med 2001; 2(4): 297-307.
30. Carney CE, Buysse DJ, Ancoli-Israel S, Edinger JD, Krystal AD, Lichstein KL, et al. The Consensus Sleep Diary: Standardizing Prospective Sleep Self-Monitoring. Sleep. 2012;35(2):287-302.
31. Natale V, Léger D, Bayon V, Erbacci A, Tonetti L, Fabbri M, Martoni M. The Consensus Sleep Diary: Quantitative Criteria for Primary Insomnia Diagnosis. Psychosomatic Medicine 2015; 77: 413-18.
32. Littner M, Hirshkowitz M, Kramer M, et al; American Academy of Sleep Medicine; Standards of Practice Committe. Practice parameters for using polysomnography to evaluate insomnia: an update. Sleep 2003; 26(6):754-60.
33. Thorpy M, Chesson A, Kader G, et al. Practice parameters for the use of polysomnography in the evaluation of insomnia. Standards of Practice Committee of the American Sleep Disorders Association. Sleep 1995; 18(1):55-7.
34. Practice parameters for the use of polysomnography in the evaluation of insomnia. Standards of Practice Committee of the American Sleep Disorders Association. Sleep 1995; 18(1):55-7.
35. Kushida CA, Littner MR, Morgenthaler T, et al. Practice parameters for the indications for polysomnography and related procedures: an update for 2005. Sleep 2005; 28(4):499-521.
36. Clete A, Kushida C, Littner MR et al. Practice Parameters for the Indications for Polysomnography and Related Procedures: An Update for 2005 Sleep 28:499-521, 2005.
37. Crönlein T, Geisler P, Langguth B, et al. Polysomnography reveals unexpectedly high rates of organic sleep disorders in patients with prediagnosed primary insomnia. Sleep Breath 2012; 16(4):1097-103.
38. Ferri R, Gschliesser V, Frauscher B, Poewe W, Hogl B. On polysomnography reveals unexpectedly high rates of organic sleep disorders in patients with prediagnosed primary insomnia. Sleep Breath 2013; 17(1):1-2.
39. Krakou B, Melendres D, Ferreira E, et al. Prevalence of insomnia symptoms in patients with sleep-disordered breathing. Chest 2001;120:1923-29.
40. Vgontzas AN, Kales A, Bixler EO, Manfredi RL, Vela-Bueno A. Usefulness of polysomnographic studies in the differential diagnosis of insomnia. Int J Neurosci 1995;8 2:47-60.
41. Tang NK, Harvey AG. Correcting distorted perception of sleep in insomnia: a novel behavioural experiment? Behav Res Ther 2004; 42(1):27-39.
42. Pinto LR, Jr., Pinto MC, Goulart LI, Truksinas E, Rossi MV, Morin CM et al. Sleep perception in insomniacs, sleep-disordered breathing patients, and healthy volunteers--an important biologic parameter of sleep. Sleep Med. 2009;10(8):865-8.
43. Castro LS, Poyares D, Leger D, Tufik S, Bittencourt LR. Objective of insomnia in the Sao Paulo, Brazil, epidemiologic sleep study. Ann Neurol 2013;74 (4):537-46.
44. Bianchi MT, Wang W, Klerman EB. Sleep misperception in healthy adults: implications for insomnia diagnosis. J Clin Sleep Med 2012; 8(5):547-54.

45. J. Maes, J. Verbraecken, M. Willemen et al. Sleep misperception, EEG characteristics and autonomic nervous system activity in primary insomnia: a retrospective study on polysomnographic data. International Journal of Psychophysiology 2014; 3:163-171.
46. Merica H, Blois R, Gaillard JM. Spectral characteristics of sleep EEG in chronic insomnia. Eur Journal of Neuroscience 1998;5:1826-1834.
47. Buysse DJ, Germain A, Hall ML et al. EEG spectral analysis in primary insomnia: NREM period effects and sex differences. Sleep 2008;12:1673-1682.
48. K. Spiegelhalder,W. Regen, B. Feige et al. Increased EEG sigma and beta power during NREM sleep in primary insomnia. Biological Psychology 2012;3:329-333.
49. Wu YM, Pietrone R, Cashmere JD et al. EEG power during waking and NREM sleep in primary insomnia. Journal of Clinical Sleep Medicine 2013;10:1031-37.
50. Cervena K, Espa F, Perogamvros L, Perrig S, Merica H, Ibanez V. Spectral analysis of the sleep onset period in primary insomnia. Clinical Neurophysiology 2014;5:979-987.
51. Freedman RR. EEG power spectra in sleep-onset insomnia. Electroencephalography and Clin Neurophysiol 1986;5:408-13.
52. Colombo MA, Ramautar JR, Wei Y et al. Wake High-Density Electroencephalographic Spatiospectral Signatures of Insomnia. Sleep 2016; 39 (5): 1015-27.
53. Parrino L, Milioli G, De Paolis F, Grassi A, Terzano MG. Paradoxical insomnia: the role of CAP and arousals in sleep misperception. Sleep Med 2009; 10:1139-45
54. Dang-Vu TT, Salimi A, Boucetta S, Wenzel K, O'Byrne J, Brandewinder M, et al. Sleep spindles predict stress-related increases in sleep disturbances. Front Hum Neurosci 2015; 9:68.
55. Forget D, Morin CM, Bastien CH. The role of the spontaneous and evoked K-complex in good-sleeper controls and in individuals with insomnia. Sleep 2011;9:1251-1260.
56. Krystal AD, Edinger JD, Wohlgemuth WK, Marsh GR. NREM sleep EEG frequency spectral correlates of sleep complaints in primary insomnia subtypes. Sleep 2002;6:630-640.
57. Vgontzas AN, Liao D, Pejovic S, Calhoun S, Karataraki M, Basta M, et al. Insomnia with short sleep duration and mortality: the Penn State cohort. Sleep 2010; 33(9):1159-64.
58. Vgontzas AN, Fernandez-Mendoza J, Liao D, Bixler EO. Insomnia with objective short sleep duration: the most biologically severe phenotype of the disorder. Sleep Med Rev 2013;17(4):241-54.
59. Fernandez-Mendoza J, Vgontzas AN, Liao D, Shaffer ML, Vela-Bueno A, Basta M et al. Insomnia with objective short sleep duration and incident hypertension: the Penn State Cohort. Hypertension 2012; 60(4):929-35.
60. Chambers MJ. Actigraphy and insomnia: a closer look. Part 1. Sleep 1994; 17(5):405-8.
61. Hauri P, Wisbey J. Actigraphy and insomnia: a closer look. Part 2. Sleep 1994; 17(5):408-10.
62. Natale V, Plazzi G, Martoni M. Actigraphy in the assessment of insomnia: a quantitative approach. Sleep 2009; 32(6):767-71.
63. Verbeek I, Klip EC, Declerck AC. The use of actigraphy revised: the value for clinical practice in insomnia. Percept Mot Skills.\ 2001; 92(3 Pt 1):852-6.
64. Sánchez-Ortuño MM, Edinger JD, Means MK, Almirall D. Home is where sleep is: an ecological approach to test the validity of actigraphy for the assessment of insomnia. J Clin Sleep Med 2010; 6(1):21-9.
65. Lichstein KL, Stone KC, Donaldson J, et al. Actigraphy validation with insomnia. Sleep 2006; 29(2):232-9.
66. Sivertsen B, Omvik S, Havik OE, et al. A comparison of actigraphy and polysomnography in older adults treated for chronic primary insomnia. Sleep 2006; 29(10):1353-8.
67. Vallières A, Morin CM. Actigraphy in the assessment of insomnia. Sleep 2003; 26(7):902-6.

4.3.2 Insônias e suas Interfaces

Luciano Ribeiro Pinto Junior
George do Lago Pinheiro

Insônia é um transtorno sono que se caracteriza por dificuldades em iniciar ou manter o sono. Transtornos intrínsecos e constitucionais modificam o funcionamento do sistema nervoso central, enquanto fatores extrínsecos cronificam e alteram cognitivamente a percepção que o insone tem de seu estado de sono, desenvolvendo com o tempo comportamentos e pensamentos inadequados. Não raramente o sintoma insônia ocorre simultaneamente com outras condições médicas e comportamentais. Os termos insônia sintomática, comórbida, associada ou secundária se confundem. Nesse capítulo abordaremos esses tipos de insônia, condições que chamamos de insônia e suas interfaces[1-4].

1. Insônia e hábitos inadequados

Higiene do sono inadequada é a prática de hábitos que não são adequados para uma boa qualidade de sono. A descontinuidade destas práticas leva ao desaparecimento dos sintomas de insônia com normalização do padrão de sono. Dentre as práticas de má higiene de sono estão consumo de cafeína, nicotina e álcool próximo da hora de dormir, refeições de difícil digestão à noite, atividade física vigorosa até quatro horas antes de dormir ou atividade psicologicamente estressante à noite, horários inconstantes para dormir e acordar, cochilos longos durante o dia e, principalmente, atividades na cama que não seja dormir[1-10].

2. Insônia e uso de medicamentos

Nesse caso o transtorno do sono está relacionado ao uso de medicamentos ou substâncias psicotrópicas, com ação estimulante no sistema nervoso central e mesmo ansiolíticos utilizados cronicamente[1-4].

3. Insônia e transtornos mentais

Alguns transtornos mentais podem ter uma relação causal com insônia. Depressão, transtorno bipolar, ansiedade, esquizofrenia e transtornos somatoformes são exemplos de transtornos mentais associados à insônia. Tratando-se a doença de base, em geral há remissão da insônia[1-4,9-22].

■ 3.1. Transtornos do humor

A relação entre insônia e depressão é bidirecional. Insônia faz parte do diagnóstico de depressão[9-20]. Os achados mais comumente encontrados na polissonografia são: redução da latência REM, aumento da densidade dos movimentos oculares rápidos durante o sono REM, redução do tempo total de sono, redução da eficiência de sono à custa principalmente de despertar precoce[15,16]. Sintomas de insônia foram significativamente associados a sentimentos de solidão sendo que a depressão pode explicar essa relação[20].

■ 3.2 Transtorno de ansiedade

Sintomas de sono fazem parte dos critérios diagnósticos de transtorno de ansiedade generalizada (TAG) e de transtorno de estresse pós-traumático (TEPT). Os sintomas de insônia se desenvolvem simultaneamente na maioria dos casos de TAG. Na polissonografia pode-se ter aumento da latência de sono e redução da eficiência do sono. Insônia e pesadelos fazem parte dos critérios diagnósticos de TEPT[21-29].

■ 3.3 Insônia e personalidade

Existiria algum padrão de personalidade que possa ser fator predisponente pra o paciente ser portador de insônia?[30-35].

4. Insônias, doenças neurológicas e outras condições médicas

Os transtornos do sono podem estar relacionados à alguma condição médica, como doenças infecciosas, transtornos metabólicos, hipertireoidismo, dor crônica e enfermidades neurológicas, como demências e doença de Parkinson. Nas síndromes demenciais frequentemente observa-se um quadro de insônia com intensa agitação no período vespertino, o que dificulta o início do sono. Essa alteração do comportamento é conhecida como síndrome do pôr do sol[36-39].

5. Síndrome das pernas inquietas

A síndrome das pernas inquietas se caracteriza por manifestações sensitivas desagradáveis que acometem principalmente os membros inferiores, ocorrendo particularmente no período noturno quando o paciente encontra-se sentado ou já deitado na cama, aguardando conciliar o sono. Os sintomas tendem a melhorar com a movimentação dos membros, obrigando o paciente a sair da cama e deambular. Tal quadro pode provocar uma insônia inicial, dificultando o início do sono. A síndrome das pernas inquietas é de natureza neurológica, estando associada a comprometimento de vias dopaminérgicas.

Geralmente este quadro é acompanhado de movimentos periódicos dos membros durante o sono podendo fragmentá-lo com repercussões na qualidade do sono. O quadro de movimentos periódicos de membros inferiores pode ocorrer durante o sono independentemente da existência de uma síndrome de pernas inquietas. Nesses casos as repercussões no sono, como insônia é discutível, devendo ser analisados em cada caso[39,40].

6. Fibromialgia

Fibromialgia (FM) é uma síndrome caracterizada por dor crônica localizada em diferentes pontos do corpo, associada a transtornos do humor, sono não reparador e fadiga física persistente[41]. Os sintomas presentes na fibromialgia e na síndrome da fadiga crônica se sobrepõem, tornando difícil classificar alguns pacientes em uma ou outra síndrome. Os pacientes em geral têm a percepção de um distúrbio do sono associada à fadiga. Pode ocorrer outras síndromes dolorosas regionais, tais como a disfunção da articulação temporomandibular, síndrome do cólon irritável, enxaqueca e cefaleia tensional[41-51].

A PSG pode mostrar intrusão de um ritmo mais rápido, na frequência alfa, durante o sono de ondas lentas, na frequência delta. Esse achado eletroencefalográfico é conhecido como padrão alfa/delta que pode se correlacionar com relatos de um sono não reparador. A presença das ondas mais rápidas poderia estar relacionada a um sono não reparador. O prejuízo na qualidade do sono apresenta uma relação de reciprocidade com a dor, sugerindo-se que seja tanto uma consequência como um mecanismo causal e mantenedor da condição dolorosa[27,36,37].

Não há causas específicas conhecidas. Há várias hipóteses incluindo genéticas, infecciosas, ação de neurotransmissores, neuroimunológicas, autonômicas, fatores estressantes psicológicos, transtornos do ciclo circadiano sono-vigília, além de alterações das funções de neurotransmissores que afetam a substância P, catecolaminas, serotonina e metabolismo neuroendócrino.

O sono de ondas lentas portanto é o mais prejudicado, e uma direta consequência pode ser um comprometimento da liberação do GH e o *insulin-like growth factor 1* (IGF-

1). Estes hormônios estão envolvidos no reparo do dano de microtraumas musculares e, portanto, nas queixas miálgicas diurnas[51].

7. Insônia e transtornos respiratórios relacionados ao sono

Não raramente um quadro de apneia obstrutiva do sono pode estar associado a sintomas de insônia e vice-versa. Essas duas entidades frequentemente são comórbidas, dificultando o tratamento efetivo de cada uma delas. A relação insônia e apneia obstrutiva do sono é complexa necessitando de um interrogatório detalhado para se estabelecer esse diagnóstico diferencial. Um paciente com síndrome da apneia do sono pode se queixar de sono não reparador ou múltiplos despertares durante a noite. A presença de ronco, a retomada imediata do sono e sonolência diurna pode sugerir um distúrbio respiratório preponderante[52-63].

Dentre os portadores de insônia com apneia do sono se destacam idosos e mulheres após menopausa. Hipnóticos sedativos, como benzodiazepínicos, e álcool possuem propriedades depressoras no centro respiratório, podendo piorar os distúrbios respiratórios relacionados ao sono. Muitos casos de insônia ocorrem com achados polissonográficos de apneia do sendo fatores complicadores na abordagem terapêutica da insônia[52-63].

8. Insônia e transtorno do ritmo circadiano

A interface entre insônia e ritmo circadiano já pode ser observada na fisiopatologia das insônias, com mecanismos genéticos e moleculares que resultam no estado de hiperalerta. Na insônia ocorre uma alteração primária do relógio circadiano resultando em uma dessincronização no horário de propensão ao sono-vigília. Evidências ligando a insônia a marcadores de disfunção circadiana, incluindo ritmos de temperatura corporal tardia ou avançada, ou aumento da temperatura corpórea média noturna em diferentes fenótipos de insônia, sugerem desregulação do processo. Pacientes com insônia podem apresentar níveis inferiores de melatonina durante a noite quando comparados a indivíduos saudáveis[64-74].

Nas insônias também pode ocorrer uma desregulação do eixo hipotálamo-hipófise-adrenal com alterações na ritmicidade do cortisol circadiano. Acredita-se que os pulsos de cortisol ultradiano estejam envolvidos na manutenção da vigília durante o dia e sua ausência relativa à noite pode permitir a consolidação do sono e/ou despertares noturnos mais curtos. É possível que a vigília que ocorre na insônia crônica possa estar associada à ocorrência desses pulsos de cortisol à noite[66].

Dentre todos os transtornos do ritmo vigília-sono, o transtorno da fase atrasada do sono (TFAS) é aquela que acarreta mais prejuízo ao seu portador. Sua prevalência pode chegar até 16% de adolescentes e adultos jovens. Genes ligados ao nosso relógio biológico determinam nosso ritmo e tendência a matutinidade ou vespertinidade. Os genes mais investigados são o PER3 (*Period*) e o CLOCK (*Circadian Locomotor Output Cycles Kaput*[67].

■ 8.1. Insônia inicial e atraso de fase

A prevalência de atraso de fase em adolescentes e adultos jovens varia de 1% a 16%. No horário da manhã o paciente apresenta uma dificuldade de se manter acordado. Os sintomas são crônicos, tendo início geralmente na infância, e tendem a persistir por toda a vida. Esses pacientes se atenderem a seus horários fisiológicos naturais, ou seja, indo para a cama em horários mais tardios, adormecem mais rapidamente e tendem a apresentar um sono normal, profundo e reparador. Nos vespertinos, a secreção da melatonina endógena está atrasada, ocorrendo tarde da noite ou na madrugada[68-72].

Nos casos de atraso do ritmo circadiano e a insônia associada ao início do sono a administração noturna de melatonina como tratamento parece ser promissor, assim como a combinação de terapia cognitivo-comportamental com luz da manhã[72].

■ 8.2. Despertar precoce e avanço de fase

A síndrome do avanço de fase caracteriza-se por adormecer muito mais cedo e consequentemente acordar mais cedo do que o convencional. Alguns destes pacientes procuram cuidados médicos por queixa de despertar precoce pela manhã. Esses indivíduos possuem uma boa interação social, com boa pontualidade nos compromissos pela manhã e durante o dia. Entretanto, frequentemente eles têm dificuldade de participar de atividades sociais à noite[1-4].

Em trabalhadores em turnos, geralmente o ambiente da casa não é voltado para o repouso do trabalhador de turno, já que a rotina se segue em um ambiente no qual o ritmo circadiano das outras pessoas é tradicional, tendendo a ocorrer privações crônicas do sono[73,74].

9. Insônia em idosos

Os transtornos do sono nos idosos são frequentes e se caracterizam por dificuldade para adormecer, muitos despertares longos durante a noite, despertar precoce, muito tempo na cama acordado, sono leve, sonolência diurna e cochilos diurnos. Fatores associados em idosos que podem ocorrem são: dor crônica, refluxo gastroesofágico, doenças urológicas, doenças neurológicas, depressão, uso de medicamentos e condições sociais[75-81].

O estudo PSG pode evidenciar outros transtornos do sono como apneia obstrutiva e movimentos periódicos de membros. Do ponto de vista da microestrutura do sono pode-se observar com a idade variabilidade no número e diminuição dos fusos e complexos K, modificações das características desses eventos quanto à amplitude, frequência e distribuição. Além disso, os movimentos oculares rápidos durante o sono REM diminuem com o envelhecimento. O grau de mudanças desses eventos físicos pode correlacionar-se com a deterioração mental[80].

Em idosos ocorre uma desorganização dos ritmos circadianos, com alterações do ciclo vigília-sono, como avanço de fase, alterações da curva de temperatura e produção de melatonina, associado à uma atrofia do núcleo hipotalâmico supraquiasmático. Na doença de Alzheimer a interface entre insônia e alterações do ritmo circadiano fica mais evidente. Nesses casos ocorre uma desorganização nos ciclos circadianos devido à atrofia do núcleo supraquiasmático, com comprometimento do núcleo basal de Meynert, córtex entorrinal, hipocampo, hipotálamo lateral, amígdala, núcleos da rafe, formação reticular magnocelular, núcleo coeruleus, áreas límbicas e córtex associativo.

Os eventos de vida, como aposentadoria, hospitalizações e novas doenças podem precipitar a insônia situacional. Fatores de risco aumentam o risco de idosos desenvolverem insônia como fatores ambientais, comportamentais, médicos, uso de medicamentos e fatores sociais, reduções no estado de saúde, perda de função física. O contexto envolve múltiplos domínios: médicos, físicos, cognitivos e psicológicos e sociais exigindo um plano terapêutico global e estabelecer um acompanhamento a longo prazo. Em idosos pode-se descrever a existência de vários sintomas quanto à desorganização do ritmo vigília-sono, caracterizando uma síndrome geriátrica[81].

10. Insônia nas mulheres e na gestação

Os distúrbios do sono são comuns na gravidez. A insônia é um distúrbio frequente do sono experimentado por mulheres grávidas que podem ser primárias ou devido a condições de comorbidade. O diagnóstico diferencial de insônia na gravidez inclui transtornos de ansiedade, transtornos de humor, distúrbios respiratórios relacionados ao sono e inquietação síndrome das pernas. Intervenções precoces para tratar os distúrbios do sono são recomendadas para evitar resultados da gravidez. As estratégias de manejo incluem melhorar a higiene do sono, terapias comportamentais e farmacoterapia. Os riscos da farmacoterapia devem ser ponderados em relação aos seus benefícios devido à possível risco de teratogenicidade associado a alguns medicamentos. Distúrbios do sono na gravidez são comuns e causam considerável morbidade. Gestão inclui uma combinação de tratamentos não farmacológicos e farmacológicos, pesando cuidadosamente riscos e benefícios de cada um para a futura mãe e feto[82,83].

11. Insônia e doenças cardiovasculares

A insônia apresenta alta comorbidade com várias doenças cardiovasculares incluindo hipertensão arterial, doença coronariana e insuficiência cardíaca, principalmente quando acompanhada de curta duração do sono. Os mecanismos envolvidos provavelmente se relacionam com a desregulação do eixo hipotalâmico-hipofisário, com aumento da atividade do sistema nervoso simpático e aumento da inflamação[84]. A determinação de diferentes fenótipos fornecerão mais informações sobre a ligação entre a insônia e a regulação cardiovascular[84-97].

12. Insônia e o tempo total objetivo de sono

Desde as primeiras classificações da insônia tentou-se subdividi-la em subtipos. Mais recentemente tem-se optado pelo termo fenótipos da insônia. Um aspecto importante são as análises do tempo total de sono em insones, avaliada objetivamente por intermédio da polissonografia[98-119].

A interpretação dessa análise evidencia a existência de dois diferentes subtipos de insônia, cada qual com seu próprio perfil clínico. Insones com tempo total de sono menor que seis horas quando comparados com insones com tempo de sono normal, acima de seis horas, foram associados a risco aumentado para doenças cardiovasculares, como hipertensão arterial, doenças endócrinas, como diabetes e obesidade, e déficits cognitivos. Pacientes com tempo total de sono dentro da normalidade teriam prognóstico melhor e responderiam mais à terapia cognitivo comportamental.

Dessa maneira, a realização de métodos diagnósticos objetivos, como polissonografia e actigrafia, pode oferecer auxílio importante para a avaliação do prognóstico e da estratégia terapêutica da insônia[108-119].

13. Conclusão

Ao lado do Transtorno da Insônia, o sintoma de insônia pode estar presente em diversas outras condições médicas, psicológicas e comportamentais. Nesse capítulo abordamos as diversas e mais comuns interfaces da insônia com outras situações causais, comórbidas ou associadas, constituindo todos esses fatores o imenso universo que circunda a insônia, seja doença ou sintoma (Figura 4.3.1-1 e Quadro 4.3.1-1).

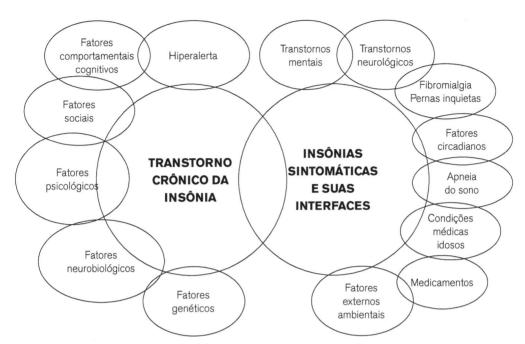

FIGURA 4.3.2-1 – Fatores envolvidos no transtorno da insônia e sua interface com outras condições médicas e comportamentais.

QUADRO 4.3.2-1 Insônia e interfaces
Hábitos inadequados
Uso de medicamentos e substâncias
Insônia e transtornos mentais
Insônia e doenças neurológicas
Insônia e outras condições médicas
Fibromialgia
Síndrome das pernas inquietas
Insônia e transtornos respiratórios relacionados ao sono
Insônia e transtornos do ritmo circadiano
Insônia no idoso
Insônia nas mulheres e gravidez
Insônia e doenças cardiovasculares
Insônia e tempo total de sono

■ Referências bibliográficas

1. American Psychiatric Association. Diagnostic and Statistical Manual of Mental Disorders. 5th ed. Washington, DC: American Psychiatric Association; 2013.
2. American Academy of Sleep Medicine [AASM] (2014) International classifications of sleep disorders (ICDS), 3ª Ed. Darien, IL: American Academy of Sleep Medicine.
3. Pinto Jr. LR, Alves RC, Caixeta E, et al. New guidelines for diagnosis and treatment of insomnia. Arq Neuropsiq 2010; 68:666-675,

4. Pinto Jr LR, Rizzo G, Minhoto G, De Bruin VM. Diagnóstico diferencial das insônias e suas comorbidades. In Bacelar A, Pinto Jr LRP. Insônia – do Diagnóstico ao Tratamento. Omnifarma, 2013, SP, p 46-84.
5. Baliatsas C, van Kamp I, Swart W, Hooiveld M, Yzermans J. Noise sensitivity: Symptoms, health status, illness behavior and co-occurring environmental sensitivities. Environ Res 2016; 150:8-13.
6. Halperin D. Environmental noise and sleep disturbances: A threat to health? Sleep Sci 2014;7(4):209-12.
7. McGuire S, Müller U, Elmenhorst EM, Basner M. Inter-individual differences in the effects of aircraft noise on sleep fragmentation. Sleep 2016;39(5):1107-10.
8. Michaus DS, Feder K, Keith SE, Voicescu SA, Marro L, Than J et al. Effects of wind turbine noise on self-reported and objective measures of sleep. Sleep 2016;39(1):97-109.
9. Royant-Parola S, Londe V, Tréhout S, Hartley S. The use of social media modifies teenagers' sleep-related Behavior. 2017 Encephale; Jun 8: S0013-7006 (17):30114-8.
10. Grandner MA, Jackson N, Gerstner JR, Knutson KL. Sleep symptoms associated with intake of specific dietary nutrients. J Sleep Res 2014;23:22-34.
11. Sarsour K, Morin CM, Foley K, Kalsekar A, Walsh JK. Association of insomnia severity and comorbid medical and psychiatric disorders in a health plan-based sample: Insomnia severity and comorbidities. Sleep Med 2010; 11(1):69-74.
12. Buysse DJ; Angst J; Gamma A; Ajdacic V; Eich D; Rössler W. Prevalence, course, and comorbidity of insomnia and depression in young adults. Sleep 2008; 31:473-480.
13. Isaac F, Greenwood KM. The relationship between insomnia and depressive symptoms: genuine or artifact? Neuropsychiatric Disease and Treatment 2011; 7:57–63.
14. Sarsour K, Van Brunt DL, Johnston JA, Foley KA, Morin CM, Walsh JK. Associations of nonrestorative sleep with insomnia, depression, and daytime function. Sleep Med 2010; 11(10):965-72.
15. Baglioni C, Spiegelhalder K, Nissen C, Riemann D. Clinical implications of the causal relationship between insomnia and depression: how individually tailored treatment of sleeping difficulties could prevent the onset of depression. EPMA J 2011; 2(3):287-93.
16. Riemann D, Voderholzer U. Primary insomnia: a risk factor to develop depression? J Affect Disord 2003; 76:255-259.
17. Foster FG, Kupfer DJ, Coble P, McPartland RJ. Rapid eye movement sleep density. An objective indicator in severe medical-depressive syndromes. Arch Gen Psychiatry 1976; 33(9):1119-23.
18. Kupfer DJ. REM latency: a psychobiologic marker for primary depressive disease. Biol Psychiatry 1976; 11(2):159-74.
19. Buysse DJ, Angst J, Gamma A, Ajdacic V, Eich D, Rossler W. Prevalence, course, and comorbidity of insomnia and depression in young adults. Sleep 2008;31:473-80.
20. Hom MA, Hames JL, Bodell LP et al. Investigating Insomnia as a Cross- Sectional and Longitudinal Predictor of Loneliness: Findings from Six Samples. Psychiatry Res. 2017; 253: 116–128.
21. Johnson EO, Roth T, Breslau N. The association of insomnia with anxiety disorders and depression: exploration of the direction of risk. J Psychiatr Res 2006; 40:700-8.
22. Yokoyama E, Kaneita Y, Saito Y, Uchiyama M, Matsuzaki Y, Tamaki T, et al. Association between depression and insomnia subtypes: a longitudinal study on the elderly in Japan. Sleep 2010;33:1693-702.
23. Benca RM, Peterson MJ. Insomnia and depression. Sleep Med 2008;9(Suppl. 1):S3-9.
24. Necklemann D, Mykletun A, Dahl AA. Chronic insomnia as a risk factor for developing anxiety and depression. Sleep 2007;30:873e80.
25. Jansson-Frojmark M, Lindblom K. A bidirectional relationship between anxiety and depression, and insomnia? A prospective study in the general population. J Psychosom Res 2008;64:443-9.
26. Gregory AM, Caspi A, Eley TC, Moffitt TE, Oconnor TG, Poulton R. Prospective longitudinal associations between persistent sleep problems in childhood and ansiety and depression disorders in adulthood. J Annorm Child Psychol 2005; 33:157-63.
27. Soehner AM, Harvey AG. Prevalence and functional consequences of severe insomnia symptoms in mood and anxiety disorders: results from a nationally representative sample. Sleep 2012; 35(10):1367-75.
28. Brenes GA, Miller ME, Stanley MA, Williamson JD, Knudson M, McCall WV. Insomnia in older adults with generalized anxiety disorder. Am J Geriatr Psychiatry 2009; 17(6):465-72.
29. Necklemann D; Mykletun A; Dahl AA. Chronic insomnia as a risk factor for developing anxiety and depression. Sleep 2007; 30:873-880.
30. Ohayon MM, Roth T. Place of chronic insomnia in the course of depressive and anxiety disorders. J Psychiatr Res 2003; 37:9-15.
31. Park JH, An H, Jang ES, Chung S. The influence of personality and dysfunctional sleep-related cognitions on the severity of insomnia. Psychiatry Res 2012;197:275-9.

32. Bravo-Ortiz M, Valverde C, Herrero E, Melero J, Naranjo M, Del Rio R. Personality and severity of primary insomnia. Sleep Med 2013;14(Suppl. 1):297-8.
33. Lundh L-G, Broman J-E, Hetta J. Personality traits in patients with persistent insomnia. Personal Individ Dif 1995;18:393-403.
34. Lombardo C, Mallia L, Battagliese G, Grano C, Violani C. Perfectionism mediates the relationship between insomnia and depressive symptoms. Sleep Biol Rhythms 2013;11:90-8.
35. Baglioni C, Spiegelhalder K, Lombardo C, Riemann D. Sleep and emotions: a focus on insomnia. Sleep Med Rev 2010;14:227-38.
36. Espie CA, Barrie LM, Forgan GS. Comparative investigation of the psychophysiologic and idiopathic insomnia disorder phenotypes: psychologic characteristics, patients' perspectives, and implications for clinical management. Sleep 2012;35:385-93.
37. Ju YE, Lucey BP, Holtzman DM. Sleep and Alzheimer disease pathologya bidirectional relationship. Nat Rev Neurol 2014; 10(2):115-9.
38. Bliwise DL, Mercaldo ND, Avidan AY, Boeve BF, Greer SA, Kukull WA. Sleep disturbance in dementia with Lewy bodies and Alzheimer's disease: a multicenter analysis. Dement Geriatr Cogn Disord 2011; 31(3):239-46.
39. Pinto Jr. LR, Rêgo AFB, Sleep Disorders in Parkinson's Disease and Dementia. In Symposis of Sleep Medicine, Cap 16, Apple Academic Press, 2018. pg 257-77.
40. Rothman SM, Mattson MP. Sleep disturbances in Alzheimer's and Parkinson's diseases. Neuromolecular Med 2012; 14(3):194-204.
41. Brazilian Group of Study on the Restless Legs Syndrome. Restless legs syndrome. Diagnosis and treatment. Opinion of Brazilian experts. Arq Neuropsiquiatr 2007; 65:721-727.
42. Dunietz GL, Lisabeth LD, Shedden K, Shamim-Uzzaman QA, Bullough AS, Chames MC, Bowden MF, O'Brien LM. Restless Legs Syndrome and Sleep-Wake Disturbances in Pregnancy. J Clin Sleep Med. 2017 Jul 15; 13(7): 863–870.
43. Moldofsky H, Scarisbrick P, England R, Smythe H. Musculoskeletal symptoms and non-REM sleep disturbances in patients with "fibrositis syndrome" and healthy subjects. Psychosomat Med 1975; 37:341-351.
44. Wolf F. Smythe H A, Yunus MB et al: American College of Rheumathology 1990 criteria for the classification of fibromyalgia. Report of the multicenter Criteria Committee. Arthritis Rheum 1990; 33:160-172.
45. Yunus MB, Ahles TA, Aldag JC, Masi AT. Relationship of clinical features with psychological status in primary fibromyalgia. Arthritis Rheum 1991; 34:15-21.
46. Wolf F, Ross K, Anderson J, Russell IJ, Hebert L. The prevalence and characteristics of fibromyalgia in the general population. Arthritis Rheum 1995; 38(1): 19-28.
47. Aaron LA, Burke MM, Buchwald D: Overlapping conditions among patients with chronic fatigue syndrome, fibromyalgia, and temporomandibular disorder. Arch Intern Med 2000; 160:2221-2227.
48. Lineberger MD, Means MK, Edinger JK: Sleep disturbance in fibromyalgia. Sleep Med Clin 2007; 2:31–39.
49. Bellato E, Marini E, Castoldi F, et al. Fibromyalgia syndrome: etiology, pathogenesis, diagnosis, and treatment. Pain Res Treat. 2012; 2012:426130. Erratum in: Pain Res Treat 2013; 2013:960270.
50. Anderson RJ, McCrae CS, Staud R, Berry RB, Robinson ME. Predictors of clinical pain in fibromyalgia: examining the role of sleep. J Pain 2012; 13(4):350-8.
51. Wagner JS, DiBonaventura MD, Chandran AB, Cappelleri JC. The association of sleep difficulties with health-related quality of life among patients with fibromyalgia. BMC Musculoskelet Disord 2012; 17;13:199.
52. Drewes AM, Nielsen KD, Arendt-Nielsen L, Birket-Smith L, Hansen LM. The effect of cutaneous and sleep pain on the electroencephalogram during sleep: an experimental study. Sleep 1997; 20:632-640.
53. Mahowald mL, Mahowald MW. Nighttime sleep and daytime functioning (sleepiness and fatigue) in less well-defined chronic rheumatic diseases with particular reference to the 'alpha-delta NREM sleep anomaly'. Sleep Med 2000; 1(3):195-207.
54. Jones KD, Deodhar P, Lorentzen A, Bennett RM, Deodhar AA. Growth hormone perturbations in fibromyalgia: a review. Semin Arthritis Rheum 2007; 36(6): 357-79.
55. Guilleminault C. Edridge F, Dement W. Insomnia whit sleep apnea: a new syndrome. Science 1973; 181:856-858.39.
56. Jason C. Ong, Ph.D. and M. Isabel Crisostomo. The More the Merrier? Working Towards Multidisciplinary Management of Obstructive Sleep Apnea and Comorbid Insomnia. J Clin Psychol 2013; 69(10): 1066–77.
57. Benetó A, Gomez-Siurana E, Rubio-Sanchez P. Comorbidity between sleep apnea and insomnia. Sleep Med Rev 2009; 13(4):287-93.
58. Krell SB, Kapur VK. Insomnia complaints in patients evaluated for obstructive sleep apnea. Sleep Breath 2005; 9(3):104-10.
59. Ong JC, Crisostomo MI. The more the merrier? Working towards multidisciplinary management of obstructive sleep apnea and comorbid insomnia. J Clin Psychol. 2013; 69(10):1066-77.

60. Krakow B, Melendrez D, Ferreira E, et al. Prevalence of insomnia symptoms in patients with sleep-disordered breathing. Chest 2001; 120(6):1923-9.
61. Smith S, Sullivan K, Hopkins W, Douglas J. Frequency of insomnia report in patients with obstructive sleep apnoea hypopnea syndrome (OSAHS). Sleep Med 2004 Sep;5(5):449-56.
62. Gooneratne NS, Gehrman PR, Nkwuo JE, et al. Consequences of comorbid insomnia symptoms and sleep--related breathing disorder in elderly subjects. Arch Intern Med 2006; 18;166(16):1732-8.
63. Wickwire EM, Collop NA. Insomnia and sleep-related breathing disorders. Chest 2010; 137(6):1449-63.
64. Chung KF. Insomnia subtypes and their relationships to daytime sleepness in patients with obstructive sleep apnea. Respiration 2005; 72(5):460-5.
65. Ong JC, Crisostomo MI. The More the Merrier? Working Towards Multidisciplinary Management of Obstructive Sleep Apnea and Comorbid Insomnia. J Clin Psychol. 2013 Oct; 69(10): 1066-1077.
66. Khazaiea H, Veroneseb M, Nooria K et al. Functional reorganization in obstructive sleep apnoea and insomnia: A systematic review of the restingstate fMRI. Neuroscience and Biobehavioral Rev 2017; 77:219-31.
67. Bollinger T, Schibler U. Circadian rhytms-from genes to physiology and disease. Europ J Med Sciences 2014:2.4.
68. Ebisawa T. Circadian rhythms in the CNS and peripheral clock disorders: human sleep disorders and clock genes. J Pharmacol Sci 2007;103(2):150-4.
69. Vargas I, Vgontzas AN, Abelson JL, Faghih RT, Morales KH, Perlis mL. Altered ultradian cortisol rhythmicity as a potential neurobiologic substrate for chronic insomnia. Sleep Med Rev 2018; 27:S1087-0792.
70. Archer SN, Robelliard DL, Skene DJ, Smits M, Williams A, Arendt J, Von Schantz M. A lenght polymorphism in the circadian clock gene PER3 in linked to delayed sleep phase syndrome and extreme diurnal preference. Sleep 2003; 26:413-5.
71. Gradisar M, Crwley SJ. Delayed sleep phase disorder in youth. Curr Opin Psychiatry 2013; 26:580-5.
72. Pelayo R, Thorpy MJ, Govinski P. Prevalence of delayed sleep phase syndrome among adolescents. Sleep Res 1988; 17:392.
73. Weitzman ED, Czeisler CA, Coleman RM. Delayed sleep phase syndrome: a chronobiological disorder with sleep-onset insomnia. Arch Gen Psychiatry 1981; 38:737-746.
74. Van Veen MM, Kooij JJS, Boonstra AM, Gordijn MCM, Van Someren EJW. Delayed circadian rhythm in adults with ADHD and chronic sleep onset insomnia. Biol Psychiatry 2010;67:1091-6.
75. Zwart TC, Smits MG, Egber TCG, Rademaker CMA, van Geijlswijk IM. Long-Term Melatonin Therapy for Adolescents and Young Adults with Chronic Sleep Onset Insomnia and Late Melatonin Onset: Evaluation of Sleep Quality, Chronotype, and Lifestyle Factors Compared to Age-Related Randomly Selected Population Cohorts. Healthcare 2018; 6:23.
76. Drake CL, Roehrs T, Richardson G, Walsh JK, Roth T. Shift work sleep disorder: prevalence and consequences beyond that of symptomatic day workers. Sleep. 2004; 15;27(8):1453-62.
77. Goel N, Basner M, Rao H, Dinges DF. Circadian rhytms, sleep deprivation, and human performance. Prog Mol Biol Transl Sci 2013.
78. Foley DJ, Monjan AA, Brown SL, Simonsick EM, Wallace RB, Blazer DG. Sleep Complaints Among Elderly Persons: An Epidemiologic Study of Three Communities. Sleep 1995; 18:425-32.
79. Foley DJ, Monjan AA, Brown SL, Simonsick EM, Wallace RB, Blazer DG. Established Populations for Epidemiologic Studies of the Elderly (EPESE) Sleep complaints among elderly persons: An epidemiologic study of three communities. Sleep. 1995.
80. Wolkove N, Elkholy O, Baltazan M, Palayew M. Sleep and aging: 1. Sleep disorders commonly found in older people.
81. Jaussent I, Dauvilliers Y, Ancelin mL, Dartigues JF, Tavernier B, Touchon J, Ritchie K, Besset A. Insomnia symptoms in older adults: Associated factors and gender differences. Am J Geriatr Psychiatry. 2011; 19(1):88-97.
82. Brewster G, Riegel B, Gehrman PR. Insomnia in the Older Adult. Sleep Med Clin 2018;13:13-19.
83. Wauquier A. Aging and changes in phasic events during sleep. Physiology and Behavior 1993; 54:803-6.
84. Vaz Fragoso CA, Gill TM. Sleep complaints in community-living older persons: a multifactorial geriatric syndrome. J AM Geriatr Soc 2007; 55:1853-66.
85. Ali M. Hashmi1, Shashi K. Bhatia2, Hashmi AM, Bhatia SK, Bhatia SK, Khawaja IS. Insomnia during Pregnancy: Diagnosis and Rational Interventions. Pak J Med Sci. 2016;32(4):1030-1037.
86. Sharma S, Nehra A, Sinha S, et al. Sleep disorders in pregnancy and their association with pregnancy outcomes: a prospective observational study. Sleep Breath. 2016;20(1):87-93.
87. Javaheri S, Redline S. Insomnia and Risk of Cardiovascular Disease. CHEST 2017; 152(2):435-444.
88. Nano MM, Fonseca P, Vullings R, Aarts RM. Measures of cardiovascular autonomic activity in insomnia disorder: A systematic review. PLOS ONE, 2017.

89. Vgontzas AN, Liao D, Bixler EO, Chrousos GP, Vela-Bueno A. Insomnia with objective short sleep duration is associated with a high risk for hypertension. Sleep. 2009;32(4):491-497.
90. Fernandez-Mendoza J, Vgontzas AN, Liao D, et al. Insomnia with objective short sleep duration and incident hypertension: the Penn State cohort. Hypertension. 2012;60(4):929-935.
91. Suka M, Yoshida K, Sugimori H. Persistent insomnia is a predictor of hypertension in Japanese male workers. J Occup Health 2003;45(6):344-350.
92. Laugsand LE, Vatten LJ, Platou C, Janszky I. Insomnia and the risk of acute myocardial infarction: a population study. Circulation. 2011;124(19):2073-2081.
93. Leineweber C, Kecklund G, Janszky I, Akerstedt T, Orth-Gomer K. Poor sleep increases the prospective risk for recurrent events in middle-aged women with coronary disease. The Stockholm Female Coronary Risk Study. J Psychosom Res. 2003;54(2):121-127.
94. Li Y, Zhang X, Winkelman JW, et al. The association between insomnia symptoms and mortality: a prospective study of U.S. men. Circulation. 2014;129(7):737-746.
95. Mallon L, Broman JE, Hetta J. Sleep complaints predict coronary artery disease mortality in males: a 12-year follow-up study of a middle-aged Swedish population. J Intern Med. 2002;251(3):207-216.
96. Meisinger C, Heier M, Lowel H, Schneider A, Doring A. Sleep duration and sleep complaints and risk of myocardial infarction in middle-aged men and women from the general population: the Monica/Kora Augsburg cohort study. Sleep. 2007;30(9):1121-1127.
97. Coryell VT, Ziegelstein RC, Hirt K, Quain A, Marine JE, Smith MT. Clinical correlates of insomnia in patients with acute coronary syndrome. Int Heart J. 2013;54(5):258-265.
98. Laugsand LE, Strand LB, Platou C, Vatten LJ, Janszky I. Insomnia and the risk of incident heart failure: a population study. Eur Heart J. 2014;35(21):1382-1393.
99. Phillips B, Mannino DM. Do insomnia complaints cause hypertension or cardiovascular disease? J Clin Sleep Med. 2007;3(5):489-494.
100. Li M, Zhang XW, Hou WS, Tang ZY. Insomnia and risk of cardiovascular disease: a meta-analysis of cohort studies. Int J Cardiol. 2014;176(3):1044-1047.
101. Jeroen S. Benjamins, Filippo Migliorati, Kim Dekker et al Insomnia heterogeneity: Characteristics to consider for data-driven multivariate subtyping Sleep Medicine Reviews 2017; 36:71-81.
102. Espie CA, Barrie LM, Forgan GS. Comparative investigation of the psychophysiologic and idiopathic insomnia disorder phenotypes: psychologic characteristics, patients' perspectives, and implications for clinical management. Sleep 2012;35:385-93.
103. Benjamins JS, Migliorati F, Dekker K et al. Insomnia heterogeneity: Characteristics to consider for data-driven multivariate subtyping Sleep Med Rev 2017;36:71-81.
104. C, Regen W, Teghen A, Spiegelhalder K, Feige B, Nissen C, et al. Sleep changes in the disorder of insomnia: a meta-analysis of polysomnographic studies. Sleep Med Rev 2014;18:195-213.
105. Feige B, Baglioni C, Spiegelhalder K, Hirscher V, Nissen C, Riemann D. The microstructure of sleep in primary insomnia: an overview and extension. Int J Psychophysiol 2013;89:171-80.
106. Harvey CJ, Gehrman P, Espie CA. Who is predisposed to insomnia: a review of familial aggregation, stress-reactivity, personality and coping style. Sleep Med Rev 2014;18:237-47.
107. Zhang B, Wing YK. Sex differences in insomnia: a meta-analysis. Sleep 2006;29:85-93.
108. Green MJ, Espie CA, Benzeval M. Social class and gender patterning of insomnia symptoms and psychiatric distress: a 20-year prospective cohort study. BMC Psychiatry 2014;14:152.
109. Palagini L, Biber K, Riemann D. The genetics of insomnia-evidence for epigenetic mechanisms? Sleep Med Rev 2014;18:225-35.
110. Gangwisch JE, Malaspina D, Posner K, et al. Insomnia and sleep duration as mediators of the relationship between depression and hypertension incidence. Am J Hypertens. 2010;23(1):62-69.
111. Cappuccio FP, Cooper D, D'Elia L, Strazzullo P, Miller MA. Sleep duration predicts cardiovascular outcomes: a systematic review and meta-analysis of prospective studies. Eur Heart J. 2011;32(12):1484-1492.
112. Bathgate CJ, Edinger JD, Wyatt JK, Krystal AD. Objective but Not Subjective Short Sleep Duration Associated with Increased Risk for Hypertension in Individuals with Insomnia. Sleep. 2016 May 1; 39(5):1037-45.
113. Bastien CH, Fortier-Brochu E, Rioux I, LeBlanc M, Daley M, Morin CM. Cognitive performance and sleep quality in the elderly suffering from chronic insomnia. Relationship between objective and subjective measures. J Psychosom Res. 2003; 55(5):39–49.
114. Orff HJ, Drummond SP, Nowakowski S, Perlis ML. Discrepancy between subjective symptomatology and objective neuropsychological Performance in insomnia. Sleep. 2007; 30(9):1205–1211.
115. Vgontzas AN, Liao D, Pejovic S, Calhoun S, Karataraki M, Bixler EO. Insomnia with objective short sleep duration is associated with type 2 diabetes: A population-based study. Diabetes Care 2009; 32(11):1980–5.

116. Vgontzas AN, Liao D, Bixler EO, Chrousos GP, Vela-Bueno A. Insomnia with objective short sleep duration is associated with a high risk for hypertension. Sleep. 2009; 32(4):491–497.
117. Fernandez-Mendoza J, Calhoun S, Bixler EO, Pejovic S, Karataraki M, Liao D, et al. Insomnia with objective short sleep duration is associated with deficits in neuropsychological performance:a general population study. Sleep. 2010; 33(4):459–465.
118. Fernandez-Mendoza j, Calhoun S, Bixler EO et al. Insomnia with Objective Short Sleep Duration is Associated with Deficits in Neuropsychological Performance: A General Population Study. Sleep 2010; 4:459–465.
119. Fernandez-Mendoza J, Vgontzas AN, Liao D, Shaffer ML, Vela-Bueno A, Basta M, et al. Insomnia with objective short sleep duration and incident hypertension: the Penn State Cohort. Hypertension. 2012; 60 00-00.
120. Vgontzas AN, Fernandez-Mendoza J. Insomnia With Short Sleep Duration Nosologic, Diagnostic, and Treatment Implications. Sleep Med Clinics 2013;3:309-22.
121. Vgontzas AN, Liao D, Pejovic S, Calhoun S, Karataraki M, Basta M, et al. Insomnia with short sleep duration and mortality: the Penn State cohort. Sleep. 2010; 33(9):1159–1164.

4.4 Tratamento da Insônia

4.4.1 Tratamento Farmacológico da Insônia

Andrea Frota Bacelar Rego
Álvaro Pentagna

A Insônia é um dos transtornos do sono mais prevalentes que pode ocorrer isoladamente, configurando o Transtorno da Insônia, ou em associação com outras condições médicas e/ou psiquiátricas.

Quando pensamos no tratamento farmacológico da insônia devemos levar em consideração os dois objetivos primários: melhorar a qualidade e quantidade do sono do paciente, intervindo na indução e/ou na manutenção do sono, aliviando os prejuízos que ela pode causar à vida diária e a tentar identificar sua etiologia e comorbidades como depressão, ansiedade, dor e estresse. A partir daí faremos a escolha do fármaco mais apropriado que poderá ou estimular ou antagonizar algum dos receptores dos neurotransmissores, na fenda sináptica.

O tratamento medicamentoso sempre deve ser instituído em combinação com medidas não farmacológicas.

1. Bases do tratamento farmacológico

As bases farmacológicas para o tratamento da insônia estão diretamente vinculadas a múltiplos sistemas participam da regulação do ciclo sono-vigília por meio de neurotransmissores químicos que são liberados nas terminações nervosas. O reconhecimento e o entendimento do funcionamento e da interação desses sistemas norteiam as bases farmacológicas do tratamento da insônia.

Os neurotransmissores relacionados com a vigília são a histamina, a noradrenalina e a orexina. Já a acetilcolina está elevada durante a vigília, e mais ainda durante sono REM, em associação com o aumento da atividade rápida e a dessincronização cortical. Os neurônios GABAérgicos encontrados no prosencéfalo basal e na área pré-óptica estão ativos durante o sono de ondas lentas auxiliando na sincronização cortical, assim como no período de quiescência comportamental e redução do tônus durante o sono de ondas lentas e durante o sono REM. Existem mais evidências da participação de outros sistemas de neurotransmissão, tais como o glutamatérgico, melatoninérgico e serotoninérgico[1,2].

O GABA (ácido gama-aminobutírico) é o maior neurotransmissor inibitório do sistema nervoso central (SNC) e a ativação do receptor GABA-A causa inibição neuronal por meio do aumento da condutância aos íons cloro. Os neurônios gabaérgicos induzem o sono, inibindo determinados sistemas de neurotransmissão excitatórios do SNC. Devido a isso, o receptor GABA é o principal alvo da maioria dos agentes sedativo/hipnóticos e das drogas anestésicas em geral. O receptor GABA é uma estrutura bastante complexa com várias subunidades (Figura 4.4.1-1).

Existem diversas composições de subunidades localizadas em distintas regiões cerebrais, o que pode modificar a ação do GABA, e a maioria consiste na composição de subunidades. As diferenças dos efeitos clínicos e sedativo/hipnóticos dos benzodiazepínicos e não benzodiazepínicos são atribuídas à seletividade dessas drogas a diferentes subunidades do receptor GABA-A[3]. A subunidade é necessária para a sensibilidade ao benzodiazepínico (BZD)[4]; a subunidade afeta a seletividade do sítio BZD (1, 2 ,3 e 5). Desse modo, os receptores GABA apresentam sítio de ligação para BZDs quando suas isoformas contiverem uma subunidade ou em combinação com 2. Dentre as drogas Z, o zolpidem é o primeiro agonista seletivo do receptor GABA-A para a subunidade $\alpha1$[5]. A zopiclona difere do zolpidem por ter uma meia-vida aproximada um pouco maior (5,3 horas) e por ser menos seletiva, atuando em receptores que contêm subunidades tanto $\alpha1$ quanto $\alpha2$.

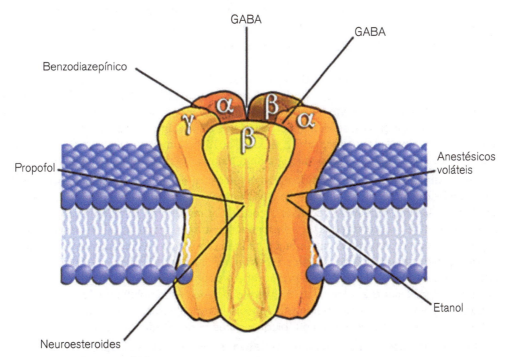

FIGURA 4.4.1-1 – Receptor GABA-A.

Portanto, populações de receptores GABA-A com combinações diferentes de subunidades e diversas afinidades proporcionam diversidade e especificidade de efeitos farmacológicos dos agonistas ou moduladores GABA-A. Veja os exemplos relacionados às subunidades 1, -2, -3 e -5 e suas respectivas ações no SNC[6].

Efeito	Subunidade GABA-A
Sedação	1
Amnésia anterógrada	1
Efeito ansiolítico	2, 3
Efeito antiepiléptico	1
Efeitos cognitivos	5

A seletividade das drogas Z fornecem benefícios em comparação aos benzodiazepínicos pois mantém o efeito hipnótico sem apresentar efetivos ansiolíticos e/ou de relaxamento muscular de maneira significante[7]. Entretanto, tais medicamentos ainda podem apresentar efeito amnésico, que parece depender da dose e da ocupação dos receptores.

O **sistema histaminérgico** está localizado no hipotálamo posterior no núcleo tuberomamilar, com projeções para quase todas as maiores regiões do SNC. Existem evidências sugerindo que a histamina, agindo via receptores H1 e/ou H3 tenha um papel muito importante na regulação do ciclo sono-vigília. A administração de histamina ou agonistas do receptor H1 da histamina induz vigília, enquanto a administração de antagonistas do receptor H1 da histamina promove sono. A ativação de receptor H3 diminui a liberação de histamina e promove sono. O bloqueio do receptor H3 promove vigília. A histamina é liberada em maior quantidade no hipotálamo durante a vigília. Os neurônios histaminérgicos apresentam máxima atividade durante um estado de vigilância e cessam sua atividade durante o sono não REM e durante o sono REM[8]. Existem novas drogas em estudo para o tratamento de sonolência diurna excessiva, e incluem agonistas inversos e antagonistas do receptor H3[3,9].

A **serotonina** é liberada em maior quantidade no núcleo dorsal da rafe e na área pré-óptica durante a vigília. A administração sistêmica de agonistas dos receptores $5HT_{1A}$, $5HT_{2A/2C}$ ou $5HT_3$ causa aumento da vigília e redução do sono. A administração de agonistas $5HT_{1A}$, $5HT_{1B}$ ou $5HT_{2A/2C}$ pode reduzir o sono REM em humanos. Esses dados são importantes devido ao fato de que a insônia pode ser secundária ao uso de inibidores seletivos da recaptação da serotonina ou inibidores da recaptação da noradrenalina[3]. Existem vários agentes antagonistas $5HT_{2A}$ em avaliação clínica e pré-clínica, com resultados promissores como agentes terapêuticos para o tratamento de insônia de manutenção[10,11].

As **células noradrenérgicas** do lócus *ceruleus* inibem o sono REM, promovem vigília e têm projeções para outras regiões do SNC envolvidas na regulação da vigília, incluindo hipotálamo, tálamo, prosencéfalo basal e córtex. Os receptores noradrenérgicos incluem os subtipos 1, 2 e adrenérgicos. A administração de noradrenalina ou agonistas dos receptores e adrenérgicos na área septal ou na área pré-óptica medial aumentam a vigília. A estimulação dos neurônios do lócus *ceruleus* aumenta a noradrenalina no córtex frontal em ratos anestesiados e contribui para promover a vigília. Entretanto, microinjeções de antagonistas 1 (prazosin) e 2 (clonidina) ou -bloqueadores (propranolol) no núcleo tegumento pedúnculo-pontino aumentam o sono REM, com pouco efeito no sono não REM e vigília. O tratamento de hipertensão com ou -bloqueadores pode ter efeitos negativos no sono[3].

O ritmo circadiano da secreção de **melatonina** pela glândula pineal é controlado pelo núcleo supraquiasmático. A melatonina pode influenciar a promoção do sono e o ciclo sono-vigília através da ativação de receptores específicos MT1 (melatonina 1a) e MT2 (melatonina 1b). Ambos os receptores têm alta concentração no SNC. A administração exógena de melatonina também induz o sono, no entanto a máxima efetividade hipnótica depende do horário da administração, já que é influenciada pela fase do ritmo circadiano. Em indivíduos jovens e idosos com insônia primária, os níveis de melatonina tendem a estar mais baixos do que nos controles normais[12]. Os novos agentes cronohipnóticos aprovados no tratamento da insônia inicial agem como agonistas MT1 e MT2[13,14]. A agomelatina é antidepressivo agonista dos receptores da melatonina MT1 e MT2, e apresenta efeito antagonista dos receptores serotoninérgicos 5-HT2C[14]. O Ramelteon é um agente agonista com alta seletividade para receptores de melatonina MT1 e MT2 localizados no núcleo supraquiasmático e quase não possui afinidade por outros receptores tais como dopamina, serotonina, benzodiazepínicos, opioides e histamina[15].

Atualmente a literatura apoia um papel para **hipocretina**-1 e -2 (também denominada orexina A e B) na manutenção da vigília. Os corpos celulares dos neurônios produtores de hipocretina estão localizados no hipotálamo dorsolateral e enviam projeções para maior parte das regiões do SNC envolvidas na regulação da vigília. Os neurônios hipocretinérgicos disparam com maior frequência durante a vigília e mostram quase nenhuma atividade durante o sono. Cães com narcolepsia apresentam uma mutação do gene do receptor da hipocretina-2. Pacientes com narcolepsia-cataplexia também têm grande redução dos níveis de hipocretina no líquido cerebrospinal em comparação com controles. Os receptores da hipocretina-1 e -2 foram localizados no tegumento látero-dorsal e pedúnculo-pontino, formação reticular pontina, núcleo dorsal da rafe e lócus *ceruleus*. Estudos eletrofisiológicos demonstraram que neurônios hipocretina-1 e/ou hipocretina-2 excitam neurônios nestas mesmas regiões[3]. Existem novos agentes antagonistas da orexina em avaliação clínica e pré-clínica para o tratamento da insônia. O almorexant é um novo agente antagonista dual dos receptores da orexina (OX1 e OX2) que vem sendo avaliado em alguns estudos científicos.

2. Agonistas gaba não benzodiazepínicos

Os **hipnóticos seletivos de receptor GABA-A** atuam seletivamente no receptor GABA-A[7,16] fornecendo benefícios em comparação aos benzodiazepínicos pois mantém o efeito sedativo sem apresentar efetivos ansiolíticos e/ou de relaxamento muscular de maneira significante[7]. Entretanto, tais medicamentos ainda podem apresentar efeito amnésico, que parece depender da dose e da ocupação dos receptores.

Essas drogas devem ser administradas somente ao deitar. Foi observado que além da melhora sintomática subjetiva, elas diminuem a latência para início do sono e podem aumentar a porcentagem de sono de ondas lentas e do tempo total de sono em exames polissonográficos de pacientes com insônia[7].

Apresentam menor potencial de dependência quando comparados aos benzodiazepínicos, sendo preferidos no tratamento da insônia crônica[7]. O uso mais apropriado é como tratamento em curto prazo em associação a medidas não farmacológicas[7]. A efetividade do tratamento farmacológico da insônia deve ser avaliada levando-se em consideração a melhora na qualidade do sono e o alivio dos prejuízos que ela causa à vida diária. O tratamento da insônia também deve levar em consideração a etiologia e as comorbidades[7].

Apesar de serem aprovados para o tratamento do transtorno de insônia e relativamente bem tolerados, o uso prolongado destes fármacos gera discussão sobre o risco de dependência e insônia rebote[7,17,18]. Os estudos disponíveis avaliando a persistência do efeito hipnótico limitam-se ao prazo de 12 meses[17]. Quando avaliados em curto prazo, 2 a 3 semanas, especialmente o zolpidem, mostraram-se eficazes como hipnóticos e bem tolerados, inclusive em idosos[17].

■ 2.1. Zolpidem

O zolpidem é um hipnótico usado para o tratamento da dificuldade para iniciar o sono em adultos[18]. É uma imidazopiridina utilizada na prática clínica desde a década de 90. No Brasil, temos apresentações de 10 mg, via oral (VO) de liberação imediata, de 5 mg, sublingual, de liberação rápida e será comercializado, também, comprimidos dispersíveis de 10 mg, todos com meia-vida curta de duas horas e meia. Há também o aprovado para insônia inicial e de manutenção, com 6,25 mg e 12,5 mg, VO de liberação prolongada, comprimidos com uma parte de liberação imediata e outra de liberação controlada que mantém a concentração plasmática sustentada após três a seis horas. O risco de dependência desses medicamentos é baixo, mesmo com o uso prolongado[7,16,17]. Alguns estudos mostraram a sua eficácia por 6 a 12 meses sem o desenvolvimento de tolerância[17].

Os principais efeitos colaterais do zolpidem incluem sonolência (5%), tonteira (5%), dor de cabeça (3%), sintomas gastrointestinais (4%), problemas de memória (1% a 2%), pesadelos (1% a 2%) e confusão mental (1% a 2%)[17,19]. Mais raramente, ocorre ataxia, incoordenação motora, desequilíbrio, euforia, disforia, aumento de apetite, aumento de libido, prejuízo do raciocínio e julgamento, desinibição e impulsividade[19]. A maioria dos efeitos adversos está relacionada à dose[20]. Em idosos, um estudo retrospectivo associou-o à fratura de quadril, embora menos do que com o uso de sedativos de ação prolongada como os benzodiazepínicos[20]. Pacientes com dificuldade em manter o sono podem exceder a dose recomendada causando amnésia retrógrada e, mais raramente, psicose e alucinação[19]. Nesses casos deve-se optar pelos zolpidem CR. Zolpidem pode estar associado a comportamentos atípicos, como limpar a casa de maneira compulsiva, parassonia NREM, dirigir durante o sono e pintar a casa, com amnésia do ocorrido no dia seguinte[21]. Parece que o uso de álcool ou outros depressores do sistema nervoso central pode aumentar o risco dos eventos adversos mais raros[21]. Os níveis de zolpidem podem permanecer elevados na manhã seguinte, prejudicando atividades que requerem atenção, em ambas as formas de zolpidem[22]. A metabolização é hepática e a eliminação é renal. Em janeiro de 2013, a FDA recomendou doses menores de zolpidem devido ao risco de prejuízo da memória na manhã seguinte ao uso[22]. Foi sugerido nos Estados Unidos que a dosagem do zolpidem, de liberação imediata, passasse a ser 5 mg e, na forma de liberação prolongada, 6,25 mg para mulheres[22]. Em idosos ou em pacientes com alguma insuficiência, também se aconselha metade da dose. Insônia rebote pode ocorrer quando os agonistas benzodiazepínicos são bruscamente retirados, principalmente em doses mais altas[23].

■ 2.2. Zopiclona

A zopiclona é uma ciclopirrolona que difere do zolpidem por atuar nas subunidades 1 e 2. Sua meia-vida é de 5,3 horas. Demonstrou eficácia igual ou superior aos benzodiazepínicos de longa ação no tratamento da insônia de início ou de manutenção do sono, e é bem tolerado por idosos. A dose recomendada é de 3,75 mg a 7,5 mg. No Brasil, temos apresentações de 7,5 mg. A zopiclona tem efeitos adversos semelhantes ao zolpidem, como cefaleia, tonteira e sonolência, porém apresenta outro efeito adverso, o sabor desagradável na boca, além de náusea[11].

2.3. Eszopiclona

A eszopiclona é um hipnótico usado para o tratamento de dificuldade para iniciar e manter o sono em adultos[18,21]. Ela foi primeiro agonista seletivo testado em longo prazo, por 6 a 12 meses, melhorando a qualidade de vida, os prejuízos para o trabalho e reduzindo a gravidade da insônia[24-26]. Além da melhora no sono, também houve resposta antidepressiva e melhora nos sintomas de ansiedade generalizada[27,28]. A dose recomendada é de 1 mg a 3 mg ao deitar.

A melhora do índice de gravidade da insônia e de parâmetros objetivos do sono, medidos pela polissonografia, torna a eszopiclona hipnótico importante no tratamento da insônia.

2.4. Zaleplon

A zaleplona é uma pirazolopirimidina que apresenta ligação com receptor 1. Seu pico de concentração plasmática é muito rápido, em torno de uma hora. A meia-vida é de uma hora e a dose recomendada é de 10 mg. Pode ser utilizado para indução do sono e caso haja um despertar noturno e se tenha pelo menos quatro horas de possibilidade de sono antes do horário de despertar[11,23]. Este produto já foi comercializado no Brasil, mas, atualmente, só é comercializado em outros países. A zaleplona tem sido associada à tonteira e à cefaleia[11].

3. Gabapentina, pregabalina e tiagabina

Muitos anticonvulsivantes, entre eles a gabapentina, tiagabina e pregabalina, atuam aumentando a função gabaérgica e, com isso, são relacionados à melhora da qualidade do sono em insones, epilépticos, portadores de dor crônica e de ansiedade[29-31]. Na verdade, nem a gabapentina, nem a pregabalina se ligam diretamente ao receptor GABA e não foram mencionadas no último *guideline* americano para tratamento da insônia, 2017[18]. Essas drogas são ligantes da subunidade $\alpha 2\delta$ dos canais de cálcio voltagem dependente. Há uma publicação utilizando diferentes doses de gabapentina no tratamento da insônia primária, com 18 pacientes[29] e, não foi recomendada para este fim. Nos casos de insônia comórbida a pregabalina tem demonstrado boa atuação nas dores crônicas, fibromialgia e insônia associada[32]. A pregabalina também pode ser uma candidata no auxílio de desmame de dependência a hipnóticos-sedativos[33]. Há uma meta-análise sendo realizada com a finalidade de avaliar o uso clínico da gabapentina e pregabalina no transtorno bipolar, ansiedade e insônia havendo uma pré-publicação ainda sem resultados[34]. A tiagabina foi avaliada na força-tarefa da AAMS[18] não sendo recomendada no tratamento da insônia.

4. Antidepressivos

4.1. Antidepressivos sedativos

Os antidepressivos sedativos, amitriptilina, trazodona, doxepina, mirtazapina e agomelatina são utilizados no tratamento de insônia associada à depressão [23,35-38]. A ação desses fármacos se dá em receptores histaminérgicos, serotoninérgicos e alfa-1 adrenérgicos[38]. Mostram redução na latência do sono e dos despertares noturnos e aumentam a eficiência do sono, neste grupo de pacientes[39-41], em associação à melhora dos sintomas depressivos[23]. A maioria desses fármacos é utilizada no tratamento da insônia crônica em baixas doses, isto é, inferiores às utilizadas no tratamento da depressão[37]. Existe uma especulação a respeito do motivo da utilização desses fármacos em contraposição à escassez de estudos comprovando a sua eficácia, especialmente em longo prazo, na insônia crônica. O baixo risco de dependência e abuso é considerado na justificativa, como também a frequente relação de depressão e insônia ou o risco de depressão em pacientes insones não tratados. As baixas dosagens também podem ser justificadas pelo menor risco de sedação diurna, efeitos cardiotóxicos e serem mais seguras em idosos[37]. Com exceção da doxepina, poucos estudos analisam o efeito sedativo desses antidepressivos nos insones, não os classificando como de escolha no tratamento da insônia. Os efeitos adversos, especialmente os colinérgicos relacionados à amitriptilina, sedação diurna e ganho de peso, devem ser considerados no tratamento[38,39]. Diferenciando-se dos anteriores, a agomelatina é um antidepressivo que também apresenta função agonista melatoninérgica, favorecendo a sincronização do ritmo vigília-sono e a melhora da qualidade do sono em deprimidos com insônia[42,43].

■ 4.2. Trazodona

A trazodona é um antidepressivo considerado de ação dupla como inibidor da recaptação de serotonina e antagonista da serotonina[39]. O efeito sedativo está relacionado principalmente à ação antagonista do subtipo de receptor serotoninérgico 5-HT2, mas também pode ter ação anti-histaminérgica, nos receptores H1, e antagonista do receptor alfa-1 adrenérgico[39].

Os efeitos no sono da trazodona incluem redução na latência para o início do sono, redução de despertares após o início do sono e aumento da sua eficiência[39]. Em estudos randomizados que envolvem a trazodona (150 mg a 450 mg/dia) no tratamento de pacientes depressivos, e, comparativamente, com inibidores seletivos de recaptação de serotonina, a trazodona foi igualmente eficaz e tolerável quanto à melhora dos sintomas depressivos, porém foi significativamente mais eficaz em reduzir transtornos do sono[44,45].

Raros são os estudos que analisam o efeito sedativo da trazodona nos pacientes com transtorno de insônia[44-46], porém ainda falham pelo curto prazo de avaliação e pelo número reduzido de pacientes avaliados. Roth, em 2012[46], realizou estudo randomizado, duplo cego, avaliando a eficácia do efeito hipnótico da trazodona e o prejuízo cognitivo diurno em adultos com insônia crônica. A trazodona administrada na dosagem de 50 mg, por 3 semanas em adultos provocou melhora da indução e manutenção do sono e redução de sonolência diurna em comparação com placebo.

Quando a trazodona 50 mg foi comparada ao zolpidem 10 mg e placebo por 2 semanas, nos pacientes com insônia, mostrou-se efetiva na redução da latência do sono e aumento do tempo total de sono, porém foi inferior ao zolpidem, e este efeito não foi persistente na segunda semana, sendo igualado ao placebo[47]. A dose inicial de tratamento é de 50 mg iniciada à noite, e em pacientes deprimidos os aumentos de dosagem são progressivos a cada 5 a 7 dias; a dose diária usual é de 50 mg a 150 mg ao dia, sendo que doses maiores, até 400 mg, podem ser divididas em duas tomadas, no caso da trazodona de liberação imediata[39,44].

A trazodona é considerada um fármaco seguro e bem tolerado, porém alguns efeitos colaterais são possíveis, especialmente no início do tratamento, sendo os mais comuns: sedação, tonteira, náuseas, vômitos e cefaleia[44]. O priapismo é um efeito colateral menos comum, porém é uma emergência e motivo para a descontinuação da medicação. Ganho de peso não é tão relevante em comparação com a maioria dos antidepressivos sedativos[39,45].

A apresentação de liberação controlada em dose variáveis de 150 mg a 450 mg ao dia é igualmente eficaz em relação aos sintomas depressivos, mostrando-se também vantajosa na melhora da qualidade do sono quando comparada aos demais fármacos inibidores da recaptação de serotonina[44,45].

4.3. Antidepressivos tricíclicos

Amitriptilina e doxepina são antidepressivos tricíclicos conhecidos pelo seu efeito sedativo[23,37]. O efeito terapêutico na depressão ocorre pela ação inibidora da serotonina e da recaptação de noradrenalina, porém a interferência no sono está relacionada a inibição dos receptores histamínico tipo 1 (HT1), serotoninérgico tipo 2 (5-HT2), além de alfa-1 adrenérgico e colinérgico muscarínico[38].

Estudo da eficácia da doxepina utilizada em adultos com insônia crônica, em doses baixas de 3 mg a 6 mg continuamente por 35 dias mostra que a doxepina é o único antagonista seletivo de receptor H1 disponível para tratar insônia e aprovado pelo FDA. Reduz o tempo acordado após o início do sono e causa melhora sustentada na eficiência do sono quando comparado, por polissonografia, ao placebo[40,48]. Doses antidepressivas estão entre 75-150 mg. A melhora subjetiva também foi significativa sem efeitos residuais ou insônia rebote[15]. Em outro estudo realizado em idosos com insônia crônica por dificuldade em manter o sono, Lankford, em 2012, avaliou a tolerabilidade e o efeito sedativo da doxepina na dosagem de 6 mg em comparação com placebo por quatro semanas. A doxepina foi bem tolerada, não existindo efeito residual significativo no dia seguinte, sendo sustentada a melhora da qualidade do sono por relato dos pacientes[49]. Krystal, em 2010, comparou a utilização de doxepina, em idosos com insônia crônica, nas dosagens de 1 mg e 3 mg, ao placebo. Os resultados anteriormente descritos também foram observados neste estudo quanto à melhora na eficiência do sono e a tolerabilidade e ausência de insônia rebote, diferenciando-se dos demais pela utilização da medicação por 12 semanas[40].

Os antidepressivos tricíclicos apresentam meia-vida longa, de 12 a 24 horas, em comparação aos demais antidepressivos, podendo ser benéficos para pacientes com despertar precoce; entretanto, os efeitos sedativos diurnos podem limitar o uso. Na tentativa de minimizar os efeitos adversos diurnos e promover a melhora do início e manutenção do sono, as dosagens utilizadas para o manejo da insônia podem ser menores daquelas habitualmente recomendadas para o tratamento da depressão, sendo 1 mg a 6 mg de doxepina e 12,5 mg a 50 mg de amitriptilina[37,40,49].

As dosagens consideradas terapêuticas para a depressão provocam importantes alterações na arquitetura do sono pela supressão de sono REM. Os tricíclicos também podem exacerbar síndrome de pernas inquietas e movimentos periódicos de membros inferiores e precipitar transtorno comportamental do sono REM, além de provocar insônia rebote na retirada abrupta. Os antidepressivos tricíclicos apresentam ação anticolinérgica com importantes efeitos colaterais, incluindo boca seca, constipação, além de hipotensão postural, os quais limitam o uso, especialmente em idosos[40,50].

4.4. Mirtazapina

A mirtazapina é classificada como um antidepressivo atípico, com efeito noradrenégico e serotoninérgico e efeito sedativo relacionado à ação farmacológica antagonista histaminérgica H1, 5-HT2 e alfa-1 adrenérgica. Tais características farmacológicas fazem a mirtazapina ser indicada em pacientes deprimidos com insônia[51,52].

Nenhum estudo avalia o efeito hipnótico da mirtazapina no transtorno de insônia. Quando utilizada em adultos saudáveis, aumentou a eficiência do sono e a porcentagem de N3 (sono de ondas lentas) na primeira noite no registro por polissonografia[53]. A maioria dos estudos disponíveis avalia o efeito sedativo da mirtazapina em pacientes deprimidos e, nestes, a mirtazapina na dosagem de 30 mg provocou melhora subjetiva da qualidade do sono e redução de despertares após o início do sono, porém eles falham por não serem comparados a placebos ou agonistas seletivos do receptor GABA-A[52]. Ainda em pacientes deprimidos, quando comparada a inibidor da recaptação de serotonina, a mirtazapina promoveu melhora significativa na qualidade do sono em controle por polissonografia, entretanto apresenta importantes efeitos sedativos e prejuízo na função psicomotora em comparação ao placebo e à trazodona[54].

A dosagem recomendada varia de 15 mg a 45 mg/dia, porém as menores dosagens são mais sedativas. As dosagens de 30 mg e o aumento progressivo de 15 mg para 30 mg aplicadas em deprimidos igualmente mostraram redução da latência do sono e aumento do tempo total de sono, porém provocaram sonolência na primeira semana de utilização da medicação, a qual reduziu ao longo da segunda semana, além da dosagem fixa ter se mostrado superior à escalonada na melhora da qualidade do sono[55].

Os efeitos colaterais mais descritos são sonolência e sedação, hipotensão postural, boca seca, cefaleia, inchaço, aumento de apetite e ganho de peso, em comparação com os demais antidepressivos[54,55].

■ 4.5. Agomelatina

A agomelatina é um antidepressivo aprovado para o tratamento de depressão maior, porém com características farmacológicas únicas com capacidade de interferir na sincronização do ritmo circadiano. Trata-se de um agonista de receptor melatoninérgico (MT1/MT2) e antagonista 5-HT2C[56,57].

A agomelatina é eficaz e bem tolerada nas dosagens de 25 mg e 50 mg na melhora dos sintomas depressivos e ansiedade em pacientes com depressão maior e inclui efeitos positivos na avaliação subjetiva da melhora da qualidade do sono desde as primeiras semanas de utilização[58]. Estudos comparativos entre agomelatina e inibidores da recaptação da serotonina mostram que a agomelatina é igualmente eficaz na melhora da depressão, entretanto é vantajosa na redução da latência do sono e preserva os ciclos de sono sem causar sonolência diurna[57,59].

Ainda comparativamente, as dosagens de 25 mg e 50 mg são bem toleradas e os efeitos colaterais incluem náuseas e tonteiras, as quais são mais comuns e temporárias. A agomelatina pode provocar o aumento de transaminases hepáticas, especialmente em dosagens de 50 mg, sendo recomendado o acompanhamento com testes de função hepática ao longo das primeiras 2 a 24 semanas de tratamento[57].

5. Benzodiazepínicos

Devido as propriedades sedativas, hipnóticas, ansiolíticas, anticonvulsivantes e miorrelaxantes, os benzodiazepínicos ainda têm sido prescritos em larga escala[60], frequentemente excedendo as indicações e dosagens indicadas nos *guidelines,* principalmente para os idosos, e, por muitas vezes, são utilizados por longos períodos de tempo[61]. Poucos ensaios clínicos demonstram eficácia continuada durante longos períodos[62]. Há uma geração de pessoas, atualmente idosos, que vem utilizando BDZ há várias décadas continuamente, como um hábito[63]. Estima-se que de 10% a 42% dos idosos consumam BDZ[61] e parece haver uma correlação entre idade e consumo de BDZ[64]. Progressivamente mais efeitos colaterais têm sido reportados, como o risco maior de acidentes automobilísticos[65], quedas e fraturas[66], intoxicações fatais[67], declínio geral no estado funcional e prejuízos cognitivos, depressão respiratória, principalmente na população idosa[68]. Van Strien et al. descreveram que 59% dos pacientes com idade média de 78 anos em uso de BDZ apresentaram uma ou mais quedas no período de um ano[69].

Em 2/3 dos casos, o uso do BDZ é inapropriado, seja por dose, duração, mau uso, ou seja, custo/benefício não compensar ou uso sem indicação, para transtorno de ansiedade ou para indução do sono[69].

Fatores individuais associados ao mau uso de BDZ em idosos são: sexo feminino, polifarmácia, dor crônica, incapacidades físicas, mobilidade reduzida, prejuízos cognitivos e presença de ideação suicida[61-63,70]. Adultos com mais idade tem uma tendência maior a amnésia anterógrada induzida pelo uso de BDZ, especialmente se em altas doses. Antes do diagnóstico de Déficit Cognitivo leve os BDZ devem ser descontinuados[64].

Estudos de metanálise sugerem que tanto a exposição quanto a duração têm efeitos negativos, em longo prazo, no funcionamento cognitivo do idoso[68]. As deficiências cognitivas e psicomotoras do uso crônico dos BZD parecem ser reversíveis, ao menos parcialmente, com a descontinuação, sendo que a melhora é lenta e gradual[61]. Em três cidades francesas os resultados sugerem que uso crônico de BDZ estão associados a um desempenho cognitivo prejudicado, entretanto não com declínio cognitivo acelerado com a idade[71].

O uso crônico dos BZD traz o risco de desenvolver abuso, tolerância, dependência e abstinência[60], tornando um problema de saúde pública[62]. Depois de estabelecido a tolerância, os BZD pioram o sono[71].

Com o uso crônico dos BZD tem-se observado: redução da latência para o início do sono[72,73]; do número de despertares; aumento do tempo total de sono; redução do estágio 1 e do sono de ondas lentas; redução do tempo acordado após início do sono; aumento da latência do sono REM; e redução do sono REM e dos movimentos oculares rápidos[72].

A redução ou retirada do BDZ tem um impacto positivo no estado físico e psicológico dos idosos sugerindo que deve ser tentada em todos os pacientes acima de 65 anos que estejam usando cronicamente. Antes da retirada vários autores recomendam primeiro a troca de qualquer BDZ para um BDZ com meia-vida longa que tenha várias dosagens e formulações[74]. A retirada deve ser lenta e associada a terapia cognitivo-comportamental e os sintomas de retirada podem persistir ainda por meses[75].

6. Neurolépticos

O uso desta classe de fármacos no tratamento da insônia vem aumentando de maneira significativa entre os clínicos à medida que aumenta sua experiência com os novos neurolépticos, também denominados como antipsicóticos atípicos ou de segunda geração. Uma pesquisa em Connecticut, EUA, demonstrou que o tratamento da insônia foi um dos objetivos de 32,2% dos prescritores de algum antipsicótico atípico e que esta era a única intenção em 12,1% de todas as prescrições[76]. Apesar deste crescimento no uso, as evidências clínicas se resumem a alguns estudos e são necessárias mais pesquisas, principalmente para se determinar as características dos pacientes com insônia que mais se beneficiariam de um neuroléptico. Prova disto é uma recente revisão sistemática que buscou analisar o os benefícios e os efeitos adversos dos antipsicóticos especificamente para insônia. Dos 47 estudos selecionados, apenas um preencheu os critérios determinados pelos autores conforme as recomendações de revisão sistemática e não houve dados suficientes para a realização de uma metanálise[77].

A forma na qual vêm sendo mais utilizado é com o intuito de auxiliar no controle comportamental de pacientes com comprometimento cognitivo, principalmente nas síndromes demenciais[78] e nos indivíduos com deficiência intelectual que apresentem agitação psicomotora[79], em pacientes psiquiátricos graves e naqueles que apresentem uma insônia de difícil tratamento.

O mecanismo de ação é múltiplo, porém destaca-se o efeito de bloqueio histaminérgico H_1. Também são importantes componentes os efeitos de antagonismo serotoninérgico 5-HT_{2A} e 5-HT_{2C} e adrenérgico α_1[80]. Assim, se um neuroléptico for a opção terapêutica, deve-se levar em conta o efeito do medicamento sobre estes receptores, ou seja, o prescritor deve conhecer o poder sedativo da substância. A quetiapina, a olanzapina e a clozapina apresentam maior afinidade aos receptores H_1[81,82]. Além disto, o poder antipsicótico do fármaco também deve ser conhecido caso também seja optado por controle comportamental e aqui destaca-se a ação sobre o receptor dopaminérgico D_2. A risperidona, a paliperidona, a ziprasidona e a olanzapina têm maior afinidade a estes receptores[81,82].

Exatamente por ser de importante efeito sedativo, a quetiapina é o antipsicótico atípico mais prescrito com o objetivo *off-label* de tratamento da insônia[76]. Em uma revisão da literatura sobre o efeito de sonolência em pacientes com esquizofrenia e transtorno afetivo bipolar, Fang et al. sugerem a divisão dos antipsicóticos em três grupos: alto efeito sedativo, representado pela clozapina, moderado efeito sedativo, destacando-se a quetiapina, a olanzapina, a ziprasidona e a risperidona, e baixo efeito sedativo, sendo encontrados no Brasil o haloperidol, a asenapina, o aripiprazol e a paliperidona[83].

Os principais efeitos na arquitetura do sono são relatados em estudos onde o paciente já fazia uso do neuroléptico para tratamento de doença psiquiátrica, principalmente em pacientes com esquizofrenia. Aparentemente a paliperidona, a clozapina e a olanzapina pareceram mostrar melhores resultados neste grupo de pacientes reduzindo a latência de sono e aumentando o tempo total de sono e de estágio N2[81].

A opção destes medicamentos também deve ser baseada no perfil de efeitos adversos. Apesar dos efeitos extrapiramidais terem reduzido nos antipsicóticos de segunda geração em relação aos de primeira, ainda é comum a ocorrência de sintomas parkinsonianos e discinesias, principalmente em idosos. Além disso, apesar de ser o objetivo desta discussão, o efeito de sono pode ultrapassar os limites do período noturno e causar sonolência excessiva diurna. Também são muito preocupantes os efeitos de ganho de peso, dislipidemia, resistência insulínica e diabete melito, doenças cardiovasculares e cerebrovasculares[80].

7. Fitoterápicos

O principal fitoterápico utilizado e estudado para a insônia é aquele baseado no extrato de raiz da *Valeriana officinalis*. Trata-se de uma planta nativa da Europa e de partes da Ásia que floresce durante o verão e cujas flores eram utilizadas na preparação de perfumes no século XVI. Suas propriedades foram descritas por Hipócrates e já no século II era prescrita para o tratamento da insônia por Galeno. Existem outras espécies que também são utilizados de maneira terapêutica como a *Valeriana edulis* (mexicana) e a *Valeriana walichii* (indiana)[84]. O principal componente do extrato de valeriana é o ácido valerênico, que junto com outros de seus derivados atua de forma sinérgica nos receptores do GABA através de mudanças no transporte e liberação do neurotransmissor[85,86].

Existem apresentações diferentes, mas as doses terapêuticas sugeridas variam entre 300 e 600 mg/dia[86,87]. Mesmo nos estudos de revisão sistemática com metanálise as doses estão entre 100 mg e 600 mg/dia[84,86,88].

As principais revisões sistemáticas, inclusive uma com metanálise, sobre o uso do estrato de valeriana na insônia sugerem que seu uso é seguro[84,88], que pode haver um benefício subjetivo na qualidade de sono[86,88], mas ainda não há evidência objetiva desta melhoria[84,86]. Um ensaio clínico do tipo *crossover* com 16 mulheres com mais de 55 anos não evidenciou redução da latência de sono, do tempo de vigília após o início do sono ou aumento da eficiência de sono após duas semanas de uso da valeriana[85].

No Brasil também são muito populares os extratos e preparações à base de plantas do gênero *Passiflora*, popularmente conhecido como maracujá. A espécie mais estudada é a *Passiflora incarnata* L. Apesar de alguns estudos sugerirem possíveis efeitos benéficos e segurança em seu uso, ainda faltam rigor metodológico ou replicação destas pesquisas que evidenciem sua eficácia no tratamento da insônia[89].

Vários outros fitoterápicos também são comumente utilizados nas tradições populares ou terapêuticas complementares para a insônia como a camomila, a mimosa, a papoula da Califórnia, a escutelaria, a withania ou cereja-do-inverno, o vitex, o lúpulo e a jujuba. Algumas já apresentam resultados *in vitro* ou em modelos animais, porém carecem de estudos mais rigorosos em humanos e como monoterapia[90].

8. Melatonina

A melatonina foi descrita por Lerner et al., em 1958, como um fator extraído da pineal de bovinos que tinha a propriedade de evitar o escurecimento da pele anfíbios[91]. Nas décadas seguintes, os estudos relacionados a este hormônio da pineal basearam-se na sua relação com os hormônios sexuais hipofisários, os ciclos reprodutivos dos animais, nas evidências de supressão pela luminosidade e no seu padrão circadiano de secreção[92]. Ainda durante a década de 80, iniciou-se a busca pelos receptores melatoninérgicos tanto no sistema nervoso central quanto em outras partes do corpo[93]. Mas foi apenas a partir da segunda metade dos anos 1990 que a melatonina passou a ser utilizada como medicamento, na tentativa de tratar os distúrbios do ritmo circadiano[94].

O núcleo supraquiasmático estimula as células da pineal a produzirem e imediatamente secretarem a melatonina conforme percebe a redução da luminosidade. A melatonina vai atuar em vários processos celulares do sistema nervoso central e em outras partes do corpo atuando como sinalizador do ciclo noturno e dos processos que ocorrem durante esse período[95].

Assim, a principal indicação do uso da melatonina está embutida nos transtornos do ritmo circadiano e é a principal opção terapêutica do fármaco[96]. No entanto a melatonina também é comumente utilizada para o tratamento da insônia e uma metanálise recente sugere que, além do uso em atraso do ritmo circadiano e pacientes cegos, a melatonina é eficiente para a redução da latência de sono[97]. Cerca de 10% dos pacientes com queixa de insônia recorrente que buscam um especialista em medicina do sono apresentam na realidade um atraso da fase de sono[98] e esta população pode se beneficiar significativamente com o uso da melatonina.

Os idosos, principalmente aqueles com síndrome demencial, e os pacientes com deficiência intelectual e autismo são populações geralmente estudadas para o tratamento da insônia com melatonina. No entanto esta diferenciação pode ser muito difícil nestes pacientes e por vezes o distúrbio de sono é na realidade uma alteração de ritmo circadiano.

As apresentações são de liberação imediata, longa duração e mista (um pico imediato e uma segunda fase de liberação prolongada). Existem estudos nas mais variadas doses terapêuticas, de 0,3 mg a 100 mg, mas a National Academy of Sciences afirma que doses diárias menores ou iguais a 10 mg parecem ser seguras em adultos[96,99]. Por ser considerado um suplemento alimentar, pelo FDA, as apresentações e formulações podem ser muito variadas, inclusive associadas a fitoterápicos. Uma metanálise avaliou estudos de várias apresentações farmacocinéticas da melatonina, inclusive intravenosas, e chegou à conclusão que o pico de concentração está em 50 min para as formulações de liberação imediata e em 167 min para as de longa duração[99].

Trata-se de uma substância com perfil seguro para uso, com falta de relatos de eventos adversos graves. Eventualmente são relatados casos de cefaleia, hipotensão, hipertensão, dispepsia, exacerbação de *alopecia areata* e possível associação com resistência insulínica[96]. Pode haver sonolência excessiva residual matutina e seu uso ainda não é recomendado em gestantes ou lactantes.

Recentemente, foi liberada pela Anvisa sua comercialização no Brasil, através de prescrição médica, via manipulação.

9. Novos fármacos

9.1. Agonistas melatoninérgicos

Com ação sobre os receptores melatoninérgicos MT_1 e MT_2, o ramelteon e o tasimelteon se diferem da agomelatina por não terem afinidade ao receptor $5-HT_{2C}$, excluindo destes fármacos a propriedade antidepressiva já descrita aqui. O ramelteon tem uma maior propriedade de ligação aos receptores MT_1 e aparentemente um perfil de ação mais parecido com a melatonina já que também se liga aos receptores MT_3, sendo sua principal indicação para insônia de início de noite. O tasimelteon tem maior afinidade aos receptores MT_2 e está indicado no tratamento dos distúrbios do ritmo circadiano não 24 horas[100].

Uma importante metanálise com revisão sistemática do uso do ramelteon em adultos com insônia sugeriu que em curto prazo o fármaco reduz as latências de sono subjetiva e para um sono consolidado e aumenta o tempo total de sono, a eficiência de sono e a qualidade de sono. Além disso, o único efeito colateral estatisticamente significativo foi a sonolência[101].

A dose recomendada do ramelteon é de 8 mg cerca de 30 minutos antes de deitar para dormir e sem comida. O tasimelteon é recomendado na dose de 20 mg logo antes de deitar para dormir, também sem alimentos.

10. Antagonistas da hipocretina

O suvorexant é um antagonista da hipocretina, também conhecida como orexina. A hipocretina é um neurotransmissor do hipotálamo lateral responsável por estimular o sistema reticular ativador ascendente atuando dessa maneira como mantenedor do estado de vigília.

O bloqueio efetuado pelo suvorexant ocorre tanto nos receptores $HcrtR_1$ quanto nos $HcrtR_2$[102,103]. Por ser um antagonista do sistema mantenedor da vigília, o principal efeito deste fármaco parece ser o efeito de tratamento na insônia de manutenção, ou seja, nos pacientes que têm um sono mais superficial e despertares frequentes[18,102].

As doses recomendadas são de 15 ou 20 mg e está contraindicado para hepatopatas. A dose deve ser dada cerca de 30 minutos antes do horário de dormir e sempre com uma previsão de sono de, no mínimo, sete horas. Metabolizado pelo citocromo P450 3A, sugere-se evitar seu uso com ciprofloxacina, claritromicina e antifúngicos azóis[102].

11. Especificidades das drogas e dos sítios de ação

Os fármacos variam em especificidade. Os agentes terão uma especificidade farmacológica alta quando sua ação acontecer sobre um único receptor e a especificidade dos efeitos clínicos irão variar se o receptor que os fármacos atuarem, apresentar uma ampla disseminação no encéfalo ou, ao contrário, uma ligação com o receptor limitada a uma área ou a um circuito específico. A Tabela 4.4.1-1 discrimina os principais fármacos e sua especificidade no tratamento da insônia[104].

TABELA 4.4.1-1
Especificidade dos fármacos em relação ao tratamento da insônia, efeito no encéfalo e receptores neuronais alvos

Tratamento	Especificidade farmacológica	Especificidade dos efeitos no cérebro	Alvo
Sulvorexant	Esp alta	Esp alta	Antagonista do receptor de orexina
Doxepina 3-6 mg	Esp alta	Esp alta	Antagonista do receptor H1 histamina
Prazozin	Esp alta	Esp alta	Antagonista do receptor Alfa1 adrenérgico
Ramelteon	Esp alta	Esp alta	Antagonista do receptor MT1/MT2 melatonina
BDZ	Esp alta	Não esp	Ligação receptor GABA-A levando ampla inibição SNC
Não BDZ	Esp alta	Não esp	Ligação receptor GABA-A levando ampla inibição SNC
Antidepressivos	Não esp	Não esp	Antagonista de 5HT e NE, 5HT2, alfa-1 adrenérgico, colinérgico e H1 histaminérgico
Antipsicóticos	Não esp	Não esp	Dopamina tipo 1, 2, % HT2, alfa-1 adrenérgico, H1 histaminérgico, antagonista colinérgico
Anti-histamínicos	Não esp	Não esp	Antagonista do receptor H1 histamina e receptor colinérgico

BDZ = benzodiazepínicos; ESP = especificidade; 5HT2 = 5-hidroxitriptamina 2; SNC = sistema nervoso central; GABA = ácido gama-aminobutírico; MT1 = receptor melatonina tipo 1; MT2 = receptor melatonina tipo 2 receptor; NE = norepinefrina.

Recentemente, foi publicado pela Academia Americana de Medicina do Sono (AASM)[18] *guideline* de Prática Clínica para tratamento farmacológico de adultos com insônia crônica. Para definir o nível de evidência foi utilizado metodologicamente o GRADE, cujas iniciais referem-se ao grau de recomendação, nível de evidência; benefício × risco; e preferência do paciente.

As substâncias analisadas foram sulvorexant, as drogas Z, BDZs, ramelteon, doxepina, trazodona, tiagabina, difenidramina, melatonina, L-triptofano e valeriana e os resultados foram que o grau de recomendação foi considerado FRACO para TODAS estas substâncias refletindo que as estratégias terapêuticas dependem, neste caso, mais do conhecimento e experiência clínica do médico, analisando as circunstâncias individuais do paciente e os recursos disponíveis de tratamento e condições de segurança; quanto a nível de evidência somente os BDZ e o L-triptofano tiveram alto nível de evidência baseado exclusivamente em estudos clínicos e metanálises, todas as outras tiveram baixo ou muito baixo; na maioria se observou o benefício ao uso superando o risco de efeitos adversos, à exceção foi a trazodona e a tiagabina em que o custo × benefício não se mostrou compensador no tratamento da insônia e não houve diferença com o triazolam, a difenidramina, a melatonina e a valeriana; quanto a preferência do paciente ao uso destas substâncias, as maioria dos pacientes usaria estas substâncias, à exceção foi para a tiagabina, a difenidramina e a valeriana[18].

Também foi lançado o Guia Prático para o Manejo da Insônia Crônica pelo *American College of Physicians*[105], que destaca o risco × benefício do uso de medicação em adultos e idosos conforme a Tabela 4.4.1-2.

TABELA 4.4.1-2
Resumo do *guideline* da American College of Physicians sobre a gestão do transtorno da insônia crônica em adultos

Benefícios farmacológico para população geral

Zopiclona: melhora remissão, pontuações de ISI (4.6 pontos), SOL (19.1 min.), TTS (44.8 min.), WASO (10.8 min.)

Zolpidem: melhora SOL (15 min.), TTS (23 min.)

Zolpidem: "quando necessário": melhora CGI, SOL (14.8 min.), TTS (48.1 min.)

Zolpidem libertação prolongada: melhora CGI, SOL (9 min.), TTS (25 min.), WASO (16 min.)

Zolpidem sublingual: melhora SOL (18 min.)

Suvorexant: resposta de tratamento melhorada, pontuação de ISI (1.2 pontos), SOL (6.0 min.), TTS (16.0 min.), WASO (4.7 min.)

Doxepina: melhora TTS (11.9 min. para 3 mg, 17.3 min. para 6 mg), WASO (10.2 min. para 3 mg, 14.2 min. para 6 mg)

Benefício farmacológico para idosos

Zopiclona: melhora remissão, pontuação de ISI (2.3 pontos) TTS (30.0 min.), WASO (21.6 min.)

Zolpidem: melhora SOL (18.3 min.)

Ramelteon: melhora SOL (10.1 min.)

Doxepina: melhora pontuação de ISI (1.7 pontos), SOL (14.7 min.), TTS (23.9 min.), WASO (17.0 min.)

Riscos farmacológicos

Raramente relatado nos estudos clínicos randomizados controlados (RCTs) incluídos

Benzodiazepínicos

Sonolência diurna, vertigem ou tontura, demência

Aumentado risco de quedas, fraturas de quadril, e problemas de mobilidade em idosos Temazepam associado ao aumento de incidência de casos de câncer

Zopiclona: sonolência, alteração no paladar, mialgia, comprometimento da memória, reações psiquiátricas adversas relacionadas, depressão, ansiedade, lesão acidental

Zaleplon: dor, sonolência ou vertigem, reações adversas gastrointestinais, arritmia, alucinações

Zolpidem: ansiedade, sonolência, alterações de humor, alucinações, depressão, reações psiquiátricas adversas relacionadas, memória e condução comprometidas, risco de fraturas ou lesão maior ou fratura que requerem hospitalização, aumento de incidência de casos de câncer

Suvorexant: sonolência; alterações cognitivas e comportamentais, assim como amnésia, ansiedade, alucinações, e outros sintomas neuropsiquiátricos; comportamentos complexos, como "dormir dirigindo"; agravamento da depressão, incluindo pensamentos suicidas em pessoas com depressão; deficiência diurna, paralisia do sono; alucinações hipnagógicas/hipnopômpicas

Não benzodiazepínicos

Ramelteon: vertigem; sonolência (semelhante ao placebo); fadiga; cefaleia; alteração no paladar; náusea; novas anomalias cognitivas ou comportamentais; comportamentos complexos, como "dormir dirigindo"; exacerbação da depressão e ideação suicida em pacientes previamente deprimidos

Doxepina: sedação, fadiga, fraqueza, letargia, boca seca, constipação, visão embaçada, cefaleia

Foram relatados para medicamentos hipnóticos em estudos observacionais eventos adversos pouco frequentes, mas graves, como fraturas e demência

Nos rótulos dos medicamentos o FDA inclui: prejuízo diurno, "dormir dirigindo", anormalidades comportamentais e piora da depressão em pacientes deprimidos

Continua...

TABELA 4.4.1-2
Resumo do *guideline* da American College of Physicians sobre a gestão do transtorno da insônia crônica em adultos – continuação

Recomendações

Recomendação 1: todos pacientes adultos devem receber terapia cognitivo-comportamental para insônia (TCC-I) como tratamento inicial para transtorno da insônia crônica. (Recomendação forte, nível de evidência moderado)

Recomendação 2: médicos devem utilizar uma abordagem de decisão compartilhada, incluindo na discussão os benefícios, os riscos e os custos do uso de medicações em curto prazo, para decidir se acrescentam terapia farmacológica nos adultos com insônia crônica, em que a TCC-I sozinha não foi eficaz (recomendação fraca, nível de evidência baixo)

Considerações clínicas

Idealmente, medicações devem ser usadas por não mais do que 4 a 5 semanas, e as habilidades aprendidas na TCC-I podem controlar a insônia em longo prazo

Estudos sobre transtorno da insônia crônica normalmente excluem pacientes com insônia devido a outro transtorno. Antes de recomendar que pacientes continuem usando medicamentos para insônia, os médicos devem considerar causas secundárias tratáveis de insônia, como depressão, dor, hipertrofia prostática benigna; abuso de substâncias e outros transtornos do sono, como apneia e síndrome das pernas inquietas

Se após tentativa com TCC-I a decisão compartilhada for a de continuar com os medicamentos por mais 4 a 5 semanas, os médicos devem reavaliar a necessidade de continuação com a medicação em intervalos periódicos

O próprio transtorno da insônia crônica pode ter efeitos deletérios para a saúde

No entanto, se os medicamentos que diminuem os efeitos nocivos da privação do sono para a saúde são desconhecidos, a evidência é insuficiente para avaliar o custo-benefício do uso prolongado de medicamentos

Idosos apresentam com mais frequência WASO do que SOL aumentada.
Idosos podem ser mais sensíveis aos medicamentos e seus efeitos adversos e devem ser monitorados de perto quando tratados com agentes farmacológicos

TCC-I = terapia cognitivo comportamental para insônia; ISI = índice de severidade da insônia; RCT = estudo randomizado e controlado; SOL = latência para início do sono; TST = tempo total de sono; WASO = despertar após início do sono FDA = U.S. Food and drugs administration.

TABELA 4.4.1-3
Principais fármacos utilizados no tratamento da insônia

Fármaco	Dosagem	Meia-vida	Efeito no sono	Efeitos colaterais
Agonistas GABA				
Zolpidem VO	5-10 mg	2,4 h	Todos: redução da latência do sono, não reduz sono REM	Para todos: tontura, vertigem, cefaleia, amnésia e sintomas gastrointestinais
Zolpidem CR	6,25-12,5 mg	2,4 h		
Zopiclona	7,5 mg	5,0 h		Sonolência e boca amarga
Eszopiclona (não disponível)	1-2-3 mg	5,0 h		Sonolência e boca amarga

Continua...

TABELA 4.4.1-3
Principais fármacos utilizados no tratamento da insônia – continuação

Fármaco	Dosagem	Meia-vida	Efeito no sono	Efeitos colaterais
Antidepressivos sedativos				
Amitriptilina Doxepina	25-100 mg 3-6 mg	10-28 h 8,24 h	Aumenta o tempo total de sono, reduz latência do sono, sono REM Sono N2 e aumenta a latência do sono REM	Tontura, sonolência, vertigem, boca seca, constipação, retenção urinária, arritmias, hipotensão ortostática, ganho de peso. Exacerbar inquietação de pernas, movimentos periódicos de membros inferiores ou distúrbio comportamental do sono REM
Mirtazapina	15-45 mg	20-40 h	Aumenta o tempo total de sono, reduz a latência do sono, tempo acordado após o início do sono	Tontura, sedação, vertigem, aumento do apetite e ganho de peso, raramente alterações sanguíneas
Trazodona	25-400 mg	7 h	Reduz a latência do sono e o tempo acordado após o início do sono, aumenta ondas lentas	Tontura, vertigem, sonolência, hipotensão postural, priapismo
Agomelatina	25-50 mg	2,3 h	Auxilia na ressincronização do sono	Tontura, náuseas, aumenta a transaminases hepáticas
Anticonvulsivantes				
Gabapentina	300-600 mg	5-7 h	Pouca redução no tempo acordado após o início do sono, aumenta ondas lentas	Sonolência, tontura, ataxia, tremor, diplopia, borramento da visão, edema periférico
Tiagabina (não disponível)	4-8 mg	7-9 h	Reduz o tempo acordado após o início do sono, aumenta ondas lentas	Sonolência, tontura, ataxia, astenia, dor abdominal, diarreia e náuseas, risco de convulsão
Pregabalina	50-100 mg	6 h	Reduz a latência do sono, aumenta ondas lentas	Sonolência, tontura, ataxia, edema periférico
Antipsicóticos				
Olanzapina	5-10 mg	21-54 h	Pouca interferência na redução da latência do sono, diminui tempo acordado após o início do sono, aumenta ondas lentas, pouca redução ou nenhuma do sono REM	Sonolência, tontura, tremor, agitação, astenia, boca seca, dispepsia, hipotensão, ganho de peso.
Quetiapina	25-200 mg	6 h		
Agonistas do receptor de melatonina				
Ramelteon (não disponível)	8 mg	2,6 h	Reduz latência do sono	Sonolência, tontura e fadiga
Antagonista do receptor de hipocretina				
Suvorexant (não disponível)	10 a 20 mg	12 h	Reduz a latência do sono e aumenta a eficiência do sono	Sonolência, cefaleia, fadiga, boca seca, tosse

Referências bibliográficas

1. Jones BE. From waking to sleeping: neuronal and chemical substrates. Trends Pharmacol Sci, 2005. 26(11): p. 578-86.
2. Jones BE. Basic Mechanisnms of Sleep-Wake States, in Principles and Practice of SLEEP MEDICINE, Elsevier, Editor 2005: Philadelphia. p. 136-53.
3. Watson CJ, Baghdoyan HA, Lydic R. Neuropharmacology of Sleep and Wakefulness. Sleep Med Clin, 2010. 5(4): p. 513-528.
4. Gunther U, et al. Benzodiazepine-insensitive mice generated by targeted disruption of the gamma 2 subunit gene of gamma-aminobutyric acid type A receptors. Proc Natl Acad Sci U S A, 1995. 92(17): p. 7749-53.
5. Rush CR. Behavioral pharmacology of zolpidem relative to benzodiazepines: a review. Pharmacol Biochem Behav, 1998. 61(3): p. 253-69.
6. Atack JR. The benzodiazepine binding site of GABA(A) receptors as a target for the development of novel anxiolytics. Expert Opin Investig Drugs. 2005 May;14(5):601-18. Review.
7. Huedo-Medina TB, Kirsch I, Middlemass J, Klonizakis M, Siriwardena AN. Effectiveness of non-benzodiazepine hypnotics in treatment of adult insomnia: meta-analysis of data submitted to the Food and Drug Administration. BMJ. 2012 Dec17;345:e8343.
8. Thakkar MM. Histamine in the regulation of wakefulness. Sleep Med Rev, 2011. 15(1): p. 65-74.
9. Broderick M, Masri T. Histamine H(3) receptor (H(3)R) antagonists and inverse agonists in the treatment of sleep disorders. Curr Pharm Des, 2011. 17(15): p. 1426-9.
10. Griebel G, et al. Further evidence for the sleep-promoting effects of 5-HT2A receptor antagonists and demonstration of synergistic effects with the hypnotic, zolpidem in rats. Neuropharmacology, 2013. 70: p. 19-26.
11. Sukys-Claudino L, et al. [The newer sedative-hypnotics]. Rev Bras Psiquiatr, 2010. 32(3): p. 288-93.
12. Pandi-Perumal SR, et al. Role of the melatonin system in the control of sleep: therapeutic implications. CNS Drugs, 2007. 21(12): p. 995-1018.
13. Erman M, et al. An efficacy, safety, and dose-response study of Ramelteon in patients with chronic primary insomnia. Sleep Med, 2006. 7(1): p. 17-24.
14. San L, Arranz B. Agomelatine: a novel mechanism of antidepressant action involving the melatonergic and the serotonergic system. Eur Psychiatry, 2008. 23(6): p. 396-402.
15. Pandi-Perumal SR, et al. Ramelteon: a review of its therapeutic potential in sleep disorders. Adv Ther, 2009. 26(6): p. 613-26.
16. Greenblatt DJ, Roth T. Zolpidem for insomnia. Expert Opin Pharmacother. 2012Apr;13(6):879-93.
17. Roehrs TA, Randall S, Harris E, BS1; Maan R, Roth T. Sleep 2011;34(2):207-212. Twelve Months of Nightly Zolpidem Does Not Lead to Dose Escalation: A Prospective Placebo-Controlled Study.
18. Sateia MJ, et al. Clinical Practice Guideline for the Pharmacologic Treatment of Chronic Insomnia in Adults: an American Academy of Sleep Medicine Clinical Practice Guideline. J Clin Sleep Med. 2017, feb 15;13(2):307-349. doi: 10.5664/jcsm.6470
19. Dang A, Garg A, Rataboli PV. Role of zolpidem in the management of insomnia. CNS Neurosci Ther. 2011 Oct;17(5):387-97.
20. Randall S, Roehrs TA, Roth T. Efficacy of eight months of nightly zolpidem: a prospective placebo-controlled study. Sleep. 2012 Nov 1;35(11):1551-7.
21. Sivertsen B, Omvik S, Pallesen S, Bjorvatn B, Havik OE, Kvale G, Nielsen GH, Nordhus IH. Cognitive behavioral therapy vs. zopiclone for treatment of chronic primary insomnia in older adults: a randomized controlled trial. JAMA. 2006 Jun 28;295(24):2851.
22. FDA Drug Safety Communication: Risk of next-morning impairment after use of insomnia drugs; FDA requires lower recommended doses for certain drugs containing zolpidem (Ambien, Ambien CR, Edluar, and ZolpiMist). US Food and Drug Administration.http://www.fda.gov/Drugs/DrugSafety/ucm334033.htm
23. Schutte-Rodin S, Broch L, Buysse D, Dorsey C, Sateia M. Clinical guideline for the evaluation and management of chronic insomnia in adults. J Clin Sleep Med. Oct 15 2008;4(5):487-504.
24. Roth T, Walsh JK, Krystal A, Wessel T, Roehrs TA. An evaluation of the efficacy and safety of eszopiclone over 12 months in patients with chronic primary insomnia. Sleep Med. Nov 2005;6(6):487-95.
25. Krystal AD, Walsh JK, Laska E, Caron J, Amato DA, Wessel TC, et al. Sustained efficacy of eszopiclone over 6 months of nightly treatment: results of a randomized, double-blind, placebo-controlled study in adults with chronic insomnia. Sleep. Nov 1 2003;26(7):793-9.
26. Walsh JK, Krystal AD, Amato DA, Rubens R, Caron J, Wessel TC, et al. Nightly treatment of primary insomnia with eszopiclone for six months: effect on sleep, quality of life, and work limitations. Sleep. Aug 1 2007;30(8):959-68.

27. Krystal A, Fava M, Rubens R, et al. Evaluation of eszopiclone discontinuation after cotherapy with fluoxetine for insomnia with coexisting depression. J Clin Sleep Med. 2007;3(1):48–55.
28. Pollack M, Kinrys G, Krystal A, et al. Eszopiclone coadministered with escitalopram in patients with insomnia and comorbid generalized anxiety disorder. Arch Gen Psychiatry 2008;65(5):551–62.
29. Lo HS, Yang CM, Lo HG, Lee CY, Ting H, Tzang BS. Treatment effects of gabapentin for primary insomnia. Clin Neuropharmacol. 2010;33(2):84–90.
30. Montgomery SA, Hermann BK, Schweiser E et al. The efficacy of pregabalin and benzodiazepine in generalized anxiety disorder presenting with high levels of insominia. J CLin Psychopharmacol, 2008;24(4) 214-22.
31. Mathias S, Wetter TC, Steiger A, et al. The GABA uptake inhibitor tiagabine promotes slow wave sleep in normal elderly subjects. Neurobiol Aging 2001;22:247-253.
32. Roth T, et al. Effect of pregabalin on sleep in patients with fibromyalgia and sleep maintence disturbance: a randomized, placebo-controlled 2-way crossover plysomnography study. Arthrits Care Res 2012 :64(4) 597-606.
33. Cho YW, et al. Effects of pregabalin in patients with hypnotic-dependent insomnia. J Clin Sleep Med. 2014 May 15;10(5):545-50. doi: 10.5664/jcsm.3708.
34. Kerensa T Houghton et al. Biological rationale and potential clinical use of gabapentin and pregabalin in bipolar disorder, insomnia and anxiety: protocol for a systematic review and meta- analysis. BMJ Open 2017;7:e013433. doi:10.1136/bmjopen-2016-013433.
35. American Geriatric Society 2012 Beers Criteria Update Expert Panel. American Geriatric Society updaed Beers Criteria forpotentially inapropriate medication use in older adults. J Am Geriatr Soc. 2012 Apr;60(4):616-31.
36. Wiegand MH,Mendelson WB, Roth T, Cassella J, et al. Antidepressants for the treatment of insomnia: a suitable approach? Drugs. 2008;68:2411–7.
37. Qaseem A, Snow V, Denberg TD, Forciea MA, Owens DK; Clinical Efficacy Assessment Subcommittee of American College of Physicians. Using second-generation antidepressants to treat depressive disorders: a clinical practice guideline from the American College of Physicians. Ann Intern Med. 2008;149(10):725-733.
38. Wiegand MH, Mendelson WB, Roth T, Cassella J, et al. Antidepressants for the treatment of insomnia: a suitable approach? Drugs. 2008;68:2411–7.
39. Mittur A. Trazodone: properties and utility in multiple disorders. Expert Review Clin Pharmacol,2011;4(2):181-96.
40. Krystal AD, Durrence HH, Schat M, Jochelson P, Rogowski R, Ludington E, Roth T. Efficacy and Safety of Doxepin 1 mg and 3 mg in a 12-week Sleep Laboratory and Outpatient Trial of Elderly Subjects with Chronic Primary Insomnia. Sleep 2010 nov;33(11):1553-61.
41. Dolder C, Nelson MH, Iller CA. The effects of mirtazapine on sleep in patients with major depressive disorder. Annals of Cl Psychiatry 2012;24(3):215-224.
42. Zajecka J, Schatzberg A, Stahl S. Efficacy and Safety of Agomelatine in the Treatment of Major Depressive Disorder. J Clin Pharmacol 2010;30:135-44.
43. Kupfer DJ. Depression and associated sleep disturbances: patient benefits with agomelatine. Eur Neuropsychopharmacol. 2006;16:S639–S643.
44. Sheehan DV, Croft HA, Gosse Er, Levitt RJ, Brullé.Extended-release trazodona in Major depressive Disorder: A Randomized, Double-bind, Placebo-controlled Study. Psychiatry 2009;6 (5) 20-33.
45. Beasley CM Jr, Dorseif Bem Pultz JA, Bosomworth JC, Sayler ME. Fluoxetine versus trazodone: efficacy and activating-sedating effects. J Clin Psychiatry 1991;52:294-9.
46. Roth A J, Vaughn MC, Liquori A. Psychomotor, and Polysomnographic Effects of Trazodone in Primary Insomniacs. J Sleep Res 2011;20 (4):552-558.
47. Walsh JK, Ermann M, Erwin CW, Jamieson A, Mahowald M. Subjective hypnotic efficacy of trazodone and zolpidem in DSMIII–R primary insomnia. Human Psychopharmacology, 1998:13 (3) 191-198.
48. Krystal AD, Richelson E, Roth T. Review of the histamine system and the clinical effects of H1 antagonists: basis for a new model for understanding the effects of insomnia medications. Sleep Med Rev 2013;17(4):263–72.
49. Lankford A, Rogowski R, Ludington E, Heith Durrence, Roth T. Efficacy and safety of doxepin 6 mg in a four--week outpatient trial of elderly adults with chronic primary insomnia. Sleep Medicine 2012 fev;13(2) 133-8.
50. Wilson S, Argyropoulos S. Antidepressants and sleep: a qualitative review of the literature. Drugs. 2005;65(7):927-947.
51. Schittecatte M, Dumont F, Machowski R, et al. Effects of mirtazapine on sleep polygraphic variables in major depression. Neuropsychobiology. 2002;46:197–201.
52. Dolder C, Nelson MH, Iller CA. The effects of mirtazapine on sleep in patients with major depressive disorder. Annals of Cl Psychiatry 2012;24(3):215-224.

53. Aslan S, Isik E, Cosar B. The effects of mirtazapine on sleep: a placebo controlled, double-blind study in young healthy volunteers. Sleep. 2002;25:677-9.
54. Sasada K, Iwamoto K, Kawano K. Effects of repeated dosing with mirtazapine, trazodone, or placebo on driving performance and cognitive function in healthy volunteers. Human Psychopharmacology: Clinical and Experimental,2013:28: (3) 281-286.
55. Shen J, Chung SA, Kayumov L, et al. Polysomnographic and symptomatological analyses of major depressive disorder patients treated with mirtazapine. Can J Psychiatry. 2006;51:27–34.
56. Wichniak A, Wierzbicka A, Jernajczyk W. Sleep and antidepressant treatment. Curr Pharm Des 2012:18(31) 5802-17.
57. Kasper S, Hajak G, Wulff KHoogendjik WJG. Efficacy of the Novel Antidepressant Agomelatine on the Circadian Rest-Activity Cycle and Depressive and Anxiety Symptoms in Patients With Major Depressive Disorder: A randomized, Double-Blind Comparison With Sertraline.J Clin Psychiatry 2010:30:1-10.
58. Zajecka J, Schatzberg A, Stahl S, Shah A, Caputo A et al. Efficacy and safety of agomelatine in the treatment of major depressive disorder: a multicenter, randomized, double-blind, placebo-controlled trial. J Clin Psychopharmacol 2010:30:135-44.
59. Quera-Sava MA, Hajak G, Philip P Montaplaisir J et al. Comparison of agomelatine and escitalopram on nighttime sleep and daytime condition and efficacy in major depressive disorder patients. Int Clin Psychopharmacol 2011:26(5) 252-262.
60. Shader R, Greenblatt DJ, Balter MB. Appropriate use and regulatory control of benzodiazepines. J Clin Pharmacol 1991;31:781-4.
61. Vaapio S, Puustinen J, Salminen MJ, Vahlberg T, Salonoja M, Lyles A, et al. Symptoms associated with long-term benzodiazepine use in elderly individuals aged 65 years and older: a longitudinal descriptive study. Int J Gerontol. 2015;9(1):34–962. 23.
62. Bierman EJ, Comijs HC, Gundy CM, Sonnenberg C, Jonker C, Beekman AT. The effect of chronic benzodiazepine use on cognitive functioning in older persons: good, bad or indifferent? Int J Geriatr Psychiatry 2007; 22: 1194–200.
63. Neutel CI, Skurtveit S, Berg C. What is the point of guidelines? Benzodiazepine and z-hypnotic use by an elderly population. Sleep Med. 2011;13(7):893–7.
64. Bourin M. The problems with the use of benzodiazepines in elderly patients. Encéphale. 2010;36(4):340–7.
65. Neutel CI. Risk of traffic accident injury after a prescription for a benzodiazepine. Ann Epidemiol 1995;5(3):239-44.
66. Ray WA, Griffin MR, Downey W. Benzodiazepines of long and short elimination half-life and the risk of hip fracture. JAMA 1989;262(23):3303-7.
67. Serfaty M, Masterton G. Fatal poisonings attributed to benzodiazepines in Britain during the 1980's. Br J Psychiatry 1993;163:386-93.
68. Glass J, Lanctôt KL, Hermann N, Sproule BA, Busto UE Sedative hypnotics in older people with insomnia: meta-analysis of risks and benefits BMJ 2005 Nov 19;331(7526):1169.
69. Airagnes G, Pelissolo A, Lavallée M, Flament M, Limosin F. Benzodiazepine Misuse in the Elderly: Risk Factors, Consequences, and Management.Curr Psychiatry Rep. 2016 Oct;18(10):89. doi: 10.1007/s11920-016-0727-9. Review.
70. Kuerbis A, Sacco P, Blazer DG, Moore AA. Substance abuse among older adults. Clin Geriatr Med. 2014;30(3):629–54.
71. Mura T, Proust-Lima C, Akbaraly T, Amieva H, Tzourio C, Chevassus H, et al. Chronic use of benzodiazepines and latente cognitive decline in the elderly: results from the three-city study. Eur Neuropsychopharmacol. 2012;23(3):212–23.
72. Poyares D, Guilheminault C, Ohayon MM, Tufik S. Chronic benzodiazepine usage and withdrawal in insomnia patients. J Psychiatry Res. 2004; 38(30) : 327-34.
73. Anne M. Holbrook, Renée Crowther, Ann Lotter, Chiachen Cheng, Derek King Meta-analysis of benzodiazepine use in the treatment of insomnia CMAJ 2000;162(2):225-33.
74. Dell'osso B, Lader M. Do benzodiazepines still deserve a major role in the treatment of psychiatric disorders? A critical reappraisal. Eur Psychiatry. 2011;28(1):7–20.
75. Hood SD, Norman A, Hince DA, Melichar JK, Hulse GK. Benzodiazepine dependence and its treatment with low dose flumazenil. Br J Clin Pharmacol. 2014;77(2):285–94.
76. Hermes EDA, Sernyak M, Rosenheck R. Use of Second-Generation Antipsychotic Agents for Sleep and Sedation A Provider Survey. Sleep. 2013;36(4):597-600.
77. Thompson W, Quay TAW, Rojas-Fernandez C, Farrell B, Bjerre LM. Atypical antipsychotics for insomnia: A systematic review. Sleep Med. 2016;22:13-17. doi:10.1016/j.sleep.2016.04.003.

78. Kamble P, Sherer J, Chen H, Aparasu R. Off-Label Use of Second-Generation Antipsychotic Agents Among Elderly Nursing Home Residents. Psychiatr Serv. 2010;61(2):130-136. doi:10.1176/appi.ps.61.2.130.
79. Lake JK, Denton D, Lunsky Y, Shui AM, Veenstra-VanderWeele J, Anagnostou E. Medical Conditions and Demographic, Service and Clinical Factors Associated with Atypical Antipsychotic Medication Use Among Children with An Autism Spectrum Disorder. J Autism Dev Disord. 2017;47(5):1391-1402. doi:10.1007/s10803-017-3058-8.
80. Shah C, Sharma TR, Kablinger A. Controversies in the use of second generation antipsychotics as sleep agent. Pharmacol Res. 2014;79:1-8. doi:10.1016/j.phrs.2013.10.005.
81. Monti JM, Torterolo P, Pandi Perumal SR. The effects of second generation antipsychotic drugs on sleep variables in healthy subjects and patients with schizophrenia. Sleep Med Rev. 2016;33(October):1-8. doi:10.1016/j.smrv.2016.05.002.
82. Monti JM. The effect of second-generation antipsychotic drugs on sleep parameters in patients with unipolar or bipolar disorder. Sleep Med. 2016;23:89-96. doi:10.1016/j.sleep.2016.04.020.
83. Fang F, Sun H, Wang Z, Ren M, Calabrese JR, Gao K. Antipsychotic Drug-Induced Somnolence: Incidence, Mechanisms, and Management. CNS Drugs. 2016. doi:10.1007/s40263-016-0352-5.
84. Taibi DM, Landis CA, Petry H, Vitiello M V. A systematic review of valerian as a sleep aid: Safe but not effective. Sleep Med Rev. 2007;11(3):209-230. doi:10.1016/j.smrv.2007.03.002.
85. Taibi DM, Vitiello M V., Barsness S, Elmer GW, Anderson GD, Landis CA. A randomized clinical trial of valerian fails to improve self-reported, polysomnographic, and actigraphic sleep in older women with insomnia. Sleep Med. 2009;10(3):319-328.
86. Fernández-San-Martín MI, Masa-Font R, Palacios-Soler L, Sancho-Gómez P, Calbó-Caldentey C, Flores-Mateo G. Effectiveness of Valerian on insomnia: A meta-analysis of randomized placebo-controlled trials. Sleep Med. 2010;11(6):505-511. doi:10.1016/j.sleep.2009.12.009.
87. Nunes A, Sousa M. Use of valerian in anxiety and sleep disorders: what is the best evidence? Acta Med Port. 2011;24:961-966. doi:10.20344/amp.1572.
88. Bent S, Padula A, Moore D, Patterson M, Mehling W. Valerian for Sleep: A Systematic Review and Meta-Analysis. Am J Med. 2006;119(12):1005-1012. doi:10.1016/j.amjmed.2006.02.026.
89. Miroddi M, Calapai G, Navarra M, Minciullo PL, Gangemi S. Passiflora incarnata L.: Ethnopharmacology, clinical application, safety and evaluation of clinical trials. J Ethnopharmacol. 2013;150(3):791-804. doi:10.1016/j.jep.2013.09.047.
90. Sarris J, Panossian A, Schweitzer I, Stough C, Scholey A. Herbal medicine for depression, anxiety and insomnia: A review of psychopharmacology and clinical evidence. Eur Neuropsychopharmacol. 2011;21(12):841-860. doi:10.1016/j.euroneuro.2011.04.002.
91. Lerner AB, Case JD, Takahashi Y, Lee TH, Mori W. Isolation of melatonin, the pineal gland factor that lightens melanocytes. J Am Chem Soc. 1958;80(10):2587. doi:10.1021/ja01543a060.
92. Physiology C, Gland P. Comparative physiology: pineal gland1. 1973;328(48):305-328.
93. Zee PC. Melatonin receptors. Postgrad Med. 2010;122(6):10-13. doi:10.3810/pgm.2004.12.suppl39.265.
94. Irina V. Zhdanova, Richard J. Wurtman, Claudia Morabito VRP and HaJL. Effects of low oral doses of melatonin given 2-4 hours before habitual bedtime.pdf. Am sleep Disord. 1996;19(5):423-431. doi:10.1093/sleep/19.5.423.
95. Pevet P, Challet E. Melatonin: Both master clock output and internal time-giver in the circadian clocks network. J Physiol Paris. 2011;105(4-6):170-182. doi:10.1016/j.jphysparis.2011.07.001.
96. Auger RR, Burgess HJ, Emens JS, Deriy L V, Thomas SM, Sharkey KM. Clinical Practice Guideline for the Treatment of Intrinsic Circadian Rhythm Sleep-Wake Disorders. J Clin Sleep Med. 2015;11(10):1199-1236. doi:10.5664/jcsm.5100.
97. Auld F, Maschauer EL, Morrison I, Skene DJ, Riha RL. Evidence for the efficacy of melatonin in the treatment of primary adult sleep disorders. Sleep Med Rev. 2016;34:10-22. doi:10.1016/j.smrv.2016.06.005.
98. Medicine AA of S. Circadian Rhythm Sleep-Wake Disorders. In: International Classification of Sleep Disorders. 3rd ed. Darien, IL; 2014:193.
99. Harpsøe NG, Andersen LPH, Gögenur I, Rosenberg J. Clinical pharmacokinetics of melatonin: A systematic review. Eur J Clin Pharmacol. 2015;71(8):901-909. doi:10.1007/s00228-015-1873-4.
100. Williams WPT, McLin DE, Dressman MA, Neubauer DN. Comparative Review of Approved Melatonin Agonists for the Treatment of Circadian Rhythm Sleep-Wake Disorders. Pharmacotherapy. 2016;36(9):1028-1041. doi:10.1002/phar.1822.
101. Kuriyama A, Honda M, Hayashino Y. Ramelteon for the treatment of insomnia in adults: A systematic review and meta-analysis. Sleep Med. 2014;15(4):385-392.
102. Drugs NEW. Three-month efficacy of suvorexant. 2017;40(3):116-117.
103. Citrome L. Suvorexant for insomnia: A systematic review of the efficacy and safety profile for this newly approved hypnotic - What is the number needed to treat, number needed to harm and likelihood to be helped or harmed? Int J Clin Pract. 2014;68(12):1429-1441.

104. Krystal AD. New Developments in Insomnia Medications of Relevance to Mental Health Disorders.Psychiatr Clin North Am. 2015 Dec;38(4):843-60.
105. Qaseem A, et al. Management of chronic insomnia disorder in adults: a Clinical Practice Guideline from the American College of Physicians. Ann Intern Med. 2016165(2):125-133.

4.4.2 Tratamento Não Farmacológico da Insônia

Katie Moraes de Almondes

1. Introdução

Apesar de ser considerada como certa a capacidade de iniciar e manter o sono ao longo da noite, para muitos indivíduos essa condição é sinônimo de sofrimento. Aproximadamente um terço dos adultos já vivenciou um episódio de insônia que pode ter sido *agudo* ou *comórbido (insônia transitória* ou *de ajustamento)*, com duração inferior a três meses, associado a quadros psicológicos/psiquiátricos, ao uso de medicamentos ou substâncias, a doenças médicas; ou pode ter sido um quadro de *Insônia Transtorno*, com duração superior a três meses, com apresentação clínica independente e, mesmo com oportunidades adequadas para dormir, havendo relatos de queixas de dificuldade de iniciar ou manter o sono com repercussão negativa no funcionamento diurno, na qualidade de sono e de vida, acompanhada de sono não reparador[1,2].

A insônia é um problema que assola a saúde pública, pois traz repercussões biopsicossociais diversas na saúde dos indivíduos com persistência por muitos anos: doenças cardiovasculares, impactos no sistema imunológico, diabetes, depressão e risco para suicídio, fadiga, déficits nas funções executivas, na memória, e problemas atencionais, e, inclusive, preditor de declínio cognitivo[3-9]. O desfecho é o aumento significativo dos custos para a sociedade, especialmente em relação ao crescimento das despesas dos serviços de saúde pública, número de absenteísmo no trabalho, riscos de acidentes e diminuição da produtividade[10-14].

A despeito da alta prevalência e impactos significativos, a insônia, muitas vezes, não é reconhecida e tratada adequadamente. Muitos pacientes iniciam tratamentos independentes sem uma avaliação profissional com especialista na área. Quando, ao contrário, o paciente busca ajuda profissional, a modalidade farmacológica é a prescrita rotineiramente como a opção de tratamento, sem tratar as causas subjacentes. Embora as medicações hipnóticas sejam clinicamente indicadas e úteis em diversas situações, fatores cognitivos, comportamentais e emocionais estão invariavelmente envolvidos na perpetuação e precipitação das insônias, conferindo o diagnóstico de cronicidade. Ademais, as medicações hipnóticas apresentam efeitos colaterais, mesmo com a eficácia para o tratamento em curto prazo, e limitada evidência de efeitos em longo prazo[15].

Com sólida evidência científica da eficácia dentre profissionais e pacientes, baixo custo para os pacientes, e sem efeitos colaterais e dependência, o tratamento não farmacológico para insônia na sua modalidade terapia cognitivo-comportamental (TCC) é considerado o padrão-ouro de tratamento em longo prazo para insônia crônica.

A terapia cognitivo-comportamental (TCC) é uma modalidade terapêutica baseada no princípio de que a cognição exerce uma influência sobre as emoções e comportamentos, e que o modo como as pessoas se comportam pode afetar os padrões de pensamentos e emoções[16]. Os principais objetivos da TCC para insônia incluem fatores (cognitivos, emocionais, comportamentais) que perpetuam ou exacerbam a insônia.

Vários trabalhos científicos, por meio de revisões sistemáticas com metanálises e estudos randomizados e controlados, têm evidenciado que a TCC é efetiva para Transtorno de Insônia e insônia comórbida e tão eficaz quanto à farmacoterapia[17-22]. Em decorrência desse reconhecimento científico, a TCC para insônia é recomendada como escolha terapêutica para tratamento combinado com farmacoterapia ou isolada, por Entidades como European Sleep Research Society, World Association of Sleep Medicine e Associação Brasileira do Sono.

Nessa direção, este capítulo discorrerá sobre as modalidades técnicas da TCC para Transtorno de Insônia e Insônia comórbida, apresentando evidências científicas de eficácia dessas técnicas, tanto em modalidades individuais quanto em grupo, e sob novas alternativas apresentadas frente aos desafios hodiernos que são as modalidades virtuais, que têm logrado êxito nas pesquisas científicas atuais.

2. Avaliação para o tratamento: primeiro passo

O primeiro passo no tratamento da insônia com TCC é identificar as causas subjacentes por meio de uma avaliação minuciosa sobre o sono, com fins a elaborar o diagnóstico diferencial dentre os tipos de insônia (transtorno de insônia ou insônia sintoma associada a alguma condição) e produzir um plano terapêutico eficaz, elegendo as técnicas da TCC mais adequadas ao diagnóstico. A avaliação ajudará, inclusive, a organizar se o tratamento será individual e/ou em grupo (Tabela 4.4.2-1).

TABELA 4.4.2-1
Componentes que devem ser abordados na avaliação diagnóstica da insônia

Protocolo formatado baseado nas características ontogenéticas dos indivíduos que estão sendo avaliados
Levantamento da história do sono
Identificação do padrão do sono (início, fim e duração de sono) do paciente na atualidade na semana e fim de semana
Levantamento dos aspectos predisponentes, precipitadores e mantenedores da insônia
Caracterização do sono antes e depois da insônia
Caracterização da queixa de insônia (dificuldade em iniciar o sono, dificuldade em manter, dificuldade para adormecer), frequência, duração e variabilidade durante a semana e final de semana
Identificação das medicações em uso (hipnóticas e para outras doenças)
Caracterização do ambiente de dormir e os hábitos de sono, incluindo atividades realizadas na cama antes de dormir
Avaliação da percepção e das crenças em relação à queixa, qualidade de sono e a duração de sono na semana e final de semana
Identificação das estratégias para enfrentar as dificuldades com o sono
Caracterização da presença de cochilos, frequência, duração e horários utilizados para os mesmos
Análise funcional de uma noite com presença da insônia
Avaliação do funcionamento diurno do paciente
Avaliação do cronotipo
Avaliação da sonolência diurna e qualidade de sono
Avaliação de outros transtornos do sono
Avaliação das comorbidades psiquiátricas e comorbidades médicas

A avaliação/anamnese deverá seguir um protocolo adaptado para as diferenças ontogenéticas do padrão do sono e vigília dos indivíduos. A idade do paciente pode revelar possíveis desafios do desenvolvimento que são importantes para a avaliação diagnóstica diferencial e tratamento da insônia. *Crianças* dormem e acordam cedo, com uma duração de sono noturna maior com a diminuição dos cochilos diurnos (apesar dos cochilos ainda estarem presentes em reduzida proporção), mas que podem apresentar parassonias, como terror noturno, prejudicando o padrão de sono pelos episódios de terror noturno, tendo como consequência privação de sono e, alguns casos, dificuldades para iniciar o sono temendo novos episódios. *Adolescentes e adultos jovens* que apresentam um padrão de sono e vigília caracterizado por horários tardios de início e fim de sono (tendência à vespertinidade típico dessa fase do desenvolvimento) e que vivenciam um conflito temporal por estarem submetidos aos horários escolares ou acadêmicos (faculdades) e/ou horários do emprego que são matutinos, ocasionando diferenças temporais entre o dormir e acordar nos dias de semana e fins de semana, podendo gerar cochilos de longa duração e, consequentemente, insônia crônica. *Adultos* que podem apresentar fragmentação de sono e insônia por compartilharem suas camas com suas crianças e/ou bebês, e/ou pelo estresse gerado pela gestão da carreira, pressão financeira, e responsabilidades familiares, e, mais ainda, pelos conflitos temporais para conciliar as demandas domésticas, de trabalho e estudo que muitos estão submetidos. *Idosos* que apresentam um padrão de avanço de fase do sono, com o despertar muito precoce e cochilos diurnos de longa duração e, na maioria das vezes, utilizam medicações hipnóticas para a insônia para tentar despertar mais tarde e/ou favorecer o início do sono, já que adormecem mais tarde como consequência dos cochilos, e estas medicações frequentemente são utilizadas durante muitos anos (mesma dosagem), mas já não são efetivas, ocasionando a piora da insônia.

O levantamento da história do sono, considerando as mudanças em cada fase do desenvolvimento, e a identificação do padrão do sono do paciente na atualidade (horários de início, fim de sono e duração de sono na semana e fim de semana) são os pontos de partida para investigação clínica. O levantamento dos aspectos predisponentes, precipitadores e mantenedores da insônia (seguindo o modelo do Spielman[23]) são imprescindíveis. Solicitar aos pacientes recordar/caracterizar retrospectivamente seu sono e quando percebeu que este se transformou em problema. Na sequência, descrever com detalhes a queixa de insônia (dificuldade em iniciar o sono, dificuldade em manter, dificuldade para adormecer sem o uso de pílulas para dormir), além de caracterizar a frequência de ocorrência, duração e a variabilidade desta queixa por noite, semana e final de semana, e pesquisar o uso de medicações para dormir.

Importante as informações sobre a qualidade de sono e sonolência diurna. Inquirir sobre as atividades que o paciente está envolvido estando na cama, do tempo para apagar as luzes e como a decisão de apagar as luzes é feita, e o tempo que, em sua percepção, leva para adormecer. Analisar com o paciente o tempo total de sono em sua percepção (diferenças entre dias da semana *versus* os fins de semana), pois pode refletir efeitos de privação de sono relacionados aos conflitos temporais e dessincronizações externas, ou pode indicar a presença de quadros de transtorno do sono como a insônia.

A apreciação dos hábitos de sono e ambiente de sono é importante para monitorar se as condições ambientais e comportamentais favorecem ou obstaculizam o sono. Verificar as crenças e a percepção sobre a qualidade do sono, além das estratégias para enfrentar as dificuldades com o sono, é decisiva para o diagnóstico. Somado a isso, indagar a presença de cochilos, analisando a frequência, duração e horários utilizados para os mesmos, pois, frequentemente, os pacientes com problemas de sono tendem a repor o sono perdido com cochilos em horários inconvenientes e de longa duração.

Uma análise funcional detalhada de uma noite típica recente de qualidade de sono ruim, com presença da dificuldade em adormecer, deve ser construída com o paciente, para se visualizar os componentes cognitivos, emocionais, comportamentais que estão interconectados e colaborando para o quadro. Centrando-se nessa noite, podem-se esmiuçar detalhes antecedentes (pensamentos, sentimentos) ou eventos/atividades e suas consequências que possam ter exibido um papel para que o paciente tenha experimentado insônia naquela noite.

Avaliação do funcionamento diurno do paciente também deve ser investigada. Estudos científicos indicam a importância de investigar os prejuízos diurnos pós-noite de insônia[24,25]. Essas informações ajudam na identificação dos fatores perpetuadores e para o planejamento terapêutico.

Como a insônia pode ser sintoma de vários quadros médicos, é importante uma avaliação das comorbidades psiquiátricas (a depressão é um dos quadros mais prevalentes), avaliação de outros transtornos do sono (pacientes com transtorno dos movimentos periódicos dos membros comumente apresentam sintomas de insônia como dificuldade em manter o sono e/ou sono não reparador), e comorbidades médicas, além do uso de medicações.

Para complementar essa avaliação é importante que se investigue o cronotipo, que permite avaliar a preferência e hábitos de horários de um indivíduo para a realização de atividades ao longo de um dia. Com esses dados, é possível realizar o diagnóstico diferencial entre insônia e transtorno do ritmo circadiano vigília-sono, ou dentre outros quadros diagnósticos.

3. Componentes da TCC para insônia

As modalidades técnicas incluídas na TCC para insônia englobam desde a higiene do sono, técnicas comportamentais de relaxamento, de restrição do sono, e de controle de estímulos, e técnicas cognitivas para pensamentos disfuncionais, preocupações e crenças inadequadas para o sono, para serem realizados individualmente e/ou em grupo (Tabela 4.4.2-2). As técnicas apresentadas a seguir, por meio de seus componentes, são as mais discutidas em termos de eficácia e aplicadas ao tratamento não farmacológico da insônia na atualidade.

Componentes educacionais da TCC: esses componentes são utilizados no tratamento inicial com os indivíduos. Englobam informações sobre o sono enquanto evento neurobiológico, discorrendo sobre seus mecanismos reguladores (circadiano, homeostático e ultradiano), e sobre os fatores comportamentais e cognitivos envolvidos na perpetuação e, algumas vezes, participação na precipitação do quadro de insônia. Essas explicações, além de esclarecer o quadro clínico, favorecem a adesão ao tratamento.

Aliado à psicoeducação, tem-se a *higiene do sono*. A higiene do sono visa controlar o ambiente e os comportamentos que precedem o sono para favorecer qualidade e quantidade necessárias para o indivíduo, ou seja, é uma técnica proposta para mudança de hábitos de sono. Isso envolve a limitação de substâncias que podem interferir no sono como, a título de exemplo, cafeína, nicotina e álcool. Envolve também a recomendação de um ambiente propício ao sono com temperatura agradável, colchão adequado e sem ruídos. Às vezes, recomenda-se um lanche leve para dormir. Há a prescrição dos pacientes se dedicarem a atividades relaxantes antes de ir para a cama, como ler, escrever, ouvir música calmante ou tomar banho. Imprescindível que haja uma limitação da atividade estimulante como assistir televisão, usar um computador e celular ou estar ao redor de luzes brilhantes, ao menos duas horas antes de iniciar seu sono. Associado para essas medidas deve-se estimular um padrão de regularidade de início e fim de sono, combinando com o paciente a indicação desses horários baseado em um equilíbrio entre o momento de propensão ao sono com o horário em que finalizou as atividades diárias. Importante mencionar que esses horários deverão ser seguidos durante os dias de semana e finais de semana. A higiene do sono deve ser guiada, ou seja, deve ser implementada passo a passo com o paciente e acompanhada em sua execução para garantir o sucesso da técnica, sendo contraproducente a indicação de todas essas sugestões para que o paciente siga voluntariamente.

Componentes comportamentais da TCC: esses componentes englobam uma série de técnicas destinadas às mudanças de comportamentos que prejudicam o sono dos indivíduos.

Técnicas de relaxamento são modalidades comportamentais que podem ajudar as pessoas a relaxar durante todo o dia e, sobretudo, próximo ao horário de iniciar o sono, dificuldade de muitos pacientes com insônia.

A técnica de *controle de estímulos* visa associar a cama ao sono (início rápido e duração adequada) e limitar sua associação com o comportamento estimulante. Em pessoas com insônia, frequentemente, os estímulos associados com o sono (por exemplo, cama, quarto, comportamento de dormir) são muitas vezes emparelhados com atividades diferentes do sono para suportar o tempo despendido na cama sem adormecer e que favorecem mais o despertar, como: se engajar em atividades de trabalho usando o computador, usar celular, assistir TV. Pessoas com insônia são orientadas a:

- Ir para a cama apenas quando estão cansados;
- Limitar as atividades na cama para dormir e sexo;
- Sair da cama ao mesmo tempo todas as manhãs;
- Levantar-se e mudar para outro local quando o início do sono não ocorrer.

Nesse último indicador, para aqueles pacientes ruminativos e com atividade cognitiva excessiva, sugerimos um diário de preocupações para que escrevam suas preocupações como modo de transpor para o papel emoção e cognição, deixando-os mais relaxados e estimulando a mente sem nenhuma preocupação para que o componente homeostático exerça mais propulsão ao sono.

A técnica de *restrição do sono* é, seguramente, o componente mais controverso da TCC para insônia, devido à prescrição inicial da restrição do sono. Pessoas com insônia costumam passar um longo tempo na cama, sem adormecer, favorecendo a associação reforçadora entre a cama e a insônia. A cama, portanto, torna-se um local de frustração noturna onde é difícil relaxar. Embora seja contraproducente a primeira vista, a restrição do sono é um componente significativo e efetivo da TCC para insônia. Isso envolve o controle do tempo na cama (TC) com base na eficiência do sono (ES) da pessoa, a fim de restaurar a unidade homeostática para dormir e, assim, reforçar a "conexão cama-sono". A eficiência do sono (ES) é a medida do tempo de sono total reportado (TST), a quantidade real de tempo que o paciente geralmente pode dormir, em comparação com o tempo na cama (TC). Assim, tem-se:

$$\boxed{TST} \div \boxed{TC} \times 100 \boxed{\%}$$

A técnica envolve os seguintes passos considerando a busca pela eficiência do sono *(tempo/tempo de sono total na cama)*:

- Primeiro, o tempo na cama (TC) é restrito ao tempo total de sono;

- Aumentar ou diminuir o tempo na cama (TC), semanalmente, apenas 20-30 minutos;
- Aumentar o tempo na cama (TC), se a eficiência do sono for > 90%;
- Diminuir o tempo na cama (TC), se a eficiência do sono for < 80%.

Sendo a sonolência diurna muito excessiva, possível de prejuízo para as atividades diárias, pode-se incluir um cochilo de no máximo 30 minutos e antes das 15 horas.

Esse processo pode levar várias semanas ou meses para completar os passos, dependendo da eficiência inicial do sono da eficácia do tratamento individualmente. A sonolência diurna é um efeito colateral durante a primeira semana ou duas de tratamento.

3.1. Componentes cognitivos da TCC

A *terapia cognitiva* dentro da TCC para insônia objetiva trabalhar com as crenças/atitudes disfuncionais em relação ao sono. Estudos com pacientes insones têm revelado que há uma predominância de atividade cognitiva excessiva e negativa como a preocupação incontrolável e pensamentos intrusivos que interferem no sono, principalmente preocupações que giram em torno da qualidade e quantidade do sono. Harvey[26] explica essa hiperestimulação cognitiva pelo estado ansioso em que o insone está imerso, as voltas com preocupações excessivas durante o pré-sono por não conseguir adormecer. Perturbações no sono, como a insônia, são consideradas estressantes ou ansiogênicas quando forem interpretadas como ameaçadoras (por causa de suas consequências no funcionamento no dia seguinte), conflitantes (querer dormir e não poder ou não conseguir) e quando os indivíduos não reconhecem os fatores causais envolvidos na resposta e nem identificam estratégias eficazes para aliviarem as perturbações do ciclo sono e vigília. Esse círculo vicioso leva o indivíduo a desenvolver atenção seletiva para alguns estímulos do corpo e do ambiente que possibilitam ou atrapalham o sono, realizando um monitoramento angustiante, que promove mais despertar, e promovendo a eleição de estratégias ineficazes e desadaptativas para lidar com o problema baseada em crenças disfuncionais.

A *terapia cognitiva* ajudará a identificar a base lógica dessas crenças disfuncionais para apontar suas falhas. A título de exemplo, muitos pacientes acreditam que, se não dormirem o suficiente, estarão cansados no dia seguinte. Eles tentarão então economizar energia ao não se mexer na cama para verificar se adormecem rapidamente, indo para a cama mais cedo para tentar acelerar o início do sono. Essas respostas são compreensíveis, mas podem exacerbar o problema, pois não resolve. Se, em vez disso, uma pessoa tenta ativamente gerar energia fazendo uma caminhada e exercícios físicos durante o dia, conversando com um amigo e recebendo muita luz solar durante o dia, não realizando cochilos diurnos, ele pode verificar que a crença original era autorrealizável, mas não necessariamente verdadeira.

A preocupação é um fator comum da insônia. Os terapeutas trabalharão para lidar com a preocupação e a ruminação com o uso de um diário de pensamento, um registro onde uma pessoa escreve suas preocupações. O terapeuta e o paciente podem abordar cada uma dessas preocupações individualmente. Essa técnica ajudará o paciente a diminuir suas ruminações e estado ansioso. A perspectiva é a substituição dessas crenças e pensamentos por pensamentos mais positivos e adaptados, com uma perspectiva mais realística das dificuldades de sono, diminuindo o fluxo de pensamentos automáticos.

A *terapia cognitiva baseada em mindfulness* para tratamento de insônia integra um programa baseado em meditação e técnicas cognitivas e comportamentais para insônia. O

Mindfulness é uma modalidade de meditação que trabalha com o estado de atenção plena, mantendo a consciência centrada no presente e sem julgamento, com atitudes de aceitação e abertura para as questões que rodeiam os indivíduos. A prática da atenção plena ao longo do dia é a hipótese de permitir que alguém faça escolhas intencionais e habilidosas, como responder aos estressores com ações apropriadas, ao contrário de atuar em "piloto automático" com respostas condicionadas que podem ser emocionalmente excitantes ou prejudiciais. Na hora de dormir, a proposta do *mindfulness* é interromper ruminações e preocupações, reduzir a regulação verbal e facilitar o emparelhamento necessário para adormecer[27,28].

O *mindfulness* para insônia tem alcançado espaço dentre clínicos e pesquisadores nas verificações científicas porque o insone crônico é caracterizado como um paciente que apresenta um estado de hiperestimulação emocional (apresentando emoções negativas, ansiedade), fisiológica (apresentando tensão corporal, alerta autonômico) e cognitiva (experimentam preocupações negativas e excessivas, além de ruminações) ao tentar adormecer[29,30]. Nessa direção, a atenção plena e a aceitação do presente no *Mindfulness* podem ajudar a mudar as crenças disfuncionais sobre o sono, aumentar a conscientização sobre os hábitos inadequados de higiene do sono e favorecer a eliminação de comportamentos inadequados e desadaptativos antes de dormir[27]. O sentido é a mudança da relação do indivíduo com os pensamentos, sensações e emoções, sem modificação do conteúdo (o que poderia ser complementado pela terapia cognitiva), aceitando o que ocorre, gerando uma auto regulação e flexibilidade cognitiva e emocional, que o auxiliaria a reduzir seus comportamentos e pensamentos negativos relacionados ao sono[27,28].

TABELA 4.4.2-2
Principais componentes e técnicas da TCC para tratamento da insônia

Componentes educacionais	Componentes comportamentais	Componentes cognitivos
Psicoeducação (Explicações neurobiológicas, fenomenológicas, circadianas, comportamentais e cognitivas sobre o sono)	**Técnicas de relaxamento** (Técnica comportamental para ajudar a relaxar durante todo o dia e, sobretudo, próximo ao horário de iniciar o sono)	**Terapia cognitiva** (Modalidade para trabalhar com as crenças/atitudes disfuncionais em relação ao sono)
Higiene do sono (Técnica para favorecer mudança de hábitos de sono com vistas à qualidade e quantidade de sono)	**Controle de estímulos** (visa associar a cama ao sono com início rápido e duração adequada, e limitar sua associação com o comportamento estimulante)	**Terapia cognitiva baseada em Mindfulness** (Integra um programa baseado em meditação e técnicas cognitivas e comportamentais para insônia)
	Restrição do sono (Técnica comportamental com objetivo de restringir o tempo na cama ao tempo estimado para dormir, estimular um pouco de privação de sono para consolidar o sono noturno, melhorando sua continuidade)	

4. Estrutura das sessões de tratamento com a TCC

Para o desenvolvimento das sessões de TCC é importante determinar o formato. Os mais utilizados são os formatos individuais ou grupais. Mas, atualmente, há possibilidades de intervenção educacional pelo telefone e internet.

Em linhas gerais, a quantidade e frequência das sessões são:
- De 6 a 12 sessões.
- Sessões semanais: em grupo, uma hora e meia, e individualmente, 50 minutos.

Importante que haja seguimento individual e grupal para asseguramento dos resultados alcançados e avaliação da eficácia das técnicas. Ao término do tratamento, os pacientes retornam para avaliação com 1 mês, 3 meses e 6 meses. Para acompanhar os resultados dos pacientes durante o tratamento e em seguimento, indispensável utilizar diários de sono para revisar a regularidade do sono, a latência, fragmentação do sono e cochilos, avaliar o progresso e adesão ao tratamento a cada sessão, propor estratégias para aperfeiçoar a adesão, e sempre revisar e escrever as regras para a semana seguinte.

A Tabela 4.4.2-3 apresenta uma sugestão de estrutura de sessões por modalidades de intervenção com a TCC para insônia.

TABELA 4.4.2-3
Estrutura das sessões de TCC para tratamento da insônia

Sessões	Modalidades técnicas
1ª Sessão	Psicoeducação + higiene do sono guiada + relaxamento
2ª Sessão	Higiene do sono guiada + controle de estímulos + relaxamento + terapia cognitiva
3ª Sessão	Controle de estímulos + terapia cognitiva + *mindfulness*
4ª Sessão	Terapia cognitiva + *mindfulness* + restrição do sono
5ª Sessão	Terapia cognitiva + restrição do sono + *mindfulness*
6ª Sessão	Revisão sessões 2, 3 e 4
7ª Sessão	Revisão de todas a sessões; manutenção da melhora + prevenção de recaídas

5. Eficácia da TCC para insônia

A TCC para insônia tem sido constantemente demonstrada como eficaz em longo prazo para Transtorno de Insônia e Insônia comórbida em uma grande variedade de cenários clínicos e para grupos diferentes de pacientes clínicos (pacientes com fibromialgia, pacientes cardiopatas, pacientes com câncer, depressão, pacientes com demência de Alzheimer, paciente com doenças pulmonares obstrutivas crônicas, com estresse pós-traumático)[17-22,30,31].

Com relação aos componentes da TCC para insônia, há vasta discussão na literatura apresentando resultados empíricos sobre a comparação entre tratamentos utilizando apenas componentes comportamentais, ou exclusivamente componentes cognitivos e a TCC multicomponentes completa para insônia, observando o impacto no tempo total de sono, na latência do sono, na eficiência do sono, na qualidade de sono e no índice de insônia.

Os resultados indicam que as técnicas comportamentais são mais rápidas em termos de efeitos sobre a insônia, mas que a terapia cognitiva tem efeitos mais duradouros em longo prazo em comparação com as técnicas comportamentais[32,33].

Outras pesquisas exibem que a melhor indicação é a TCC multicomponentes combinada para insônia[31,32,34], mas, essa recomendação ainda não está completamente definida, porque ainda há muitas controvérsias em relação aos resultados em longo prazo nos parâmetros de sono e o impacto avaliado no funcionamento diurno, além das hesitações científicas sobre quais os componentes da TCC que teriam maior eficácia ou se a combinação dos componentes da TCC seria a melhor indicação terapêutica.

Uma das razões que suporta essa impossibilidade de recomendação para uma das opções referidas (TCC multicomponentes ou TCC componentes isolados) são as diferenças encontradas nos resultados efetivos para insônia a partir da testagem, por exemplo, apenas do componente restrição do sono, que é citada como a técnica mais relevante dentre todos os componentes da TCC[34,35]: há uma considerável variação no mínimo de horas estipulado na cama, diferenças entre os critérios para contabilizar a eficiência do sono, diferenças na quantidade de dias para estender o sono, e diferenças nos resultados encontrados a longo prazo. Somado a isso, é uma técnica que deve ser muito bem avaliada antes de prescrever sozinha, pois resulta em sonolência diurna excessiva e reduzida performance cognitiva durante a intervenção. Associado a isso, Kyle et al.[36], na defesa de aliança de multicomponentes, apontam que os resultados para tratamento da insônia são mais efetivos, principalmente, se agrupar a técnica de controle de estímulos (que parece que a ausência desse controle está associada à piora do quadro).

Van Straten et al.[37] realizaram uma revisão sistemática com metanálise com objetivo de avaliar os resultados da TCC, por meio dos seus componentes nos parâmetros de sono em mais de seis mil pacientes. Apesar de não terem avaliado os desfechos clínicos em estudos de seguimentos com longo tempo, verificaram que não havia diferenças entre os estudos que utilizaram a TCC multicomponentes e a TCC com componentes isolados. E encontraram que o componente mais significativo com resultados apenas no parâmetro da latência do sono foi a técnica de relaxamento. Uma explicação para esses resultados seria a qualidade técnica ruim dos estudos científicos antigos arrolados na análise, sem randomização e grupos controles dos estudos, pois o trabalho do van Straten et al.[37] avaliou os efeitos comportamentais, cognitivos e educacionais da TCC em todos os estudos já publicados, catalogando estudos dos mais antigos até os atuais. Outra razão estaria relacionada ao próprio diagnóstico (se seria insônia transtorno ou insônia comórbida) e o tratamento escolhido.

Hublling et al.[27] mostraram, na linha da avaliação de componentes utilizados separados, que a *terapia cognitiva baseada em mindfulness* aliada à higiene do sono produziu resultados significativos na latência do sono e qualidade subjetiva do sono de pacientes com transtornos do sono.

Independentemente desses resultados, a indicação/recomendação atual é a TCC multicomponentes para insônia, pois há mais impactos significativos e positivos da melhora nos parâmetros de sono com ganhos clínicos sustentados por meio de medidas objetivas e subjetivas, com elevada taxa de remissão da insônia em jovens, adultos e idosos[34,38]. Não obstante, reforça-se a premissa que deve haver mais estudos controlados experimentalmente para testar os componentes da TCC isolados e em uso com todos os componentes, além de avaliar os resultados no funcionamento diurno e nos parâmetros de sono no seguimento por muitos anos para os tipos de insônia.

Outra questão de relevância para a discussão da eficácia da TCC é o formato da TCC: grupo ou individual, *face-to-face* (sessões presenciais entre terapeuta e paciente) ou orientações de autoajuda (realizada pela própria pessoa seguindo orientações publicadas). A TCC em formato individual e/ou grupal já é consenso que traz resultados significativos[37,38], mas alguns estudos apontam que a TCC individual tem resultados superiores[39], e outros trabalhos recentes apontarem que a modalidade em grupo melhora a eficiência do sono, a qualidade do sono, a latência do sono, a fragmentação do sono, a duração de sono, inclusive em pacientes que tem depressão e dor associados à insônia[40].

A indicação comprovada a respeito da TCC *face-to-face* produzindo melhores resultados do que as intervenções de autoajuda[37,41] tem sido reavaliada. Alguns estudos, ainda escassos, têm mostrado que a TCC para insônia realizada pela própria pessoa (autoajuda) têm promovido resultados positivos em alguns parâmetros do sono, apesar de efeitos contraditórios ou discretos, carecendo de maiores evidências[42,43].

Somado a isso, o número de sessões também é um excelente preditor de resultados significativos da TCC para insônia. O recomendado seria pelo menos, quatro a seis sessões[37].

6. Novas possibilidades da TCC frente aos desafios da atualidade

A natureza universal da internet e das tecnologias associadas têm mudado drasticamente a vida de todos os indivíduos. Uma dessas mudanças inclui a oferta de serviços de avaliação e tratamento para muitos transtornos. A TCC para insônia tem sido oferecida pela internet e pelos dispositivos móveis desde 2012, com publicações científicas mensais sobre seus efeitos significativos. Ao contrário da disseminação da TCC para insônia (individual e/ou grupal) presencial, a TCC digital ou online apresenta disseminação ainda limitada.

A principal premissa é propagar a TCC (em termos de execução de suas técnicas), considerando a evidência sólida de seus resultados em comparação com a farmacoterapia, dentre os mais de 30% indivíduos que sofrem com a insônia e que não tem acesso fácil ao tratamento, seja por insuficiência de profissionais capacitados na área ou da oferta desses tratamentos em suas regiões. A TCC virtual ou digital tem se mostrado uma possibilidade de preencher essa lacuna, pois alia um amplo espectro da tecnologia digital (computador, *smartphone*, tablet) para avaliar e tratar a insônia. Para clínicos e pacientes, é uma possibilidade de, onde quer que estejam, tenham acesso rápido e bem orientado a TCC de alta qualidade, envolvente e efetiva, com excelência clínica.

A TCC digital é oferecida sob três possibilidades: como *suporte, guiada* e *automatizada*. A TCC como suporte é caracterizada como uma maneira compacta e breve de envolvimento digital no tratamento da insônia. Um terapeuta ou outro profissional de saúde fornece a terapia por meio de elementos digitais específicos[44]. Podem utilizar ferramentas digitais, como um programa de comunicação para fornecer alguns componentes da TCC, ao desenvolvimento de aplicativos móveis com componentes como diários de sono, exercícios de relaxamento ou orientações de higiene do sono para apoiar o tratamento. O uso da TCC digital como suporte é, principalmente, destinado a assessorar a terapia convencional atual presencial, gerando a possibilidade de acesso da TCC em áreas difíceis de acessar o tratamento ou, às vezes, preferíveis para o paciente.

A TCC digital guiada é a modalidade que combina um programa automatizado com suporte clínico[45-48]. Os programas online da TCC para insônia fornecem informações de cursos pré-montados, disponíveis em diferentes modalidades, e em várias sessões. Este conteúdo digital é combinado com *feedback* terapêutico, mais comumente após cada sessão e, em alguns casos, o terapeuta ou o profissional de saúde também determina a ordem do conteúdo terapêutico. O *feedback* terapêutico consiste principalmente em comentários escritos por e-mail ou por meio de *Skype* ou *chats*. Esses programas demonstraram eficácia na melhora da latência do sono, do despertar precoce após o início do sono, da eficiência do sono e da gravidade da insônia. A TCC digital guiada demanda um investimento em tempo de um profissional de saúde que variam entre 40 minutos e 2 horas, por paciente[46,49].

A TCC digital totalmente automatizado é uma modalidade oferecida sem qualquer modo de apoio ou suporte de um terapeuta presencial (online ou face-to-face), embora alguns programas ofereçam apoio terapêutico como um recurso adicional. Essa modalidade oferece a apresentação de texto com componentes interativos, como vídeos, e um terapeuta virtual em animação. Diários de sono e questionários online fornecem suporte para adaptação para essa modalidade. Diferentes recursos adicionais que imitam a interação dentre terapeutas, relatos de pacientes, sessões terapêuticas ao vivo ou um fórum para usuários, também podem ser incluídos nesses programas automatizados[50].

Um grande número de estudos, desde estudos observacionais não controlados a ensaios clínicos randomizados em adultos[45,46,48,50,51] e crianças e adolescentes[52,53] apoiaram a ideia de que os programas de TCC digital parecem ser uma opção clínica eficaz. Mesmo em estudos randomizados controlado com a condição de placebo, a TCC digital demonstrou ser eficaz[50] com resultados na eficiência do sono, aumento da duração do sono, diminuição da latência do início do sono. O volume de evidências é menor quando se trata de efeitos em longo prazo, mas a maioria dos estudos apoia a visão de que os benefícios permanecem, mesmo após o acompanhamento por vários anos[51,54].

Com o objetivo de comparar a TCC digital com a TCC presencial para analisar seus efeitos, Lancee et al.[55] constataram que a TCC face-to-face supera a TCC digital guiada, apesar de Blom et al.[45], em um estudo com amostra pequena e com resultados significativos limitados, não terem encontrado diferenças entre as duas modalidades. Lancee et al.[56], em recente estudo, demonstraram a eficácia da TCC online e da TCC presencial para o efeito do tratamento sobre a gravidade da insônia e a eficiência do sono com enfoque em medidas cognitivas (excitação pré-sono, preocupação relacionada ao sono e crenças disfuncionais). Entretanto, a TCC presencial mostrou superioridade sobre o tratamento on-line.

A TCC digital também parece ser eficaz para a insônia associada à comorbidades psiquiátricas, sobretudo pacientes com transtorno depressivo e transtorno de ansiedade[57]. Todavia, Yeung et al.[58] encontraram que pessoas com altos níveis de sintomas depressivos se beneficiam mais com a TCC digital do tipo suporte, enquanto as pessoas com baixos níveis de sintomas depressivos melhoram, independentemente da modalidade de TCC digital.

7. Considerações finais

Hodiernamente, têm surgido alternativas psicoterapêuticas não farmacológicas para o tratamento da insônia, que merecem ser investigadas sobre sua eficácia cientificamente (psicodinâmica, psicodrama, outras possibilidades de terapias comportamentais, como a aceitação e o compromisso) e que não foram contempladas neste capítulo pelo propósito geral do mesmo, que foi a apresentação da técnica padrão-ouro e recomendada pelas principais entidades na área de sono.

Imprescindível registrar que a literatura científica da TCC para insônia é rica e vasta, conferindo cada vez mais o caráter de cientificidade e eficácia. Entretanto, ainda há apontamentos e questões futuras que precisam ser resolvidas. Uma dessas questões, tanto em relação ao cenário internacional quanto nacional, seria a avaliação da eficácia da TCC multicomponentes, adicionando a perspectiva da TCC virtual. Um levantamento epidemiológico dessa atuação em todo território nacional apontaria as dimensões dessa evolução. Particularmente com relação à TCC virtual na realidade brasileira, não temos dados até o presente momento. Além disso, investigação abarcando a eficácia do tratamento, nomeadamente para resultados mais clinicamente relevantes em longo prazo (dois anos ou mais), seria um importante preditor de sucesso dentre os pacientes e profissionais.

Uma perspectiva importante seria disseminar a TCC, primeira opção recomendada dentre as terapias, promovendo, concomitante, o treinamento de profissionais especialistas na área, além de expandir a TCC para insônia para os sistemas de atenção primária, pensando em uma perspectiva de promoção de saúde e em atingir o maior número de pessoas com a insônia pela alta prevalência desse transtorno, e pela carência de profissionais treinados, investigando a eficácia do tratamento e de suas modalidades para a comunidade.

■ Referências bibliográficas

1. American Academy of Sleep Medicine. (2014). International classification of sleep disorders: Diagnostic and coding manual (3ª Ed). Westchester: American Academy of Sleep Medicine.
2. American Psychiatric Association. (2013). Diagnostic and Statistical Manual of Mental Disorders. 5th ed. Washington, DC: American Psychiatric Association.
3. Almondes KM, Costa MV, Malloy-Diniz LF, Diniz BS. (2016). The relationship between sleep complaints, depression and executive functions on older adults. Frontiers in Psychology 2016;7:1547. 10.3389/fpsyg.2016.01547.
4. Almondes KM, Costa MV, Malloy-Diniz LF, Diniz BS. Insomnia and risk of dementia in older adults: Systematic review and meta-analysis. Journal of Psychiatric Research 2016;77:109-15.
5. Imeri L, Opp MR. How (and why) the immune system makes us sleep. Nature Reviews Neuroscience 2009;10(3):199–210.
6. Khan MS, Aouad R. The Effects of Insomnia and Sleep Loss on Cardiovascular Disease. Sleep Medicine Clinics 2017;12(2):167-177.
7. McCall WV, Benca RM, Rosenquist PB, Riley MA, McCloud L, Newman JC, Case D, Rumble M, Krystal AD. Hypnotic Medications and Suicide: Risk, Mechanisms, Mitigation, and the FDA. The American Journal of Psychiatry 2017;174(1):18-25.
8. Savard J, Laroche L, Simard S, Ivers H, Morin CM. Chronic insomnia and immune functioning. Psychosomatic Medicine 65(2):211–221, 2003.
9. Zhu B, Hershberger PE, Kapella MC, Fritschi C. The relationship between sleep disturbance and glycaemic control in adults with type 2 diabetes: An integrative review. Journal of Clinical Nursing, 2017. doi: 10.1111/jocn.13899.
10. Daley M, Morin CM, LeBlanc M, Grégoire JP, Savard J. The economic burden of insomnia: direct and indirect costs for individuals with insomnia syndrome, insomnia symptoms, and good sleepers. Sleep 2009;32(1):55-64.
11. Godet-Cayré V, Pelletier-Fleury N, Le Vaillant M, Dinet J, Massuel MA, Léger D. Insomnia and absenteeism at work. Who pays the cost? Sleep 2006;29(2):179-84.
12. Hillman DR, Murphy AS, Pezzullo L. The economic cost of sleep disorders. Sleep 2006;29(3):299-305.
13. Lallukka T, Kaikkonen R, Härkänen T, Kronholm E, Partonen T, Rahkonen O, Koskinen S. Sleep and sickness absence: a nationally representative register-based follow-up study. Sleep 2014;37(9):1413-25.
14. Suh S, Ong J, Steidtmann D, Nowakowski S, Dowdle C, Willett E et al. Cognitions and insomnia subgroups. Cognitive Therapy 13 (5): 469-75, 2012.
15. Riemann D, & Perlis ML. The treatments of chronic insomnia: a review of benzodiazepine receptor agonists and psychological and behavioral therapies Sleep Medicine Review 2009;13(3):205-14.
16. Beck AT. Terapia Cognitivo-Comportamental: Teoria e prática. 2 ed. Porto Alegre: ArtMed
17. Geiger-Brown JM, Rogers VE, Liu W, Ludeman EM, Downton KD, Diaz-Abad M. Cognitive behavioral therapy in persons with comorbid insomnia: A meta-analysis. Sleep Medicine Review 2015;23:54-67.
18. Mitchell, M. D., Gehrman, P., Perlis,M., & Umscheid, C. A. (2012). Comparative effectiveness of cognitive behavioral therapy for insomnia: A systematic review. BMC Family Practice, 13, 40.
19. Morin CM, Beaulieu-Bonneau S, Bélanger L, Ivers H, Sánchez Ortuño M, Vallières A, Savard J, Guay B, Mérette C. Cognitive-behavior therapy singly and combined with medication for persistent insomnia: Impact on psychological and daytime functioning. Behaviour Research and Therapy 2016;87:109-16.
20. Perlis M, Grandner M, Zee J, Bremer E, Whinnery J, Barilla H, Andalia P, Gehrman P, Morales K, Thase M, Bootzin R, Ader R.Durability of treatment response to zolpidem with three different maintenance regimens: a preliminary study. Sleep Medicine 2015;16(9):1160-8.
21. Trauer JM, Qian MY, Doyle JS, Rajaratnam SM, Cunnington D. Cognitive behavioral therapy for chronic insomnia: a systematic review and meta-analysis. Annals of Internal Medicine 2015;163 (3):191-204.

22. Wu JQ, Appleman ER, Salazar RD, Ong JC.Cognitive Behavioral Therapy for Insomnia Comorbid With Psychiatric and Medical Conditions: A Meta-analysis. JAMA Internal Medicine 2015;175(9):1461-72.
23. Spielman A, Caruso L, Glovinsky P. A behavioral perspective on insomnia treatment. Psychiatr Clin North Am 1987;10:541-53.
24. Morin CM, Benca R. Chronic insomnia. The Lancet 2012;379 (9821), 1129-1141.
25. Waters F, Bucks R S. Neuropsychological Effects of Sleep Loss: Implication for Neuropsychologists. Journal of the International Neuropsychological Society 2011;17:571–86.
26. Harvey AG. A cognitive model of insomnia. Behaviour Research and Therapy 2002;40(8):869-93.
27. Hubbling A, Reilly-Spong M, Kreitzer MJ, Gross CR. How mindfulness changed my sleep: focus groups with chronic insomnia patients. BMC Complementary and Alternative Medicine 2014;14:50.
28. Lundh LG. The role of acceptance and mindfulness in the treatment of insomnia. Journal of Cognitive Psychotherapy 2005;19(1):29–40.
29. Almondes KM, Pinto Jr LR. A Terapia cognitivo-comportamental nas Insônias. In: Terapia Cognitivo-Comportamental para os Transtornos de Sono. 1ª Ed. Curitiba: 63-90, 2016
30. Bootzin RR, Epstein DR. Understanding and treating insomnia. Annual Review of Clinical Psychology 2011;7:435-58.
31. Vitiello MV, McCurry SM, Rybarczyk BD. The future of cognitive behavioral therapy for insomnia: what important research remains to be done? Journal of Clinical Psychology 2013;69(10):1013-21.
32. Harvey AG, Bélanger L, Talbot L, Eidelman P, Beaulieu-Bonneau S, Fortier-Brochu É, Ivers H, Lamy M, Hein K, Soehner AM, Mérette C, Morin CM. Comparative efficacy of behavior therapy, cognitive therapy, and cognitive behavior therapy for chronic insomnia: a randomized controlled trial. Journal of Consulting and Clinical Psychology 2014;82(4):670-83.
33. Pech M, O'Kearney R. A randomized controlled trial of problem-solving therapy compared to cognitive therapy for the treatment of insomnia in adults. Sleep 2013;36(5):739-49.
34. Epstein DR, Sidani S, Bootzin RR, Belyea MJ. Dismantling multicomponent behavioral treatment for insomnia in older adults: a randomized controlled trial. Sleep 2012;35(6):797-805.
35. Kyle SD, Morgan K, Spiegelhalder K, Espie CA. No pain, no gain: an exploratory within-subjects mixed-methods evaluation of the patient experience of sleep restriction therapy (SRT) for insomnia. Sleep Medicine 2011;12(8):735-47.
36. Kyle SD, Miller CB, Rogers Z, Siriwardena AN, Macmahon KM, Espie CA. Sleep restriction therapy for insomnia is associated with reduced objective total sleep time, increased daytime somnolence, and objectively impaired vigilance: implications for the clinical management of insomnia disorder. Sleep 2014;37(2):229-37.
37. Van Straten A, van der Zweerde T, Kleiboer A, Cuijpers P, Morin CM, Lancee J.Cognitive and behavioral therapies in the treatment of insomnia: A meta-analysis. Sleep Medicine Review 2017;pii: S1087-0792(17)30034-5.
38. Friedrich A, Schlarb AA. Let's talk about sleep: a systematic review of psychological interventions to improve sleep in college students. Journal of Sleep Research, 2017. doi: 10.1111/jsr.12568.
39. Yamadera W, Sato M, Harada D, Iwashita M, Aoki R, Obuchi K, Ozone M, Itoh H, Nakayama K. Comparisons of short-term efficacy between individual and group cognitive behavioral therapy for primary insomnia. Sleep Biological Rhythms 2013;11(3):176-184.
40. Koffel EA, Koffel JB, Gehrman PR. A meta-analysis of group cognitive behavioral therapy for insomnia. Sleep Medicine Review 2015;19:6-16.
41. Lancee J, van Straten A, Morina N, Kaldo V, Kamphuis JH. Guided Online or Face-to-Face Cognitive Behavioral Treatment for Insomnia: A Randomized Wait-List Controlled Trial. Sleep 2016;39(1):183-91.
42. Blom K, Tarkian Tillgren H, Wiklund T, Danlycke E, Forssén M, Söderström A, Johansson R, Hesser H, Jernelöv S, Lindefors N, Andersson G, Kaldo V. Internet-vs. group-delivered cognitive behavior therapy for insomnia: A randomized controlled non-inferiority trial. Behaviour research and therapy 2015;70:47-55.
43. Farrand P, Woodford J. Impact of support on the effectiveness of written cognitive behavioural self-help: a systematic review and meta-analysis of randomised controlled trials. Clinical Psychology Review 2012;33(1):182-95.
44. Kuhn E, Weiss BJ, Taylor KL, Hoffman JE, Ramsey KM, Manber R, et al. CBT-I coach: a description and clinician perceptions of a mobile app for cognitive behavioral therapy for insomnia. Journal of Clinical Sleep Medicine 2016;12(4):597–606.
45. Blom K, Tarkian Tillgren H, Wiklund T, Danlycke E, Forssén M, Söderström A, Johansson R, Hesser H, Jernelöv S, Lindefors N, Andersson G, Kaldo V. Internet-vs. group-delivered cognitive behavior therapy for insomnia: A randomized controlled non-inferiority trial. Behaviour research and therapy 2015;70:47-55.
46. Kaldo V, Jernelov S, Blom K, Ljotsson B, Brodin M, Jorgensen M, et al. Guided internet cognitive behavioral therapy for insomnia compared to a control treatment–a randomized trial. Behaviour Research and Therapy 2015;71:90-100.

47. Lancee J, van den Bout J, van Straten A, Spoormaker VI. Internet-delivered or mailed self-help treatment for insomnia?: a randomized waiting-list controlled trial. Behaviour Research and Therapy 2012;50(1):22–29.
48. van Straten A, Emmelkamp J, de Wit J, Lancee J, Andersson G, van Someren EJ, et al. Guided internet-delivered cognitive behavioural treatment for insomnia: a randomized trial. Psychological Medicine 2014;44(7):1521–1532.
49. Lancee J, van den Bout J, Sorbi MJ, van Straten A. Motivational support provided via email improves the effectiveness of internet-delivered self-help treatment for insomnia: a randomized trial. Behaviour Research and Therapy 2013;51(12):797–805.
50. Espie CA, Kyle SD, Williams C, Ong JC, Douglas NJ, Hames P, et al. A randomized, placebo-controlled trial of online cognitive behavioral therapy for chronic insomnia disorder delivered via an automated media-rich web application. Sleep 2012;35(6):769–781.
51. Blom K, Jernelov S, Ruck C, Lindefors N, Kaldo V. Three-year follow-up of insomnia and hypnotics after controlled internet treatment for insomnia. Sleep 2016;39(6):1267–1274.
52. de Bruin EJ, Oort FJ, Bogels SM, Meijer AM. Efficacy of internet and group-administered cognitive behavioral therapy for insomnia in adolescents: a pilot study. Behaviour Research and Therapy 2014;12(3):235–254.
53. Schlarb AA, Brandhorst I. Mini-KiSS Online: an Internet-based intervention program for parents of young children with sleep problems—influence on parental behavior and children's sleep. Nature and Science of Sleep 2012;4:41–52.
54. Ritterband LM, Thorndike FP, Ingersoll KS, Lord HR, Gonder-Frederick L, Frederick C, et al. Effect of a web--based cognitive behavior therapy for insomnia intervention with 1-year follow-up: a randomized clinical trial. JAMA Psychiatry, 2016
55. Lancee J, van Straten A, Morina N, Kaldo V, Kamphuis JH. Guided online or face-to-face cognitive behavioral treatment for insomnia: a randomized wait-list controlled trial. Sleep 2016;39(1):183–191.
56. Lancee J, Effting M, van der Zweerde T, van Daal L, van Straten A, Kamphuis JH. Cognitive processes mediate the effects of insomnia treatment: evidence from a randomized wait-list controlled trial. Sleep Medicine 2019;54: 86-93.
57. Ye YY, Zhang YF, Chen J, Liu J, Li XJ, Liu YZ, et al. Internet-based cognitive behavioral therapy for insomnia (ICBT-i) improves comorbid anxiety and depression—a meta-analysis of randomized controlled trials. PLoS One 2015;10(11):e0142258.
58. Yeung WF, Chung KF, Ho FY, Ho LM. Predictors of dropout from internet-based self-help cognitive behavioral therapy for insomnia. Behaviour Research and Therapy 2015;73:19–24.

4.5 Insônia na Infância

Leila Azevedo de Almeida
Rosana Cardoso Alves

1. Introdução

A dificuldade de início ou consolidação do sono noturno na infância constitui queixa comum dentre familiares e cuidadores. Acredita-se que tal condição seja resultante de uma combinação de fatores: comportamentais, socioculturais, genéticos e relacionados ao ritmo circadiano. No entanto, a maneira mais comum de insônia na infância é relacionada a aspectos comportamentais e por isso foi denominada: *Insônia Comportamental da Infância*.

Existem dois subgrupos clínicos bem definidos, a insônia devido a associações inadequadas e a insônia por dificuldade de imposição de limites. Os dois tipos podem se apresentar de maneira associada.

Na insônia por associação a criança, em geral lactente ou pré-escolar, condiciona o início do sono a determinados fatores externos, tornando sua presença necessária para a indução do sono. Fatores habituais de condicionamento do sono devem ser a diminuição de luminosidade ambiental, o próprio berço, o cheiro da roupa de cama e objetos dispostos no berço, objetos de transição, como chupeta ou brinquedo específico. Tais fatores independem da presença ou intervenção complexa do cuidador. Ainda são apropriados horários regulares e sequências sempre reproduzidas de alimentação, banho e sono. Fatores de condicionamento não apropriados são representados por presença obrigatória do cuidador, atividades fora do berço de cantar, ninar, balançar, assim como a oferta não necessária do seio materno para consolo e indução de sono, principalmente durante despertares noturnos, quando tal procedimento não é necessário do ponto de vista alimentar. Tais fatores dependem de presença prolongada ou intervenção complexa do cuidador. São ainda inapropriados necessidade de luz acesa, televisão ligada, permanência na cama dos pais. Na insônia por associações inadequadas ou distúrbio de associação, a criança passa a necessitar da presença prolongada e intervenção complexa do cuidador, ou de condições específicas, para a indução mais rápida do sono no início da noite, e a cada despertar. Na ausência de tais condições, o início do sono torna-se dificultoso, e os despertares noturnos mais prolongados.

Na insônia por falta de limites a criança, em geral em idade pré-escolar ou escolar, negocia novas atividades no horário de dormir, com o objetivo de postergá-lo. A criança solicita, por exemplo, a leitura de uma nova história infantil, a oportunidade de assistir televisão por mais tempo, uma nova refeição. Ou, ainda, apresenta comportamento claramente opositor. Os despertares noturnos podem eventualmente se tornar prolongados, a depender das atitudes do cuidador. Em algumas situações, observa-se dificuldade de imposição de limites ao longo do dia, em outras situações do cotidiano. Limites são colocados de maneira insuficiente, inconsistente, inconstante, ou de modo não previsível.

2. Epidemiologia

A insônia de etiologia comportamental pode afetar 20% a 30% das crianças, com maior prevalência dentre os portadores de doenças crônicas ou transtornos do neurodesenvolvimento[1-7].

A condição em geral é diagnosticada em crianças a partir dos seis meses, uma vez que antes dessa idade não é esperado regularidade de sono noturno. O transtorno de associações inadequadas para início do sono acomete principalmente lactentes e pré-escolares, e a insônia por dificuldade de imposição de limites a faixa etária pré-escolar e escolar.

Em adolescentes, a prevalência de insônia foi estimada entre 3% e 14%, e há frequente associação com má higiene do sono[8-11].

3. Diagnóstico

A anamnese deve contemplar hábitos diurnos e rotinas relacionadas ao sono, eventos associados ao sono, eventos ambientais, familiares e sociais significativos na vida da criança, saúde geral, aspectos cognitivos e comportamentais. De maneira complementar, o diário de sono ou actígrafo podem ser úteis no entendimento do padrão de sono da criança, e para o seguimento evolutivo.

Os critérios diagnósticos para Insônia e Insônia Comportamental da Infância foram recentemente revisados. Na terceira edição da Classificação Internacional dos Distúrbios do Sono (CIDS), a Insônia Comportamental da Infância, como entidade nosológica à parte, foi omitida, e os critérios para o diagnóstico de insônia em adultos e crianças encontram-se reunidos. No entanto, as considerações à parte sobre aspectos clínicos característicos da faixa etária infantil foram mantidas. Segundo a CIDS, insônia é diagnosticada quando o paciente relata, ou genitores/cuidadores observam, dificuldade de iniciar ou sono, despertar precoce, resistência em ir para a cama em horário apropriado, ou dificuldade de iniciar o sono sem intervenção de genitor/cuidador, de maneira associada a algum prejuízo diurno. Ainda, se as queixas relativas ao sono ocorrem ao menos três vezes por semana, de maneira não explicada pela oportunidade insuficiente de sono ou por circunstâncias inadequadas para o mesmo[12].

Particularmente, no que diz respeito à faixa etária infantil, o diagnóstico de insônia devido a associações inadequadas pode ser estabelecido quando tais associações, que são frequentes em crianças pequenas, tornam-se problemáticas, por causarem: 1. Demandas elevadas, como passeios de carro, por exemplo; 2. Atraso importante do início do sono, ou dificuldade de consolidação do mesmo, na ausência dos fatores de condicionamento; 3. Necessidade frequente de intervenção do cuidador.

De maneira similar, o diagnóstico de insônia por dificuldade de imposição de limites pode ser estabelecido quando a resistência para o início do sono torna-se frequente e associada a desfechos como: 1. Consequências diurnas da privação de sono, como alterações comportamentais; 2. Prejuízo de atividades ou do sono dos cuidadores, e da dinâmica familiar, inclusive com sentimentos negativos por parte de cuidadores em relação à criança.

Em edição anterior da CIDS, critérios diagnósticos específicos para a Insônia Comportamental da Infância foram estabelecidos[13]:

- Os sintomas da criança preenchem critérios para insônia com base no relato dos pais ou outro cuidador.
- A criança demonstra um padrão consistente com um dos dois tipos de insônia descritos a seguir:
  - O tipo "transtorno de associação para o início do sono" inclui cada um dos seguintes critérios:
    - Adormecer é um processo demorado que requer condições especiais;
    - As associações para o início do sono são altamente problemáticas ou desgastantes;
    - Na ausência das condições associadas, o início do sono é significativamente atrasado ou o sono é interrompido;
    - Despertares noturnos suscitam intervenções do cuidador para que a criança reconcilie o sono.
  - O tipo "dificuldade para imposição de limites para dormir" inclui cada um dos seguintes critérios:
    - A criança tem dificuldade de iniciar ou manter o sono;
    - A criança se recusa a ir para a cama no horário adequado ou reluta em retornar ao leito após um despertar noturno;
    - O cuidador demonstra incapacidade de impor limites comportamentais para o estabelecimento de um sono adequado.
- O transtorno do sono não é melhor explicado por outro transtorno do sono, condição clínica ou neurológica, transtorno mental ou uso de medicação.

Os seguintes diagnósticos diferenciais ou associados devem ser observados:

- Despertares noturnos frequentes ou associados a choro podem estar relacionados a fome, cólicas, refluxo, otite, infecções de vias aéreas ou outras condições médicas, como asma. Tais situações devem ser excluídas, pela observação da rotina da criança, de seu estado geral, sintomas e sinais clínicos apresentados ao longo do dia.
- Terror noturno deve ser considerado em situações em que o choro associa-se a *fácie* de pavor, ativação autonômica e prejuízo da interação com o cuidador no momento do episódio.
- Em pré-escolares e escolares, a tentativa de postergar o horário de dormir pode se relacionar a medo, ansiedade de separação, transtorno de ansiedade, e vivência recente de pesadelos. Caso a criança não verbalize espontaneamente, havendo algum sinal de ansiedade, podem ser questionados aspectos como medo de permanecer sozinho no quarto, de situações como assaltos, de monstros e outras figuras lendárias, e ocorrência recente de pesadelos.
- Principalmente em adolescentes, o atraso de fase de sono constitui diagnóstico diferencial importante. No atraso de fase de sono, a criança ou o adolescente, inicia o sono sem dificuldades no horário compatível com seu ritmo endógeno. Tal padrão, pode estar presente de modo independente da má higiene do sono, suscitando tratamento medicamentoso com melatonina, concomitantemente ou após medidas de correção de higiene do sono.
- Em qualquer idade, respiração ruidosa ou dificultosa e sono agitado podem sinalizar distúrbio respiratório do sono como fator subjacente a uma dificuldade de consolidar o sono noturno.

4. Abordagem terapêutica

Na faixa etária infantil, o tratamento da insônia é essencialmente não medicamentoso. Torna-se necessária revisão dos hábitos diurnos e relativos ao sono da criança e da família, para adequação de algumas medidas gerais à rotina familiar. As recomendações para o tratamento não medicamentoso devem ser entendidas como prescrição médica, e seguidas se possível integralmente. Quando os hábitos indesejáveis são eliminados e uma rotina mais adequada é estabelecida, de maneira sistemática e repetitiva, existe em geral sucesso terapêutico, sendo que a criança pode ser adequadamente condicionada ao sono em poucos dias ou semanas.

São recomendações gerais, passíveis de adaptação conforme idade e hábitos alimentares da criança:

- Ao anoitecer, diminuir luminosidade ambiental, reduzir volume de televisão e de equipamentos de som.
- Não permitir ou estimular brincadeiras que envolvam atividades estimulantes, como correr e pular, a partir do início da noite.
- Estabelecer horários regulares e sequências repetitivas todos os dias de alimentação, banho e indução do sono, após os 3 meses de idade.
- Oferecer jantar em horário regular.
- Após o jantar, dar o banho da criança em horário mais próximo ao horário de dormir.
- Após o banho, rotina regular no ambiente de dormir, podendo envolver: música ambiental apropriada e só executada no horário de dormir, massagem relaxante, roupa específica de dormir, perfume específico, objeto/brinquedo de transição, oferecido apenas no momento de dormir.

- Após última mamada, e já no berço, emitir comando carinhoso para início do sono (oferecer chupeta apenas até os dois anos de idade). Após o comando, não prolongar interação com a criança, não retirando do berço.
- Diante da dificuldade de iniciar o sono no horário proposto, postergar o horário de dormir e iniciar a sequência descrita com a criança mais próxima do estado de sonolência. Depois de obtido bom condicionamento para início do sono, antecipar gradativamente o horário de dormir, 15 minutos a cada 3 dias.
- Durante despertar noturno com choro, aguardar 2 minutos para atender a criança. Aproximar-se do leito, verbalizar mensagem tranquilizadora, oferecer novamente o objeto de transição, e não prolongar interação com a criança. Não retirar criança do berço. Não oferecer seio materno como fator de consolo ou indução do sono, caso a mamada não seja necessária do ponto de vista alimentar.
- Durante o próximo despertar noturno com choro, seja no mesmo dia ou no dia seguinte, aguardar 5 minutos para atender a criança, e repetir os mesmos procedimentos, aumentando progressivamente o tempo para o atendimento da criança, a cada despertar noturno (2, 5, 7, 10, 15 minutos).
- Ao longo do dia, não utilizar o berço como local para brincadeiras e não oferecer o objeto de transição para início do sono.
- Ao longo dia, permitir cochilos matinais e vespertinos conforme faixa etária da criança. Em geral, até os 3 anos de idade a criança deve realizar dois cochilos, matinal e vespertino; e um cochilo após os 3 anos de idade. A necessidade de cochilos deve desaparecer após os 5 anos. O cochilo vespertino deve ser encerrado até às 16 horas, no sentido de não prejudicar o sono noturno.

Parte dessas recomendações foram adaptadas de técnicas comportamentais com eficácia documentada[14-15]:

- Extinção não modificada: Os cuidadores colocam a criança para dormir no horário desejado e ignoram o comportamento da mesma até a manhã seguinte, sem deixar de monitorar aspectos de saúde e segurança.
- Extinção gradativa: Os cuidadores ignoram o choro e comportamento da criança por período de tempo predeterminado, progressivo ou não, e após mantêm um contato breve com a criança.
- Retirada gradativa da presença materna: A mãe que dorme ao lado da criança inicialmente reduz o contato físico com a mesma; assume posição sentada (e não deitada) ao leito, por várias noites; posteriormente, assume posição sentada ao chão, por várias noites; após, continua o movimento de saída do quarto, ½ metro a cada duas noites.
- Rotinas positivas: Os cuidadores desenvolvem rotinas positivas próximas ao horário de dormir, como atividades lúdicas e relaxantes, que agradem a criança. As rotinas podem ser suspensas diante de comportamento opositor.
- Horário reduzido para as rotinas de sono: Os cuidadores restringem o tempo dedicado às rotinas do horário de dormir, iniciando-as o mais próximo possível do horário de sonolência da criança. Tal horário pode ser antecipado quando a criança consegue indução mais natural do sono.
- Controle de estímulos: Os cuidadores retiram a criança da cama por breves períodos predeterminados, caso a mesma ainda esteja alerta, no sentido de evitar associação de estado de alerta fisiológico e afetivo com o ambiente de dormir.

Para crianças em idade escolar ou adolescentes, são recomendações gerais, devendo ser individualizadas conforme particularidades da criança ou família:

- Ao anoitecer, diminuir luminosidade ambiental, reduzir volume de televisão e de equipamentos de som.
- Não permitir ou estimular brincadeiras que envolvam atividades estimulantes, como correr e pular, a partir do início da noite. Não incentivar prática de esporte após o final da tarde.
- Estabelecer horários regulares e sequências repetitivas todos os dias de alimentação, banho e indução do sono.
- Oferecer jantar em horário regular. Evitar refeições pesadas à noite.
- Negociar e estabelecer horário limite para assistir televisão, manipular jogos eletrônicos, utilizar computadores, tablets e celulares. Retirar televisão do quarto. Após horário negociado, retirar dispositivos eletrônicos do quarto de dormir.
- Não atender a solicitações que visem postergar o horário de dormir.
- Estimular para que desperte e levante em horários regulares.
- Ao longo do dia, limitar ingestão de cafeína.
- Ao longo do dia, limitar cochilo diurno, conforme idade da criança. Não estimular cochilos no sofá, diante da televisão, em horário próximo ao horário de dormir.

No caso de lactentes e crianças menores, genitores/cuidadores devem ser estimulados a repetir a mesma sequência de procedimentos todos os dias, mesmo diante de expectativas de insucesso, ou falha inicial. Genitores/cuidadores não devem se adaptar a comportamentos, hábitos, horários inapropriados ou irregulares, mas, ao contrário, a criança deve se adaptar à rotina proposta e repetida todos os dias.

Em crianças maiores e adolescentes, a dificuldade de imposição de limites pode se estender a situações outras que não a indução de sono, podendo, em alguns casos específicos, ser necessário apoio profissional – psicológico – para identificação de conflitos e melhor condução da dinâmica familiar.

5. Condições especiais

Crianças com síndromes genéticas e neurológicas, como autismo, Asperger, Angelman, Williams, Smith-Magenis, ou quadros neurológicos sequelares, podem apresentar mais frequentemente transtornos de ritmo circadiano e distúrbios respiratórios do sono como diagnósticos diferenciais ou associados.

Em tais crianças, é frequente um padrão de sono irregular, com cochilos diurnos e dificuldade de consolidação de sono noturno. O diário de sono é útil na caracterização do padrão de sono, sendo que nem todas as crianças apresentam critérios diagnósticos formais para transtorno do ciclo sono-vigília irregular. O diagnóstico é estabelecido quando a actigrafia ou diário de sono, por ao menos sete dias, não evidencia um período principal de sono consolidado, em horários similares todos os dias. Ao contrário, a criança apresenta vários episódios de sono (ao menos três), tipicamente com duração inferior a quatro horas, em períodos aleatórios, de maneira irregular, sem período candidato a período principal do sono. Os genitores/cuidadores podem apresentar tal situação com queixa de insônia.

Grande parte da população de crianças com síndromes genéticas e neurológicas não apresenta critérios formais para o diagnóstico de ciclo sono-vigília irregular, por apresentar sono preferencial e mais consolidado no período noturno. No entanto, pode existir a queixa de dificuldade de iniciar o sono, tempo total de reduzido, e manutenção de cochilos durante o dia.

A abordagem inicial pode envolver a documentação do padrão de sono por diário de sono ou actigrafia, para fins diagnósticos, e correção de erros de higiene do sono.

São orientações gerais, após documentação do primeiro diário de sono:

- Despertar e retirar a criança do leito no início da manhã.
- Banho de sol pela manhã.
- Manter interação estimulante ao longo do dia, e não estimular o sono diurno, de acordo com a faixa etária.
- Ao anoitecer, diminuir luminosidade ambiental, reduzir volume de televisão e de equipamentos de som.
- Estabelecer horários regulares e sequências repetitivas todos os dias de alimentação, banho e indução do sono.
- Oferecer jantar em horário regular. Evitar refeições pesadas à noite.
- Distribuir de maneira assimétrica possíveis medicações antiepilépticas com efeito sedativo, mantendo maior dosagem em período noturno.
- Administrar possíveis medicações prescritas para agressividade/impulsividade duas horas antes do horário desejado de início do sono, e não no horário de deitar.

Após orientações para que a família inicie a dinâmica com a criança especial no início da manhã, e não ao final, mantenha a criança estimulada ao longo do dia, e modifique horários de medicações sedativas, um novo diário de sono pode orientar a necessidade ou não de introdução de tratamento medicamentoso.

Em algumas síndromes, como Smith-Magenis e no espectro autista, foram descritas alterações do padrão de secreção da melatonina[16-17], cuja reposição pode representar benefício adicional em relação às medidas não medicamentosas. A eficácia idealmente deve ser documentada por novo diário de sono.

No que diz respeito à prescrição de melatonina, em lactentes o tratamento medicamentoso é de exceção, podendo ser utilizado para casos específicos e doses baixas (0,1 a 1 mg). Tais posologias foram descritas para atraso de fase de sono. A maioria das crianças com espectro autista responde a doses entre 1-3 mg (30 minutos antes de deitar)[18,19].

Acredita-se que 12-14% dos indivíduos na população geral apresentem diminuição da atividade CYP1A2 e sejam "metabolizadores lentos" da melatonina, sendo que essa proporção pode ser maior em crianças com alterações do neurodesenvolvimento. Nessa condição, pode haver boa resposta inicial, sucedida por perda de eficácia da melatonina após algumas semanas do início de tratamento, devido ao seu acúmulo diário, com perda do seu efeito circadiano. A eficácia terapêutica pode retornar após considerável redução de dose. Na Síndrome de Angelman a dose inicial deve ser menor (0.3 mg), pela elevada proporção de metabolizadores lentos da melatonina dentre os portadores[19,20].

Medicações como benzodiazepínicos, estabilizadores de humor, anti-histamínicos, antipsicóticos podem ser prescritas para casos específicos, em geral para crianças com patologias neurológicas ou psiquiátricas, levando-se em conta a relação risco/benefício e a idade da criança.

Outras condições potencialmente associadas a insônia, fragmentação de sono ou diminuição do tempo total de sono na faixa etária infantil são: Transtorno de Déficit de Atenção e Hiperatividade; Transtorno de Humor – Depressão, Transtorno Bipolar; e Transtorno de Estresse Pós-Traumático. Tais condições demandam tratamentos específicos associados a medidas para insônia, inicialmente não farmacológicas.

■ Referências bibliográficas

1. Lozof, B, Wol, AW, Davis NS. Sleep problems seen in pediatric practice. Pediatrics 1985;75:477-483.
2. Armstrong KL, Quinn RA, Dadds MR. The sleep patterns of normal children. Med J Aust 1994;161:202-206.
3. Burnham MM, Goodlin-Jones BL, Gaylor EE, Anders TF. Nighttime sleep-wake patterns and self-soothing from birth to one year of age: a longitudinal intervention study. J Child Psychol Psychiatry 2002;43:713-725.
4. Goodlin-Jones BL, Burnha, MM, Gaylor EE, Anders TF. Night waking, sleep-wake organization, and self-soothing in the first year of life. J Dev Behav Pediatr 2001;22:226-233.
5. Mindell JA. Empirically supported treatments in pediatric psychology: Bedtime refusal and night wakings in young children. Journal of Pediatric Psychology 1999;24:465-481.
6. Bixler EO, Kales JD, Scharf MB, Kales A, Leo LA. Incidence of sleep disorders in medical practice: A physician survey. Sleep Research 1976;5:62.
7. Mindell JA, Durand VM. Treatment of childhood sleep disorders: Generalization across disorders and effects on family members. Special issue: Interventions in pediatric psychology. J Ped Psychol 1993;18:731-750.
8. Dohnt H, Gradisar M, Short MA. Insomnia and its symptoms in adolescents: comparing DSM-IV and ICSD-II diagnostic criteria. J Clin Sleep Med 2012;8:295–9.
9. Roberts RE, Roberts CR, Chan W. Persistence and change in symptoms of insomnia among adolescents. Sleep 2008;31:177-84.
10. Zhang J, Li AM, Kong AP, Lai KY, Tang NL, Wing YK. A community-based study of insomnia in Hong Kong Chinese children: Prevalence, risk factors and familial aggregation. Sleep Med 2009;10:1040-6.
11. Billows M, Gradisar M, Dohnt H, Johnston A, McCappin S, Hudson J. Family disorganization, sleep hygiene, and adolescent sleep disturbance. J Clin Child Adolesc Psychol 2009;38:745–52.
12. American Academy of Sleep Medicine. International classification of sleep disorders, 3rd ed. Darien, IL: American Academy of Sleep Medicine, 2014.
13. American Academy of Sleep Medicine. International Classification of Sleep Disorders, Diagnostic and Coding Manual, 2nd ed. Westchester: American Academy of Sleep Medicine, 2005.
14. Morgenthaler TI, Owens J, Alessi C, Boehlecke B, Brown TM, Coleman Jr. J, Friedman L, Kapur VK, Lee-Chiong T, Pancer J, Swick TJ. Practice parameters for behavioral treatment of bedtime problems and night wakings in infants and young children. SLEEP 2006;29(10):1277-1281.
15. Mindell JA, Kuhn B, Lewin DS, Meltzer LJ, Sadeh A. Behavioral treatment of bedtime problems and night wakings in infants and Young children. SLEEP 2006;29(10):1263-1276.
16. Tordjman S, Anderson GM, Pichard N, Charbuy H, Touitou Y. Nocturnal excretion of 6-sulphatoxymelatonin in children and adolescents with autistic disorder. Biol Psychiatry 2005;57:134-8.
17. Goldman SE, Adkins KW, Calcutt MW, Carter MD, Goodpaster RL, Wang L, Shi Y, Burgess HL, Hachey DL, Malow BA. Melatonin in children with autism spectrum disorders: endogenous and pharmacokinetic profiles in relation to sleep. J Autism Dev Disord 2014;44:2525-35.
18. Heussler H, Chan P, Price AM, Waters K, Davey MJ, Hiscock H. Pharmacological and non-pharmacological management of sleep disturbance in children: an Australian paediatric research network survey. Sleep Med 2013;14:189-94.
19. Bruni O, Alonso-Alconada D, Besag F, Biran V, Braam W, Cortese S, Moavero R, Parisi P, Smits M, Van der Heijden K, Curatolo P. Current role of melatonin in pediatric neurology: Clinical recommendations. European Journal of Paediatric Neurology 2015;19:122-133.
20. Braam W, Keijzer H, Struijker Boudier H, Didden R, Smits M, Curfs L. CYP1A2 polymorphisms in slow melatonin metabolisers: a possible relationship with autism spectrum disorder? J Intellect Disabil Res 2013;57:993-1000.

Transtornos do Ritmo Circadiano

5

John Fontenele-Araujo
Claudia Moreno

1. Introdução

Desde que publicamos, em 2013, o capítulo "Distúrbios do Sono Relacionados ao Ritmo Circadiano"[1], várias novidades surgiram na interação entre a Medicina do Sono e Cronobiologia. O crescimento da importância da ritmicidade circadiana para a medicina fez o cronobiologista americano propor o termo Medicina Circadiana em uma recente revisão na revista *Science*[2]. Os transtornos do sono relacionados ao ritmo circadiano são importantes para a medicina de sono devido sua alta prevalência. Além disso, é necessário levá-los em conta no diagnóstico diferencial de outros transtornos do sono, principalmente a insônia[3].

Atualmente, já temos um conjunto de estratégias terapêuticas definidas e com bons resultados para tratá-los[4], inclusive, hoje é permitido a comercialização da melatonina no Brasil. Além disso, sabemos que os distúrbios da ritmicidade circadiana são um problema grave para saúde, por exemplo, o Instituto de Pesquisa sobre o Câncer da Organização Mundial de Saúde classificou o trabalho em turnos como um provável fator cancerígeno (Grupo 2A)[5]. Neste capítulo atualizado, apresentaremos os principais avanços clínicos que ajudaram os colegas médicos na melhor compreensão da fisiopatologia, do diagnóstico e do tratamento dos transtornos do sono relacionados com o ritmo circadiano.

Para ilustrar um ritmo circadiano regular, apresentamos na Figura 5.1 um registro do ritmo de atividade e repouso feito pela técnica de actimetria (para mais detalhes, veja o Capítulo 5) durante 100 dias contínuos. No actograma podemos ver que a atividade está concentrada na fase do dia, das 6h até 24h, e a fase de repouso/sono das 24h até 6h. Esse é um exemplo em que o ciclo sono-vigília é regular, com um período de 24 horas, ou seja, circadiano, e que o voluntário apresenta uma duração de sono de aproximadamente seis horas. Nota-se na figura alguns momentos em que o início de sono foi atrasado, mas sem consequência para o padrão geral da ritmicidade do ciclo sono-vigília. Esse é um registro típico que mostra o padrão do ciclo sono-vigília normal. No Capítulo 1, mais detalhes sobre o funcionamento da ritmicidade circadiana estão descritos.

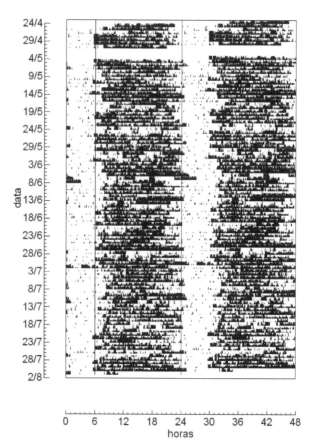

FIGURA 5.1 – Ritmo de atividade-repouso com um padrão circadiano e regular elaborado a partir de registro pela técnica de actimetria.
Dados obtidos no Laboratório de Neurobiologia e Ritmicidade Biológica do Departamento de Fisiologia da UFRN.

2. Classificação

Já desde a segunda edição da Classificação dos Transtornos de Sono (ICSD-2), lançada pela Associação Americana de Medicina do Sono em 2005, havia os Transtornos do Sono Relacionados ao Ritmo Circadiano e estes foram mantidos na ICCD-3, lançada em 2014. Os diagnósticos desses transtornos são baseados em uma história clínica coletada de maneira cuidadosa, em diários de sono e registro de actimetria que devem ser coletados por, no mínimo, uma semana (sete dias), porém o ideal é uma coleta de 14 dias. Informações complementares são importantes para a caracterização da ritmicidade circadiana, como as preferências do indivíduo para a realização de atividades/repouso, avaliadas por questionários como o Horne-Östberg, por exemplo, ou o cronotipo, que pode ser avaliado pelo questionário de Munique[6,7]. Além disso, medidas fisiológicas de fase do ritmo circadiano, tais como os níveis de melatonina salivar ou plasmática podem contribuir como elementos complementares para o diagnóstico.

A descrição a seguir dos diferentes TSRC foi baseada nos critérios publicados na Classificação Internacional de Transtornos do Sono[8,9]. Segundo esta classificação, para a definição dos TSRC:

- Existe um padrão persistente ou recorrente de Transtorno do sono que é devido primariamente às alterações do sistema de temporização circadiana ou de um desalinhamento entre o ritmo circadiano endógeno e os fatores exógenos que afetam o sincronismo ou a duração do sono;
- A perturbação do sono relacionado à ritmicidade circadiana leva à insônia, à sonolência diurna excessiva, ou ambas;
- O transtorno de sono é associado com comprometimento social, ocupacional, ou outras áreas de funcionamento social.

Os transtornos do sono relacionados ao ritmo circadiano geralmente ocorrem quando há uma dessincronização entre os ritmos biológicos coordenados pelo relógio biológico e o padrão do ciclo sono-vigília desejado ou imposto socialmente. Essa dessincronização circadiana altera o momento do sono e da vigília, que ocorrem em momentos inapropriados ou indesejáveis. Os transtornos do sono relacionados à ritmicidade circadiana podem ser causados por uma fase anormal dos ritmos circadianos (síndrome do avanço ou síndrome do atraso de fase do sono), ou dessincronização temporária dos ritmos endógenos e os horários do dia (turno e *jet lag*), ou causados pela redução da amplitude dos ritmos circadianos (sono irregular) e ou falha na sincronização ao comprimento do dia imposto (sono em livre-curso ou sono não 24 horas).

3. Mudanças de fuso-horário – *jet lag*

O transtorno conhecido como síndrome de *jet lag* é reconhecido pela Academia Americana de Medicina de Sono. Esse transtorno é diagnosticado por meio dos seguintes critérios[10]:

- O paciente tem uma queixa primária de insônia ou sonolência excessiva.
- Existe um transtorno do padrão circadiano de sono-vigília normal.
- Os sintomas se iniciam 1 a 2 dias após viagem aérea com diferença de pelo menos dois fusos horários entre os locais de partida e chegada.
- Pelo menos dois dos seguintes sintomas estão presentes:
    - Desempenho diurno prejudicado;
    - Apetite ou função gastrointestinal alterada;
    - Aumento da frequência de despertares noturnos para urinar;
    - Mal-estar geral.
- A PSG e o TLMS demonstram uma perda do padrão normal do ciclo sono-vigília.
- Nenhuma outra doença clínica ou mental pode ser responsável pelos sintomas.
- Os sintomas não preenchem critérios para nenhum outro transtorno do sono que produza insônia ou sonolência excessiva (por exemplo: transtorno do sono relacionado à mudança de fuso horário).

Critérios mínimos:
- Critérios A + C

Graus de severidade:
- Leve: insônia ou sonolência excessiva leves;
- Moderada: insônia ou sonolência excessiva moderadas;

- Grave: insônia ou sonolência excessiva graves.

Critérios de duração:

- Aguda: duração de sete dias ou menos;
- Subaguda: duração de sete dias a três meses. Os sintomas estão associados a mais de um episódio de mudança de fuso horário;
- Crônica: duração maior do que três meses. Os sintomas estão associados a vários episódios de mudança de fuso horário.

Em essência, a síndrome de *jet lag* é uma consequência do desajuste que ocorre após viagens em que se cruzam vários fusos horários tão rápido que o sistema circadiano não é capaz de manter uma sincronização com o ciclo claro-escuro ambiental[11]. Além disso, acrescenta-se a fadiga e a insuficiência de sono decorrente da viagem. Vale ressaltar que os sintomas da *jet lag* são agravados com o uso de café e álcool.

A intensidade dos sintomas depende de vários fatores:

- Número de fusos horários;
- Direção da viagem (pior em viagens no sentido para o leste);
- Habilidade do passageiro dormir durante o voo;
- Viabilidade e intensidade da pista temporal circadiana no local de chegada; e
- Diferenças individuais relacionadas à tolerância aos desajustes circadianos[12].

O tratamento para *jet lag* deve ser orientado para evitar o mínimo possível de desajustes na ritmicidade circadiana. Por isso, em viagens curtas, principalmente no caso da tripulação, é recomendável manter o mesmo padrão de ritmo que o paciente se encontrava antes da viagem. Nesse caso, o paciente deve dormir e ficar acordado no horário habitual e não no novo horário. Isso é possível quando o tempo de permanência no novo fuso horário é de apenas dois dias.

Uma abordagem sempre recomendada é a preventiva: fazer um processo de adaptação lento previamente à viagem. Atrasar ou avançar uma hora por dia o horário de ir dormir facilitará a adaptação ao novo fuso horário e abolirá ou, pelo menos, reduzirá os sintomas da *jet lag*. Essa adaptação pode ser realizada em conjunto com melatonina, fazendo o uso de um comprimido de melatonina (0,5 ou 3 mg), uma hora antes de ir pra cama por três dias. Após a chegada, a melatonina deve ser continuada por cinco dias, uma hora antes do novo horário de sono desejado, conforme descrito na Figura 5.2.

Para o tratamento da síndrome de *jet lag* o uso de luz intensa (em alguns casos, luz artificial) é necessário e recomendado. O uso de luz intensa deve ser aplicado nas primeiras horas da manhã quando o objetivo for avançar o ritmo circadiano (voo para o leste) e no início da noite quando o objetivo for atrasar (voos para o oeste). Todavia, devemos ter o cuidado em voos com muitos fusos horários, mais que oito, pois nesses casos a luz pode ter efeito inverso, isto é, será aplicada em horários circadianos opostos aos desejados. Assim, nessas condições, devemos orientar os pacientes que evitem luz no início da manhã e à noite.

Já existem no mercado diversos sistemas portáteis de luz intensa, mas o seu transporte por passageiros ainda não é possível. Devemos levar em conta que pacientes com alguns problemas visuais não devem utilizar o sistema de luz intensa, principalmente nos casos de catarata lenticular e degeneração retiniana.

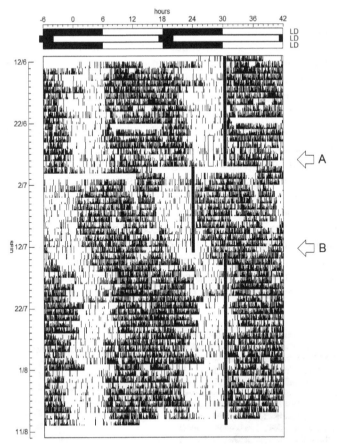

FIGURA 5.2 – Padrão do ciclo sono-vigília de um sujeito ao realizar uma viagem transmeridiana. A: Representa o dia do voo no sentido leste para +5 horas. B: Representa o momento do voo para oeste para -5 horas. A barra branca identifica os momentos em que o sujeito tomou 3 mg de melatonina.
Dados obtidos no Laboratório de Neurobiologia e Ritmicidade Biológica do Departamento de Fisiologia da UFRN.

4. Trabalhos em turnos

O Transtorno de Sono Relacionado ao Trabalho em Turnos ocorre quando há perturbação no ciclo sono e vigília em decorrência de trabalho em horários regulares, isto é, fora "do horário diário normal do trabalho". Como nós, seres humanos, somos diurnos, o trabalho à noite obriga a vigília noturna, o que não é "biologicamente natural" e leva tanto à redução do desempenho quanto à sonolência diurna[11].

No Brasil, o Manual de Procedimentos para os serviços de saúde inclui esse transtorno como uma Doença Relacionada ao Trabalho em duas condições: Transtorno do Ciclo Vigília-Sono devido a Fatores Não Orgânicos e Distúrbios do Ciclo Vigília-Sono (F51.2 e G47.2 do CID-10, respectivamente)[13]. Isso é particularmente importante, quando se observa uma tendência para o aumento do número de trabalhadores em turnos no país. Hoje, cerca de 20% da população ativa do Brasil trabalha em turnos, dados semelhantes aos da Europa e EUA, onde 15% a 20% da força de trabalho trabalham em turnos que incluem o turno noturno. Embora mais prevalente nos trabalhadores da área de saúde (30%), pode ser observado na indústria de máquinas, transportes, comunicações, lazer e setor hoteleiro, dentre outros setores da economia. Existem diversos tipos de trabalho em turnos, tanto em relação ao sentido da rotação, quanto a duração dos turnos e das folgas. Diferentes tipos de trabalho em turnos provocam consequências diferentes[10]. Todavia, é quando o turno noturno está incluído em que ocorrem os transtornos da ritmicidade circadiana. Motoristas profissionais que trabalham segundo a demanda da carga transportada têm uma jornada irregular de trabalho, incluindo o trabalho noturno. O horário irregular do trabalho altera os horários de dormir e acordar, como pode ser observado na Figura 5.3.

Dados da literatura sugerem que 1% a 5% da população geral e, aproximadamente, 30% da população que trabalha em turnos apresentam Transtorno do Sono Relacionados ao Trabalho em Turnos[11]. Se por um lado, a porcentagem de trabalhadores em turnos que apresenta o transtorno é elevada, por outro, chama a atenção que nem todos os trabalhadores em turnos se queixam de transtorno do sono ou alterações na ritmicidade circadiana. Por isso, dizemos que o Transtorno de Sono Relacionado ao Trabalho em Turnos é uma intolerância ao trabalho em turnos. Temos também que levar em conta que as queixas desses pacientes não são somente devido às alterações na ritmicidade circadiana, mas também decorrente das alterações homeostáticas do sono, além dos problemas sociais e familiares causados pelo trabalho em turnos. É a soma desses fatores que vai provocar a intolerância ao trabalho em turnos e, consequentemente, o desenvolvimento do Transtorno de Sono Relacionado ao Trabalho em Turnos.

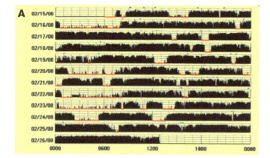 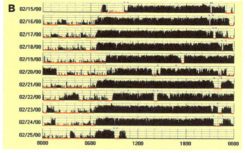

FIGURA 5.3 – A: Actograma de motorista de caminhão que trabalhava em horário de trabalho irregular, incluindo o trabalho noturno. B: Actograma de motorista de caminhão que trabalhava em horário de trabalho regular (somente durante o dia). Cada linha corresponde a 24 horas (de 00:00 a 00:00 h). Barras pretas referem-se à atividade e traços vermelhos ao sono.

Dados cedidos pela Profa. Claudia Moreno do Laboratório de Cronobiologia e Ergonomia da Faculdade de Saúde Pública da USP.

A Classificação Internacional dos Transtornos do Sono lista o Transtorno de Sono Relacionado ao Trabalho em Turnos como um Transtorno Relacionado à Ritmicidade Circadiana. O DSM-V coloca-o como um subtipo do Transtorno de Sono Relacionado à Ritmicidade Circadiana. As principais queixas desses pacientes são insônia e sonolência excessiva que ocorrem transitoriamente entre os turnos. A maioria desses pacientes se queixa de dificuldade de dormir após uma noite de trabalho e apresenta muitas outras queixas no início da manhã.

Para o diagnóstico é fundamental a história clínica, principalmente para afastar narcolepsia e apneia de sono. O diário de sono e a actimetria devem ser utilizados por duas semanas, preferencialmente durante os dias de trabalho e de folga. Em caso de suspeita de que a queixa de sonolência é decorrente de apneia de sono ou narcolepsia, uma polissonografia é recomendada. Com relação à narcolepsia, um Teste de Latência Múltipla de Sono é necessário para esclarecimentos quando há dúvidas sobre a causa real da sonolência excessiva[9].

O tratamento do Transtorno de Sono Relacionado ao Trabalho em Turnos é dividido em duas grandes categorias: 1 – com objetivo de melhorar o sono (higiene do sono e hipnóticos de meia-vida curta; 2 – com objetivo de ajustar o ritmo circadiano (terapia com luz e melatonina)[12]. O Quadro 5.1 apresenta sugestões em relação à higiene do sono. Com relação ao uso de hipnóticos, tais como o modafinil, veja o Capítulo 4.

QUADRO 5.1 Orientações sobre higiene do sono
Procure dormir e levantar sempre nos mesmos horários;
No quarto de dormir tenha sempre um ambiente agradável, com temperatura confortável, escuro e sem ruído;
Não assista TV na cama;
Tome banho morno antes de deitar;
Pratique atividades físicas pela manhã ou até 4 horas antes de dormir;
Não durma com fome. Faça um lanche leve;
Evite bebidas cafeinadas e álcool antes de deitar;
Evite o fumo;
Evite pensar em problemas na hora de dormir;
Faça atividades relaxantes e repousantes após o jantar;
Vá para cama quando estiver com sono.

O uso de luz artificial intensa tem sido avaliado em vários estudos, que demonstram que um tratamento com uma intensidade a partir de 1.200 lux durante o trabalho noturno é suficiente para melhorar os níveis de alerta e duração entre 3 e 6 horas durante os turnos noturnos tem se mostrado eficaz[10]. É importante ressaltar que a exposição à luz intensa durante o trabalho noturno deve ocorrer em horário adequado do ponto de vista do sistema de temporização circadiano, isto é, antes do nadir da temperatura corporal (que ocorre por volta das 3h). Utilizando-se a dose adequada (intensidade, duração e horário de administração), o uso de luz intensa no trabalho promove atraso de fase dos ritmos, atrasando o início do sono, além de aumentar os níveis de alerta do trabalhador e, consequentemente, seu desempenho. Recomenda-se a administração da luz intensa especialmente durante as três primeiras noites de trabalho noturno.

O uso de óculos escuros no deslocamento do trabalho para casa a fim de evitar a exposição à luz nas primeiras horas da manhã tem se mostrado eficiente na melhora do ajuste de fase mesmo na ausência de tratamento com luz artificial[13]. Estudos também sugerem que sentar próximo a janelas durante o turno diurno (no caso de trabalhadores em turnos alternantes) auxilia a recuperação da orientação diurna e promove o aumento do alerta durante o trabalho.

5. Síndrome do atraso da fase de sono

O Transtorno do Sono Relacionado ao Ritmo Circadiano conhecido como Síndrome do atraso da fase de sono é caracterizado pelo atraso do início do sono e pelo despertar de três a seis horas mais tarde do que o horário desejado ou socialmente conveniente. Nessa síndrome, os pacientes geralmente se queixam da incapacidade de dormir antes das 2h -

6h e de acordar antes das 10h - 13h. Esses pacientes se queixam da dificuldade em iniciar o sono, mas após o seu início, o sono é normal. Quando os pacientes podem dormir em horários desejados, como nos fins de semanas ou férias, o ciclo sono-vigília é estável e não há queixas. Um caso ilustrativo é apresentado na Figura 5.4. Não existem muitos estudos epidemiológicos sobre a síndrome do atraso da fase de sono. Um estudo indica uma prevalência de 0,17% - 1,53%[12]; outros estudos baseados em pacientes atendidos em serviços especializados sugerem que em pacientes com sintomas de insônia a prevalência seja de 6,7% - 17%[13] e em adolescentes seja de 3,3% - 7,3%[14-16].

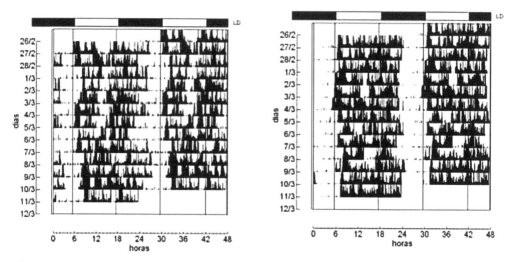

FIGURA 5.4 – Registro do ciclo sono-vigília de um jovem de 20 anos com síndrome do atraso de fase do sono. Dados obtidos no Laboratório de Neurobiologia e Ritmicidade Biológica do Departamento de Fisiologia da UFRN.

As principais queixas desses pacientes são insônia, sonolência diurna e comprometimento das funções mentais, principalmente nas primeiras horas da manhã. Geralmente, estes pacientes fazem uso de álcool ou hipnóticos sedativos e estimulantes. As atividades pessoais, sociais, escolares, de trabalho ou recreativas que ocorrem à noite contribuem com a perpetuação e agravamento do quadro clínico. Chamamos atenção para os pacientes jovens, na faixa etária dos 13 aos 21 anos, principalmente para aqueles que apresentam redução no rendimento escolar ou comportamento de risco. Nesses casos, é importante fazer uma avaliação clínica cuidadosa e caso o paciente esteja dentro dos critérios diagnósticos fazer um tratamento adequado.

O tratamento para estes pacientes é o uso de melatonina cinco horas antes de ir para cama, na dose de 5 a 10 mg. Além disso, recomenda-se o uso de luz intensa com intensidade de 2.000 a 10.000 lux por uma a duas horas no início da manhã. Deve ser evitada a exposição à luz no fim da noite. Para a realidade brasileira, o uso de luz intensa pode ser a natural, a luz solar. Especialmente nas cidades do litoral, é recomendado um passeio pela orla marítima nas primeiras horas da manhã. Um tratamento natural e agradável e de fácil adesão pelos pacientes[17]. Outra possibilidade é a cronoterapia. Orientações com objetivos de regularizar o ciclo sono-vigília são impostas, e no caso dos pacientes com o atraso da fase de sono, deve-se provocar um atraso progressivo do início do sono e do acordar até que a fase do sono esteja coincidindo com a fase desejada. A cronoterapia não é de fácil adesão e necessita de profissionais treinados. São necessárias novas abordagens e estratégias para que a cronoterapia seja mais eficiente. Existe um excelente livro[5] sobre cronoterapia, porém ainda não divulgado em português. Informações adicionais podem ser encontradas no site do projeto "Center for Environmental Therapeutics" - www.cet.org.

Os critérios para diagnosticar o síndrome do atraso de fase do sono consistem:

- Existe um atraso de fase no período de sono em relação ao horário desejado de sono e o horário de acordar, como é evidenciado pela crônica ou recorrente queixa de inabilidade de dormir no horário convencional, associado com a inabilidade de acordar nos horários desejados e aceitáveis socialmente;
- Quando é permitido escolher seus horários preferidos, os pacientes irão exibir uma duração e qualidade de sono normal para sua idade e mantendo o atraso, mas apresentando uma fase estável de arrastamento do padrão de sono-vigília de 24 horas;
- Diários de sono e actigrafia, durante pelo menos sete dias, demonstram um atraso estável no período de sono habitual;
- O transtorno de sono não é mais bem explicado por nenhum outro atual transtorno de sono, médico, neurológico e mental, uso de medicamento, ou abuso de substância.

TABELA 5.1
Características das síndromes do atraso e do avanço da fase de sono

Tipo	Horário do ciclo sono e vigília	População afetada	Tratamento
Síndrome do atraso da fase de sono	Ir pra cama 2h - 6h Acordar: 10h - 13h	Comum em adolescentes	**Melatonina**: 5 a 10 mg, 5 horas antes de dormir **Luz** (1 a 2 horas de 2.000 a 10.000 lux pela manhã) **Cronoterapia**: atrasar a ida para a cama progressivamente
Síndrome do avanço da fase de sono	Ir pra cama 18h - 21h Acordar: 2h - 5h	Rara, especialmente nos jovens	**Luz** (1 a 2 horas de 2.000 a 10.000 lux pela noite) **Cronoterapia**: avançar a ida para a cama progressivamente

6. Síndrome do avanço da fase de sono

O transtorno de sono relacionado com a ritmicidade circadiana, conhecido como síndrome do avanço da fase de sono, é caracterizado por um avanço no início do sono e no acordar. Os pacientes com esse transtorno geralmente relatam que começam a sentir sono em torno das 18h e acordam às 2h. Esse transtorno está associado com o envelhecimento e a ocorrência em jovens é rara. Estima-se que 1% dos idosos apresente avanço na fase do sono. Casos familiares são relatados e associados com uma mutação no sítio de fosforilação do gene relógio hPer2 ou uma mutação no gene da caseína quinase delta.

Para o diagnóstico da síndrome do sono da fase avançada, é necessário que seja feito um diário de sono ou actigrafia por no mínimo sete dias, sendo duas semanas um tempo mais adequado. O uso de questionário para identificar as preferências temporais individuais ou o cronotipo é sugerido, como o questionário Horne-Ostberg que tem sido usado largamente na população brasileira ou o questionário de Munique.

O tratamento da síndrome do sono da fase avançada inclui cronoterapia, exposição à luz intensa à noite e hipnóticos nas primeiras horas da manhã. A adesão à cronoterapia não é tão simples e seus efeitos são mais demorados, por isso, o tratamento com luz é o principal, e podemos usar também a estratégia de solicitar que o paciente fique em ambiente com muita luz durante o início da noite. O uso de hipnótico nas primeiras horas da manhã deve ser realizado com muita cautela, pois o mesmo pode provocar efeitos adversos, prejudicando o desempenho e nas atividades diárias.

Os critérios diagnósticos para a síndrome do sono da fase avançada são:
- O paciente tem uma queixa de incapacidade de se manter acordado até um horário desejado de dormir à noite e de permanecer dormindo até um horário desejado pela manhã.
- Existe um avanço do início do principal período de sono em relação ao horário de início do sono desejado.
- Os sintomas estão presentes há pelo menos três meses.
- Quando não se exige do paciente que se durma em um horário desejado (mais tarde) o mesmo apresentará os seguintes achados:
    - Terá um período de sono de duração e qualidade adequados que se inicia antes do horário desejado.
    - Acordará espontaneamente antes do horário desejado.
    - Manterá um ciclo de sono-vigília de 24 horas, regular.
- A PSG realizada em um período de 24 a 36 horas demonstra um avanço no horário do principal período de sono.
    - Os sintomas não preenchem critérios para nenhum outro distúrbio do sono que produza insônia ou sonolência excessiva.
- Critérios mínimos:
    - Critérios A + C + F.

Graus de severidade:
- Leve: o paciente é normalmente incapaz, em um período de duas semanas, de permanecer acordado pelo menos por duas horas antes do horário desejado de dormir. A desordem geralmente está associada a sintomas de insônia leve ou sonolência diurna excessiva leve.
- Moderada: o paciente é normalmente incapaz, em um período de duas semanas, de permanecer acordado pelo menos por três horas antes do horário desejado de dormir. A desordem geralmente está associada a sintomas de insônia moderada ou sonolência diurna excessiva moderada.
- Grave: o paciente é normalmente incapaz, em um período de duas semanas, de permanecer acordado pelo menos por quatro horas antes do horário desejado de dormir. A desordem geralmente está associada a sintomas de insônia grave ou sonolência diurna excessiva grave.
- Critérios de duração:
    - Aguda: duração de seis meses ou menos.
    - Subaguda: duração de mais de seis meses e menos de um ano.
    - Crônica: duração maior do que um ano.

7. Transtorno do ciclo sono-vigília não 24 horas

O transtorno ciclo sono-vigília não 24 horas (também chamado de transtorno do sono em livre-curso) é caracterizado por um ciclo sono-vigília com um período de 1 a 2 horas maior que 24 horas. Isso implica um atraso diário no início do sono e no horário de acordar. Quando os pacientes tentam manter o sono e a vigília nos momentos convencionais, eles passam a apresentar os sintomas de insônia, despertar precoce ou tardio e sonolência excessiva diurna. Porém, quando os pacientes apresentam a fase de sono ajustada com os momentos convencionais, eles apresentam um padrão de sono normal.

Este transtorno ocorre em decorrência da perda da capacidade do sistema circadiano de se ajustar às pistas temporais do ambiente, tais como o claro-escuro ou pistas sociais. Isto é mais comum nos pacientes com cegueira total ou traumatismo craniano com lesão occipital (Figura 5.5). Estima-se que 50% dos cegos totais apresentem Transtorno de sono em livre-curso e que 70% se queixem de algum transtorno de sono.

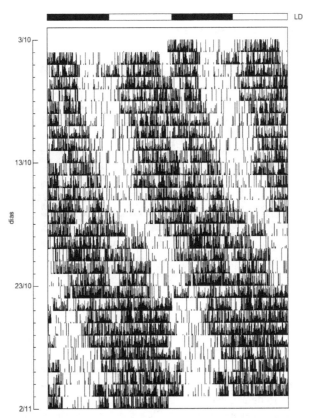

FIGURA 5.5 – Padrão em livre curso do ciclo sono-vigília de um paciente cegos.
Dados obtidos no Laboratório de Neurobiologia e Ritmicidade Biológica do Departamento de Fisiologia da UFRN.

Para o diagnóstico é recomendado o uso do diário de sono e actimetria por no mínimo 1 semana, embora o ideal seja de 14 a 30 dias para uma boa caracterização do transtorno. A realização de uma polissonografia em uma fase de sono normal é recomendada para os pacientes com sonolência excessiva diurna de alta intensidade.

Para os pacientes cegos, o tratamento com melatonina, 0,5 mg, 1 hora antes do início do sono tem se mostrado eficaz em vários estudos. Atualmente, recomendamos o uso de melatonina ou seu agonista e uma padrão de atividade social e de trabalho regular.

8. Ciclo sono-vigília irregular

O transtorno de sono com o ciclo sono-vigília irregular, ou arrítmico, é caracterizado pela ausência de um claro ritmo circadiano do ciclo sono-vigília. Estes pacientes se queixam de insônia e sonolência excessiva. Geralmente, a quantidade total de sono por dia é normal, porém o sono é fragmentado em vários episódios (mínimo de três). Esses episódios variam de duração, e cochilos são os mais prevalentes. Embora esse transtorno seja raro, está relacionado principalmente com demência, crianças com retardo mental ou lesões cerebrais. Também pode acontecer de pacientes vespertinos extremos não conseguirem se ajustar aos horários sociais nem apresentarem o ritmo em livre curso (Figura 5.6). O tratamento para essa condição é um conjunto de estratégias comportamentais, tais como um horário de atividade regular, aumento da luminosidade e de atividade física durante o dia. Especialmente para crianças com retardo mental e pacientes com demência, o uso de melatonina tem se mostrado bastante eficaz.

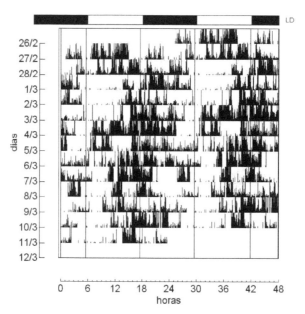

FIGURA 5.6 – Padrão do ciclo sono-vigília de um paciente como o sono não 24 horas, ou seja, irregular. Este padrão é decorrente do não ajuste da ritmicidade circadiana com os horários sociais impostos. Nesse caso, há uma incapacidade de sincronização da ritmicidade circadiana com as pistas ambientais, isso em decorrência do horário das aulas ter início as 7h, o que faz com que o estudante receba luz intensa pela manhã, provocando avanço no relógio circadiano. De maneira oposta, ele também recebe luz à noite, provocando atrasos, e assim, o sistema circadiano fica incapaz de regularizar o ciclo sono-vigília. As consequências para essa situação são graves, mas infelizmente são muito comuns nas escolas médicas.
Dados obtidos no Laboratório de Neurobiologia e Ritmicidade Biológica do Departamento de Fisiologia da UFRN.

9. Conclusão

Os transtornos do sono relacionados com o ritmo circadiano são importantes, pois, primeiramente, as principais queixas são insônia e sonolência diurna, dois achados clínicos comuns aos diversos outros transtornos do sono. Por isso, em todo paciente com queixa genérica de transtorno de sono é sempre importante levantar como hipótese diagnóstica os transtornos do sono relacionados ao ritmo circadiano[18]. Um detalhamento das diretrizes para o diagnóstico e tratamento dos transtornos do sono relacionados ao ritmo circadiano pode ser encontrado em Auger et al., 2015[19].

O segundo aspecto que evidencia a importância dos transtornos do sono relacionados à ritmicidade circadiana é a gravidade dos problemas que esses transtornos causam, além disso, essas alterações são inicialmente silenciosas, mas como são transtornos crônicos e muitas vezes não valorizados pelos pacientes e, às vezes, nem pelos médicos, as consequências podem ser desastrosas[20]. Por exemplo, no Brasil temos aproximadamente 1,5 milhão de cegos totais, e dentre esses há uma grande quantidade que apresenta transtornos de sono não 24 horas, os quais necessitam de tratamento. Uma boa notícia é que, atualmente, é permitido a comercialização de melatonina no Brasil (em farmácias de manipulação), o que poderá ajudar em muito desses pacientes e outros com transtornos do sono relacionados ao ritmo circadiano. Todavia, o custo da melatonina ainda é caro e não temos segurança da qualidade do produto que está sendo vendido no mercado nacional.

Existem várias evidências de que transtornos do sono relacionados ao ritmo circadiano provocam alterações no desempenho diário. Estudos com animais demonstram que parte da nossa capacidade de memória é dependente da fase do ritmo circadiano[21] e que perturbações na ritmicidade biológica provocam déficit de memória[22]. Além dessas evidências em modelos animais, existem diversos estudos com humanos, alguns incluindo estudantes de medicina[23] que demonstram que a irregularidade no ciclo sono-vigília provoca déficit no desempenho. Um aspecto importante que devemos ter em mente, é que os ambientes hospitalares não estão organizados respeitando a ritmicidade biológica dos pacientes, e isto em parte é um dos fatores causadores de transtorno do sono relacionados à ritmicidade Circadiana em pacientes hospitalares[24]. Por isso, temos chamado atenção para esse aspecto de que os profissionais de saúde também precisam fazer uma higiene de sono hospitalar[25].

Atualmente, sabemos que existem evidências de que o trabalho em turnos que envolve turno noturno e que provoca transtorno da ritmicidade circadiana seja um fator carcinogênico (especialmente câncer de próstata). Adicionalmente, fortes evidências em modelos animais experimentais mostraram que perturbações na ritmicidade circadiana é um fator carcinogênico. Isto em conjunto levou a Agência para Pesquisa em Câncer da Organização Mundial de Saúde a concluir que "o trabalho em turnos que envolve perturbação na ritmicidade circadiana é provavelmente carcinogênico para o ser humano (Grupo 2A – IARC Monografia – Volume 98)[26].

QUADRO 5.2
Diagnóstico dos transtornos do sono relacionados ao ritmo circadiano

Critérios
- Padrão persistente ou recorrente de Transtorno do sono que é devido primariamente às alterações do sistema de temporização circadiana ou de um desalinhamento entre o ritmo circadiano endógeno e os fatores exógenos que afetam o sincronismo ou a duração do sono.
- A perturbação do sono relacionado à ritmicidade circadiana leva à insônia, à sonolência diurna excessiva, ou ambas.
- O transtorno de sono é associado com comprometimento social, ocupacional, ou outras áreas de funcionamento social.

Técnicas
- Diário de sono.
- Cronotipo:
    - Questionário de matutinidade-vespertinidade;
    - Questionário de Munique.
- Actimetria.

QUADRO 5.3
Tratamento dos transtornos do sono relacionados ao ritmo circadiano

As principais estratégias terapêuticas utilizadas são:

Para melhorar o sono noturno:

- Higiene de sono
- Hipnótico de curta duração

Para ajustar o ritmo circadiano:

- Pulsos de luz
- Melatonina
- Cronoterapia

■ Referências bibliográficas

1. Araujo, John Fontenele. Distúrbios do Sono Relacionados à Ritmicidade Circadiana. In: Luciano Ribeiro Pinto Jr. (Org.). Sono e Seus Transtornos: do Diagnóstico ao Tratamento. 1ed.Sao Paulo: Editora Atheneu, 2012, v. 1, p. 85-98.
2. Turek, FW. Circadian clocks: Not your grandfather's clock. Science, 354 (6315): 992-993, 2016.
3. Manthena P, Zee PC. Neurobiology of circadian rhythm sleep disorders. Current Neurology and Neuroscience Reports 6:163-168, 2006.
4. Reid KJ. Zee PC. Circadian Rhyhtm Disorders. Seminar in Neurology 29:393-405, 2009.
5. IARC monographs on the evaluation of carcinogenic risks to humans. Painting, firefighting, and shiftwork / IARC Working Group on the Evaluation of Carcinogenic Risks to Humans, v. 98, 2007: Lyon, France.
6. Horne J, Östberg O. A self-assessment questionnaire to determine morningness-eveningness in human circadian rhythms. Int J Chronobiol 4(2):97-110, 1976.
7. Roenneberg T, Wirz-Justice A, Merrow M. Life between clocks: daily temporal patterns of human chronotypes. J Biol Rtythms 18(1):80-90, 2003.
8. American Academy of Sleep Medicine (2014) International classification of sleep disorders, 3rd edn. American Academy of Sleep Medicine, Darien
9. Thorpy, M. International Classification of Sleep Disorders, Cap 27. In S. Chokroverty (ed.), Sleep Disorders Medicine, Springer, New York 2017
10. Araújo, John F.; Nobrega PVN . Transtorno do Ritmo Sono e Vigília. In: Jaquim Pereira Brasil Neto; Osvaldo M. Takaynagui. (Org.). Tratado de Neurologia da Academia Brasileira de Neurologia. 1ed. Rio de Janeiro: Elsevier, 2013, v. 1, p. 449-458.
11. Auger RR, Morgenthaler TI. Jet lag and other disorders relevant to the traveler. Travel Medicine and Infections Disease, 7:60-68, 2009.
12. Sack RL. The Pathophysiology of jet lag. Travel Medicine and Infections Disease 7:102-110, 2009.
13. Doenças relacionadas ao trabalho: manual de procedimentos para os serviços de saúde / Ministério da Saúde do Brasil, Organização Pan-Americana da Saúde no Brasil; organizado por Elizabeth Costa Dias; colaboradores Idelberto Muniz Almeida et al. – Brasília: Ministério da Saúde do Brasil, 2001.
14. Almondes KM, Araujo, J.F. The impact of different shift work schedules on the levels of anxiety and stress in workers in a petrochemicals company. Estudos de Psicologia (Campinas) 26:15-23, 2009.
15. Monk TH. Shift Work: Basic Principles. In: MH Kryger, T Roth & WC Dement eds; Principles and Practice of Sleep Medicine. 4th ed. Philadelphia: Elsevier, pp 673-679, 2005.
16. Burges HJ, Sharkey KM, Eastman CL. Bright light, dark and melatonin can promote circadian adaptation in night shift workers. Sleep Med Rev 26:407-420, 2002.
17. Eastman CI, Stewart KT, Mahoney MP et al. Dark goggles and bright light improve circadian rhythm adaptation to night-shift work. Sleep 17:535-543, 1994.
18. Regestein QR, Nonk TH. Delayed sleep phase syndrome: a review of its clinical aspects. Am J Psychyatry 152: 602-608, 1995.
19. Micic G, Lovato N, Gradisar M, Ferguson SA, Burgess HJ, Lack LC (2016) The etiology of delayed sleep phase disorder. Sleep Med Rev 27:29–38

20. Weitzman ED, Czeisler CA, Coleman RM et al. Delayed sleep phase syndrome. A chronobiological disorder with sleep-onset insomnia. Arch Gen Psychiatry 38:737- 746, 1981.
21. Crowley SJ, Acebo C, Carskadon MA. Sleep, circadian rhythms, and delayed phase in adolescence. Sleep Med 8:602-612, 2007.
22. Pelayo RP, Thorpy MJ, Glovinski P. Prevalence of delayed sleep phase syndrome among adolescents. Sleep Res 17:392-403, 1988.
23. Cajochen C. Alerting effects of Light. Sleep Med Rev. 11:453-464, 2007.
24. Araujo JF. Transtorno do Ritmo Circadiano. In: Luciano Ribeiro Pinto Jr. (Org.). Manual para Diagnóstico e tratamento da Insônia. Rio de Janeiro: Elsevier, 35- 39, 2009.
25. Auger RR, Burgess HJ, Emens JS, Deriy LV, Thomas SM, Sharkey KM. Clinical practice guideline for the treatment of intrinsic circadian rhythm sleep-wake disorders: advanced sleep-wake phase disorder (ASWPD), delayed sleep-wake phase disorder (DSWPD), non-24-hour sleep-wake rhythm disorder (N24SWD), and irregular sleep-wake rhythm disorder (ISWRD). An update for 2015. J Clin Sleep Med 11(10):1199–1236, 2015.
26. Araujo JF, Marques N. Ampliação dos conhecimentos em cronobiologia e sono. Ciência Hoje 6:41-43, 2001.
27. Valentinuzzi V, Duque-Neto SP, Carneiro BTS, Santana KS, Araujo JF, Ralph MR. Memory for time of training modulates performance on a place conditioning task in marmosets. Neurobiology of Learning and Memory 89:604-607, 2008.
28. Duque-Neto SP, Carneiro BTS, Valentinuzzi V, Araujo JF. Dissociation of the circadian rhythm of locomotor activity in a 22h light-dark cycle impairs passive avoidance but not object recognition memory in rats. Physiology and Behavior 94:523-527, 2008.
29. Medeiros ALD, Mendes DBF, Lima PF, Araujo JF. The Relationships between Sleep- Wake Cycle and Academic Performance in Medical Students. Biological RhythmResearch 32:263-270, 2003.
30. Almondes KM, Mota NB, Araujo JF. Sleep-wake cycle pattern, sleep quality and complaints about sleep disturbances made by inpatients. Sleep Science 1:35 - 39, 2008.
31. Araujo JF. Higiene de sono hospitalar: uma abordagem clínica necessária. Jornal de Medicina (CFM), Sao Paulo, 2002.
32. Straif K, Baan R, Grosse Y et al. Carcinogenicity of shift-work, painting, and firefighting. Lancet Oncology 8:1065-1066, 2007.

6 Transtornos do Movimento Relacionados com o Sono

Raimundo Nonato Delgado Rodrigues
Leonardo Ierardi Goulart

1. Introdução

Segundo a última edição da Classificação Internacional dos Transtornos de Sono, essas condições ou grupos clínicos, são caracterizados de maneira geral, por "*movimentos relativamente simples, estereotipados, que podem perturbar o início do sono*". Embora a síndrome das pernas inquietas geralmente não envolva movimentos estereotipados propriamente ditos, é classificada nessa rubrica pela estreita associação que guarda com os movimentos periódicos dos membros[1].

Tão importante quanto a descrição de cada tipo individual é a compreensão ou a sistematização de sua abordagem prática. A seguir, enumeramos os TMRS de acordo com a International Classification of Sleep Disorders, edição 2014.

2. Classificação
- Síndrome das pernas inquietas;
- Transtorno de movimentos periódicos de membros;
- Cãibras em membros inferiores relacionadas ao sono;
- Bruxismo relacionado ao sono;
- Transtorno de movimentos rítmicos relacionados ao sono;
- Mioclonia do sono benigna da infância;
- Mioclonus proprioespinhal do início do sono;
- Transtorno de movimento relacionado ao sono de origem medicamentosa;
- Transtorno de movimento relacionado ao sono devido a medicação ou substância;
- Transtorno de movimento relacionado ao sono não especificado.

Sintomas isolados e variantes da normalidade:
- Mioclonus fragmentar excessivo;

- Tremor hipnagógico do pé;
- Ativação alternante muscular da perna;
- *Sleep Starts* ou *Hypnic Jerks* (espasmos hípnicos).

A primeira pergunta que o especialista deve fazer ao se deparar com um transtorno de movimento relacionado ao sono é se essa condição ocorre exclusivamente relacionada ao sono ou também durante a vigília. Nesta última situação, encontramos transtornos neurológicos diversos como a doença de Parkinson, coreias hereditárias (ex.: doença de Huntington), ataxias e efeitos secundários de medicações[2]. Os movimentos apresentados por esses pacientes são predominantemente diurnos, embora persistam em graus variados durante o período de sono.

Além disso, em se tratando de um TMRS, deve-se inquirir se esse tem semiologia simples ou complexa. Neste último caso, quando as atitudes motoras são relativamente elaboradas, incluindo vocalizações ou mesmo significativos deslocamentos corporais, pode-se estar diante de uma parassonia, antes que de um TMRS. O sonambulismo, o despertar confusional e o terror noturno são exemplos bastante encontrados na prática clínica, sobretudo em pacientes da faixa etária pediátrica. O transtorno de comportamento durante o sono REM, mais comum em idosos, envolve movimentação elaborada, de teor agressivo ou chocante, com grande potencial de injúria física tanto para o paciente quando para a(o) parceira(o).

A terceira pergunta a se fazer é se o quadro apresentado pode vir a ser explicado por uma crise epiléptica. Essas, como se sabe, podem ocorrer tanto durante o dia quanto exclusivamente durante a noite, estando por vezes estreitamente ligada ao sono ou ao despertar[3]. Sua semiologia pode ser estereotipada o bastante para dificultar o diagnóstico diferencial com TMRS. A epilepsia noturna do lobo frontal (*distonia paroxística noturna*) é um exemplo. Essa condição, anteriormente associada aos TMRS, compõe-se, dentre outros, de "ataques" de movimentos estereotipados relacionados ao sono NREM[3].

Esses comentários ressaltam a necessidade por parte do profissional que se dedica à prática da Medicina do Sono, não só de um conhecimento abrangente a respeito das diversas condições clínicas relacionadas, como também, de uma boa anamnese e, frequentemente, de um estudo polissonográfico com montagens estendidas (abrangendo múltiplas derivações eletrencefalográficas) associado ao acompanhamento em vídeo.

Passamos, a seguir, a comentar os diversos TMRS de acordo com sua ordem de aparecimento na ICSD 2014.

2.1. Síndrome das pernas inquietas (SPI) ou doença de Willis-Ekbom (DWE)

A descrição inicial da síndrome das pernas inquietas (SPI/DWE) remonta segundo alguns ao século 17, tendo sido atribuída ao médico inglês Willis[5], que a comparou a uma atividade epiléptica. Foi, no entanto, apenas em 1944, que o neurologista sueco Ekbom forneceu uma análise mais detalhada dessa condição, considerando-a secundária à deficiência de ferro, chegando mesmo a dar uma estimativa bastante acurada de sua prevalência, que estaria em torno de 5% da população[6].

Em virtude de ser uma patologia de sintomatologia intensamente subjetiva e que leva secundariamente a perturbação no sono noturno[7-10], a SPI/DWE foi considerada, durante longos anos, um transtorno psicológico e inespecífico, não sendo, por conseguinte, diagnosticada ou tratada de maneira apropriada[5].

Estudos recentes estimam a prevalência da SPI/DWE em 5% a 12% dentre os caucasianos[11], confirmando a previsão inicial de Ekbom. Existe certa diferença étnica, sugerida por alguns estudos que demonstram serem os canadenses de língua francesa mais atingidos que os de origem inglesa[12], ou relatam a baixa prevalência da SPI/DWE dentre os asiáticos[13,14]. Tais dados sugerem fortemente a existência de um fator genético associado.

Além disso, os estudos epidemiológicos revelam uma prevalência dentre as mulheres duas vezes maior que nos homens[15,16]. Existe também uma tendência à agravação com a idade[10,15], fato que se reveste de importância diante da crescente expectativa de vida nas populações em geral.

A associação com alterações do metabolismo do ferro é relatada, não só em estados de deficiência, mas também nos casos onde existem altos níveis séricos de ferritina[13,17-19]. Além disso, uma deficiência de ácido fólico tem sido adicionalmente encontrada em casos de SPI/DWE, sobretudo em gestantes[5]. Esses estados metabólicos disfuncionais auxiliam na explicação das razões do predomínio da SPI/DWE no sexo feminino.

Queixas compatíveis com SPI/DWE são encontradas com significativa frequência em pacientes que apresentam importante comprometimento da função renal, neuropatia periférica, sintomas depressivos ou de ansiedade[5]. Existem igualmente evidências sugestivas de uma associação com a doença de Parkinson, embora o número ainda insuficiente de estudos controlados existente não permita conclusões definitivas[20].

Algumas características clínicas e critérios diagnósticos foram descritos pelo *International RLS Study Group* em 1995[1,8], sendo nomeados como se segue:

Critérios diagnósticos: itens A-C devem existir:

A. Urgência em movimentar as pernas (mais comum), frequentemente acompanhada de sensações desconfortáveis/desagradáveis. Tais sintomas devem:
   1. Começar ou piorar durante períodos de repouso ou inatividade como o deitar ou sentar
   2. Ser parcial ou totalmente aliviada pelo movimento, como caminhar ou alongar-se, pelo menos enquanto tal movimento durar.
   3. Ocorrer exclusiva ou predominantemente ao entardecer ou a noite.

B. As características acima não devem representar sintomas de outra condição médica ou comportamental (ex.: cãibras, desconforto posicional, mialgia, estase venosa, edema, artrite ou cacoete).

C. Os sintomas de SPI/DWE causam preocupação, estresse, alterações de sono ou ainda disfuncionalidade nas áreas sociais, ocupacionais, educacionais, comportamentais além da área mental e física.

O desconforto nos membros, responsável por sua movimentação incessante, é frequentemente associado à sensação de "agonia", dormência, prurido, queimação, repuxos, frio, dor etc. Alguns chegam a mencionar que "falta lugar na cama para as pernas". Esses sintomas costumam aparecer após uma latência de alguns minutos a uma hora após o paciente estar sentado ou deitado em repouso, no cinema, teatro, em viagens prolongadas de avião ou carro, ou, costumeiramente, em sua cama, preparando-se para dormir. O indivíduo acometido procura então realizar movimentação dos membros ou mesmo sua manipulação, o que geralmente faz regredir a sensação de desconforto pelo tempo em que está sendo realizada a atividade escolhida. Evidentemente, esse tipo de comportamento pode atrasar ou dificultar a entrada em sono, pois, que amiúde ocorre entre as 23h e as 4h, enquanto o alívio frequentemente só acontece após as 5h[5,10].

Alguns critérios auxiliares foram determinados (Tabela 6.1).

TABELA 6.1
Critérios diagnósticos auxiliares da SPI/DWE

Critérios auxiliares
- Boa resposta dopaminérgica
- História familiar
- Presença de movimentos periódicos de membros no sono ou vigília

Adaptado de Garcia-Borreguero D, Odin P, Schwarz C. Restless legs syndrome: an overview of the current understanding and management. Acta Neurol Scand. 2004 May;109(5):303-17.

Em cerca de 80 a 85% dos casos pode-se encontrar uma associação com movimentos periódicos de membros durante o sono (MPM)[10,22]. Esses são movimentos lentos e repetitivos, estereotipados, uni ou bilaterais, simétricos ou não, parecendo-se com o sinal plantar de Babinski, que ocorrem em grupos de ao menos quatro episódios com duração de 0,5 a 5 seg. cada, separados por 5 a 90 seg. (critérios de Coleman)[23] às vezes seguidos de microdespertares. Pensa-se que esses possam contribuir para importante fragmentação do sono[24], embora essa noção ainda não faça a unanimidade dentre os autores[25-27].

O diagnóstico é, portanto, determinado por critérios fundamentalmente clínicos. Na anamnese, além do quadro clínico característico, destacam-se os conceitos de importante fadiga diurna, sonolência excessiva e evolução flutuante da sintomatologia[28]. O exame neurológico deve estudar a função nervosa periférica e medular[10]. Ocasionalmente exames complementares (análise dos níveis séricos de ferritina, transferrina, ácido fólico e vitamina B12, dosagem de hormônios tireoidianos e paratormônio, avaliação da função renal e glicemia) bem como uma avaliação neurofisiológica (potenciais evocados e eletroneuromiografia) podem ser necessários para o diagnóstico diferencial ou das formas secundárias[28].

A polissonografia não é rotineiramente solicitada para se firmar o diagnóstico de SPI/DWE. Tem, no entanto, indicação de ser realizada em situações como as descritas na Tabela 6.2. Seu interesse maior é a pesquisa de MPM pelo uso de derivações eletromiográficas de superfície aplicadas sobre a região do músculo tibial anterior ou deltoide bilateralmente.

TABELA 6.2
Indicações de polissonografia na SPI/DWE

- Incerteza diagnóstica
- Necessidade de tratamento em crianças ou adolescentes
- Ineficácia relativa do tratamento dopaminérgico
- Concomitância de outros distúrbios do sono

Adaptado de Garcia-Borreguero D, Odin P, Schwarz C. Restless legs syndrome: an overview of the current understanding and management. Acta Neurol Scand. 2004 May;109(5):303-17.

Os movimentos periódicos de membros podem também ser identificados pelo teste de imobilização sugerida (TIS), que tem demonstrado resultados promissores. Esse teste estuda basicamente os movimentos periódicos durante a vigília, apresentando-se como um método de realização relativamente fácil, com especificidade e sensibilidade de 81% para o diagnóstico de SPI/DWE[30] e recentemente foi validado para a aferição da gravidade do transtorno. Cerca de uma hora antes do horário em que normalmente costuma deitar-se, o paciente é colocado na sala de exame, sentado em um ângulo de 45°, sendo monitorados ambos os mm. tibiais anteriores. Dá-se então a orientação para que tente manter-se imóvel por uma hora. O número de movimentos de membros registrados é quantificado, sendo considerado anormal quando igual ou superior a 40/h.

O diagnóstico diferencial da síndrome das pernas inquietas deve ser feito com algumas condições clínicas. Em primeiro lugar, destaca-se a polineuropatia periférica[5,28]. Essa comumente traz sensação de dormências, formigamentos nos membros e inquietude, o que se presta a confusão. Na maioria dos casos, porém, não existe a ritmicidade própria da SPI/DWE, nem o reforço vespertino ou sequer a tendência à melhora com a movimentação. Por outro lado, a coexistência é possível, e a polineuropatia pode mascarar os sintomas da SPI/DWE, sendo muitas vezes difícil concluir o diagnóstico sem o auxílio de explorações funcionais como a eletroneuromiografia ou a biópsia de nervo.

A acatisia é um fenômeno que pode manifestar-se por inquietude motora e comprometimento do sono, como a SPI/DWE[10,28]. Movimentos periódicos do sono podem ocorrer em ambas as doenças, embora mais comumente na SPI/DWE. Não existe, porém, a ritmicidade, a tendência à melhora com a movimentação ou a história familiar da SPI/DWE. Por outro lado, a acatisia está associada frequentemente à utilização prévia de drogas neurolépticas ou a desordens do sistema extrapiramidal.

A insuficiência venosa pode gerar confusão pela sua tendência a causar sensações subjetivas de peso ou inquietude nos membros[5,28]. No entanto, esse quadro, que evolui com edema de membros inferiores, apresenta certa agravação com a movimentação e, por vezes, regride com o repouso, bem ao contrário da SPI/DWE.

É preciso igualmente fazer o diagnóstico diferencial com as cãibras noturnas ou com a "Maldição de Vésper"[5,29]. A primeira condição, apesar de ser causa de dor nos membros inferiores e ter caráter frequentemente noturno, surgindo muitas vezes quando o paciente decide deitar-se, é, na verdade, uma contração muscular dolorosa a qual pode mesmo ser palpada. A segunda é um quadro relativamente raro, visto em pacientes com insuficiência cardíaca nos quais existe uma pletora do plexo venoso lombar, por redução do retorno venoso, levando à temporária redução do espaço livre intrarraqueano e relativa compressão da medula sacral, o que causa dor nos membros inferiores.

A síndrome das pernas dolorosas e dos artelhos que se movem (*painful legs and moving toes*) é uma rara condição, secundária a traumas não só da medula e raízes lombares como também das extremidades inferiores, que leva ao aparecimento de movimentos involuntários de pés e dedos, com sensação dolorosa difusa e intratável nos membros[5,31]. Não há ritmicidade circadiana, não há piora no repouso nem tendência à melhora com a movimentação.

Em crianças, nas quais, aliás, o diagnóstico de SPI/DWE é muito mais difícil, uma vez que os critérios ainda não estão completamente estabelecidos, pode-se encontrar queixas noturnas de dores nos membros, para o alívio das quais a criança pede massagens. Além disso, é interessante notar a importante associação de SPI/DWE em crianças com transtornos de atenção e hiperatividade (TDAH), que pode chegar segundo alguns autores a mais de 18%[32]. Um estudo relatou melhora significativa do déficit de atenção após o tratamento da sintomatologia motora com agentes dopaminérgicos em cinco dentre sete crianças com TDAH, cujo tratamento prévio com drogas estimulantes do sistema nervoso central (ex.: metilfenidato) havia sido interrompido por ineficácia ou por efeitos colaterais intoleráveis[33].

Sabe-se também que uma insônia inicial (dificuldade de entrada em sono) está associada à SPI/DWE em boa parte dos casos. Da mesma maneira, são relatados múltiplos despertares e baixa eficiência de sono[7]. Assim, torna-se muito importante não omitir durante a anamnese dos pacientes insones, perguntas relativas à eventual presença de sintomatologia característica de SPI/DWE.

Conforme mencionamos anteriormente, existem evidências de transmissão autossômica dominante na SPI/DWE. Estudos têm demonstrado história familiar positiva em mais da metade dos casos, havendo trabalhos que falam mesmo em 80%[28], sobretudo quando se considera a forma dita idiopática (não neuropática) da SPI/DWE. Recentemente identificou-se em famílias canadenses, no cromossomo 12 q[34], e no 14 q em famílias italianas[35], a presença de um lócus de susceptibilidade para a SPI/DWE. Todavia, ainda é necessário estudar populações maiores a fim de se confirmar esses achados e se reconhecer detalhes da transmissão genética, penetrância do gene e loci envolvidos. Sabe-se, porém, que existe, com as sucessivas gerações, uma expressão cada vez mais precoce das manifestações da SPI/DWE, o chamado fenômeno de antecipação (*anticipation*). Segundo se conjectura, essa seria causada por mutações instáveis na forma de repetições de sequência de trinucleotídeos[5], mecanismo esse já conhecido em diversas desordens neurológicas.

Sob o plano fisiopatológico, pensa-se que a SPI/DWE derive de uma alteração funcional de provável localização no sistema nervoso central. No entanto, ainda não foram demonstrados distúrbios em potenciais corticais[36]. Sabe-se por outro lado que, centros medulares estão possivelmente envolvidos, pelo menos no aparecimento dos MPM, embora não seja provável que alterações aí situadas sejam as responsáveis pela ampla sintomatologia da SPI/DWE. Além disso, os MPM em doentes paraplégicos por lesão medular não respondem tão bem à dopamina como a SPI/DWE[5,37]. Estudos de neuroimagem encefálica por ressonância nuclear magnética funcional (RNMf) revelaram ativação do núcleo rubro, adjacente à formação reticular, e igualmente do cerebelo, enquanto imagens com SPECT (*single photon emission computerized tomography*) e PET (*positron emission tomography*) demonstraram apenas discretas e discutíveis reduções no transporte transmembrana de dopamina pré-sináptica e pós-sináptica encontrados no sistema nigrostriatal ou nos circuitos dopaminérgicos diencefálicos ou mesolímbicos[38]. Embora pareça desconcertante a pequena dimensão desses achados em face da importante sintomatologia clínica, deve-se levar em consideração que esses estudos foram realizados durante o dia, fora do espectro circadiano de piora motora. Os estudos também demonstraram que a ligação da dopamina ao receptor D2 encontra-se diretamente correlacionada à eficiência de sono, sugerindo que esta sirva como marcador de severidade da SPI/DWE[38]. A imaginologia anatômica cerebral, por outro lado, nada tem revelado de anormal[10]. Não obstante, há evidências suficientes para se imaginar que as alterações da SPI/DWE ocorrem em nível subcortical (núcleos da base), com nível secundário medular, o qual também agiria como gerador de movimentos periódicos possivelmente por desinibição das vias motoras[39]. Dessa maneira, é importante guardar-se a noção de que a SPI/DWE não é um distúrbio degenerativo na acepção do termo, antes uma alteração funcional central em diversos níveis, que respeita um ritmo circadiano definido e com agravação noturna.

O papel da deficiência de ferro na gênese da SPI/DWE já foi suspeitado, como vimos anteriormente, desde os trabalhos pioneiros de Ekbom. Diversas condições nas quais existe deficiência de ferro foram associadas ao aparecimento da SPI/DWE, como estágios avançados de doença renal, gravidez e cirurgia gástrica[10,40], estimando-se em 25% a 30% o percentual dos pacientes com deficiência de ferro que desenvolvem SPI/DWE[41]. Sabe-

-se que o ferro age como cofator da enzima tirosina hidroxilase, sem o funcionamento da qual existem distúrbios das vias dopaminérgicas. Além disso, já foi demonstrada a redução dos níveis de ferritina e aumento da transferrina no líquido cefalorraquidiano (LCR) de pacientes portadores de SPI/DWE[42]. Igualmente, alterações na captação do ferro nos núcleos da base (substância negra, putamen) têm sido demonstradas por RNMf[43]. Um estudo neuropatológico recente encontrou alterações na aquisição celular de ferro decorrente de um defeito na regulação de receptores da transferrina em células com neuromelanina na substância negra[19,44]. Por outro lado, sabe-se que a reposição de ferro oral e venosa nos casos de deficiência melhora a sintomatologia da SPI/DWE.

No entanto, estudos recentes têm apontado para uma explicação alternativa dos mecanismos fisiopatológicos.

De acordo com alguns autores[45], a SPI/DWE, ao contrário da Doença de Parkinson, seria uma condição hiperdopaminérgica. Para essa conclusão, baseia-se nos resultados de estudos em animais com deficiência de ferro onde se demonstrou um aumento da atividade da enzima tirosina hidroxilase na substância negra, redução de receptores D2 no estriado, redução da função do transportador de dopamina (DAT) na superfície celular e um consequente aumento da dopamina extra-celular. Ademais, a hipoferritinemia também poderia dar lugar a uma situação de hipóxia secundária na qual existiria um aumento de produção dopaminérgica e "*downregulation*" de receptores D2. Assim, ao entardecer, com a queda circadiana dos níveis de dopamina extracelular os sintomas da doença aconteceriam e responderiam bem ao uso de dopamina exógena. No entanto, no entender de Salas e colaboradores, isso equivaleria a "apagar fogo com gasolina", uma vez que levaria à maior dessensibilização pós-sináptica e piora dos sintomas a longo prazo, servindo inclusive de base para o desenvolvimento do fenômeno de aumentação.

Sob o plano terapêutico, a eficácia da levodopa é conhecida há muito[46]. A associação com inibidores da dopa-decarboxilase, ajudando a combater os efeitos periféricos da dopamina (náuseas e hipotensão arterial) aumenta a eficácia do tratamento. Vários estudos controlados desde então têm confirmado o efeito favorável da levodopa sobre a sintomatologia da SPI/DWE[5,47,48]. Além disso, praticamente todos os agonistas dopaminérgicos já demonstraram sua eficácia no tratamento da SPI/DWE[5,49,50], mantendo sua eficácia mesmo no tratamento a longo prazo[51,52]. Inúmeras são as formas disponíveis no mercado. Dentre elas, destaca-se a cabergolina e a recentemente disponível rotigotina transdérmica, de uso relativamente seguro já que até hoje foi associada à ocorrência fenômenos de aumentação em menos de 1% dos casos[52-54]. Ademais as substâncias agonistas dopaminérgicas costumam ter eficácia mais prolongada, durando frequentemente a noite inteira, o que dispensa tomadas ulteriores. Elas têm substituído eficazmente a levodopa como tratamento de escolha na maioria dos casos de SPI/DWE.

Os opiáceos são considerados tratamento alternativo, algumas vezes utilizados nos casos de expansão ou rebote após o uso de levodopa ou de agonistas dopaminérgicos[5]. Sua eficácia deve ser pesada contra a possibilidade de indução de dependência a qual, apesar de raramente observada na literatura, é sempre uma possibilidade a considerar tendo em vista as altas doses necessárias para o tratamento da SPI/DWE[28]. Sua eficácia decorre aparentemente de uma ação sobre receptores em sistemas dopaminérgicos, a qual é revertida experimentalmente pelo uso de bloqueadores dopaminérgicos[55]. Além disso, os pacientes em uso de opioides devem ser monitorados sob o plano respiratório pela possibilidade de desenvolverem SAOS[55].

Os benzodiazepínicos são pouco eficazes. Ademais, em virtude do conhecido desenvolvimento de tolerância a essas substâncias, há necessidade de aumentos progressivos nas doses dispensadas, o que torna sempre presente o risco de desenvolvimento de dependência. Pensa-se que a eficácia dos benzodiazepínicos ligue-se mais estreitamente à indução do sono do que propriamente à redução objetiva da sintomatologia motora. Talvez ainda haja lugar para sua prescrição em casos leves[5,10].

As drogas anticonvulsivantes, como a pregabalina, carbamazepina e a gabapentina, constituem-se opções de tratamento, sobretudo nos casos de SPI/DWE associados a polineuropatias ou dor neuropática[5,28,56]. Em estudo recente observou-se eficácia similar no controle dos sintomas entre o pramipexole e a pregabalina, devendo-se ressaltar que a pregabalina foi superior na melhora da fragmentação do sono, no aumento da porcentagem de sono de ondas lentas e nem sintomas subjetivos como o tempo total de sono percebido pelos pacientes[58].

Evidentemente, nas formas de SPI/DWE secundárias à deficiência de ferro, a reposição deve ser realizada, sobretudo quando detectados níveis de ferritinemia inferiores a 45 ou 50 ug/L[17,57]. Alguns autores sugerem que a reposição venosa de ferro traz uma eficácia suplementar ao tratamento[57]. Tem sido demonstrada uma elevada taxa de perda de ferritina em pacientes com SPI/DWE, o que pode implicar o retorno dos sintomas uma vez que os níveis férricos se tornem de novo diminuídos[57]. Nessa óptica, seria interessante inquirir as possíveis repercussões dessas alterações do metabolismo marcial em certas populações, como por exemplo, doadores de sangue.

Detalhes adicionais concernindo as várias opções terapêuticas e doses podem ser encontrados na Tabela 6.3.

TABELA 6.3
Drogas usadas no tratamento da SPI/DWE

Substância	Medicamento	Posologia (mg)	Principais efeitos secundários
L-DOPA	Sinemet Prolopa	100-250	Náuseas, hipotensão arterial
Agonistas dopaminérgicos			
Bromocriptina Pergolide Pramipexol Ropinirol Piribedil	Parlodel Celance Ex:Sifrol Requip Trivastal	1,25-10 0,05-3 0,25-0,5 0,25-6 25-350	Náuseas, + Sonolência, + Hipotensão arterial
Rotigotina	Neupro	1-3 mg/24 h	
Benzodiazepina			
Clonazepam	Rivotril	0,25-2	Sonolência
Opiáceos			
Oxicodona	Oxycodin	5-20	Náuseas, cãibras
Propoxifeno	Doloxene-A	200	Idem
Anticonvulsivantes			
Pregabalina		75-450	Sonolência
Gabapentina	Neurontin	300-2400	Sonolência
Carbamazepina	Tegretol	200-400	Idem

Os agentes dopaminérgicos tem sido usados no tratamento da SPI/DWE há mais de 30 anos[59]. Diferente das observações feitas durante o tratamento da doença de Parkinson, não se tem relatos de casos de discinesias durante o tratamento da SPI/DWE ou MPM. No entanto, são conhecidas duas importantes complicações do tratamento, associados, em geral, ao uso prolongado de drogas dopaminérgicas, sobretudo a levodopa, quais sejam os fenômenos de rebote (*rebound*) e aumentação (*augmentation*)[59-61].

O rebote é a tendência à piora dos sintomas no final do efeito de uma dose da medicação específica. Caracteriza-se pelo recrudescimento da sintomatologia no início da manhã, quando a eficácia da dose noturna se aproxima do final. Muitas vezes faz-se necessário o uso de nova dose neste intervalo[52,59,60]. Tal problema pode ser corrigido com a utilização simultânea de modos de liberação rápida e lenta da levodopa, prolongando a cobertura terapêutica por toda a noite e até o dia seguinte. Outra alternativa é a redução gradativa da medicação com possível fracionamento de dose seguido de curto período sem medicação e introdução de uma segunda opção terapêutica[61].

O segundo fenômeno, aumentação, caracteriza-se por: antecipação do início dos sintomas (ocorrendo em 100% dos pacientes), menor alívio com a movimentação dos membros, menor latência para o início dos sintomas uma vez que se inicie o período de repouso (56% dos pacientes), aumento da intensidade dos sintomas como um todo (96% dos pacientes), expansão para os membros superiores (11% dos pacientes) e tronco[60] além de, frequentemente, estar associado à tolerância (redução do efeito da medicação)[62,63]. Em conjunto, essas manifestações traduzem o aumento da gravidade dos sintomas da SPI/DWE durante o tratamento específico prolongado o que atribui à aumentação uma grande importância clínica que requer necessário um diagnóstico e tratamento preciso. A aumentação não deve ser confundida com progressão da doença, rebote ou tolerância medicamentosa[61,62]. Os critérios diagnósticos encontram-se na Tabela 6.4.

TABELA 6.4
Critérios diagnósticos para aumentação*[64]

A. Padrões obrigatórios:
1. Os sintomas estão presentes há, pelo menos, uma semana por no mínimo cinco dias
2. Os sintomas de aumentação não podem ser explicados por nenhuma outra condição clínica, psiquiátrica, comportamental ou farmacológica
3. Prévia existência de resposta positiva ao tratamento
Presença de B ou C ou ambos:
B. Presença persistente de resposta paradoxal ao tratamento: **aumento** da intensidade dos sintomas sensitivos ou da urgência de se movimentar os membros com relação temporal ao **aumento** da dose diária da medicação **e/ou** uma **redução** da intensidade dos sintomas sensitivos ou da urgência de mover os membros encontrando relação temporal com a **redução** da dose diária da medicação
E/OU
C. Início precoce dos sintomas 1. Adiantamento do início dos sintomas em, pelo menos, 4 horas
ou
2. Adiantamento do início dos sintomas (entre 2 e 4 horas) ocorrendo a uma das seguintes características comparadas aos sintomas antes do início do tratamento: **a.** Menor latência para o início dos sintomas quando em repouso **b.** Extensão dos sintomas para outras partes do corpo **c.** Maior intensidade dos sintomas (ou aumento MPM quando medido por PSG ou TIS) **d.** Redução da duração do alívio proporcionado após uma dose do tratamento

*O diagnóstico de aumentação requer os critérios A+B, A+C ou A+B+C.

A incidência da aumentação no tratamento prolongado com levodopa chega a 82% dos pacientes com SPI/DWE ou 31% daqueles em tratamento para MPM[60,65]. Em menor escala (menor incidência e intensidade de sintomas), pacientes sob tratamento com agonistas dopaminérgicos também podem desenvolver aumentação: pramipexol (32%), pergolida (15%-25%), cabergolina (4%)[52,63,66,67]. Também já foi relatada aumentação após tratamento prolongado com tramadol entre 50-300 mg/dia[68,69]. O risco para o desenvolvimento da aumentação parece estar relacionado com doses elevadas da medicação, longo tempo de tratamento, gravidade do quadro quando do início dos sintomas, deficiência de ferro/ferritina[60,70], uso de inibidores seletivos da recaptação de serotonina e medicações com efeito antidopaminérgico potencialmente causadoras de aumentação[61] (Tabela 6.5).

TABELA 6.5
Fatores de risco para o desenvolvimento de aumentação durante o tratamento para SPI/DWE

Doses elevadas de medicação dopaminérgica
Tratamento prolongado com medicação dopaminérgica
SPI/DWE secundária
Medicação com efeito antidopaminérgico (neurolépticos, anti-histaminérgicos) potencialmente causadoras de aumentação
Inibidores seletivos da recaptação de serotonina
Sintomas intensos desde o início do quadro de SPI/DWE

No que diz respeito à fisiopatologia da aumentação, supõe-se que esteja associada a um intenso estímulo dopaminérgico principalmente sobre os receptores D1 e predominantemente no nível medular[70,71] provavelmente modulado por circuitos diencefálicos[61]. Esse estímulo disfuncional acaba por alterar a quantidade de receptores dopaminérgicos culminando em uma transmissão dopaminérgica deficiente[61,72]. Além disso, não se pode descartar o envolvimento de mecanismos cronobióticos dada a expressão circadiana da SPI/DWE tendo já sido demonstrado um avanço da secreção de melatonina induzido pela levodopa em pacientes com SPI/DWE, particularmente naqueles que sofriam de aumentação[73]. Diante de evidências prévias da ação antidopaminérgica da melatonina em determinados circuitos cerebrais, o adiantamento da secreção de melatonina pode estar relacionado ao início mais precoce dos sintomas de SPI/DWE na aumentação. Deve-se ressaltar, no entanto, que os estudos relativos aos mecanismos da aumentação ainda são conjecturas elusivas que necessitam de um maior entendimento sobre a fisiopatologia (vide a hipótese hiperdopaminérgica descrita antes) e o contexto molecular da SPI/DWE a ponto de terem uma implicação clínica objetiva[61].

As diretrizes para o tratamento da aumentação em SPI/DWE são essencialmente baseadas na experiência clínica uma vez que não foram conduzidos estudos em grande escala sobre o tema. A principal conduta terapêutica para a aumentação deve ser a profilaxia evitando-se todos os fatores de risco possíveis já citados aqui e utilizar os agentes dopaminérgicos sempre nas menores doses necessárias para o controle dos sintomas. Uma vez estabelecido o diagnóstico de aumentação deve-se avaliar a relevância clínica do problema antes de se optar por uma intervenção. Diante de quadros leves com baixo ou nenhum impacto na qualidade de vida não se recomenda mudanças no tratamento vigente, nos casos com impacto clínico considerável é necessária uma intervenção.

Quando se está em uso de baixas doses de levodopa (até 200 mg/dia) recomenda-se a redução e/ou fracionamento da dose com antecipação da primeira dose. Para pacientes em altas doses de levodopa, recomenda-se uma retirada gradativa e substituição por agonista dopaminérgico. Durante a retirada, pode-se lançar mão do uso intermitente de opioides para reduzir o desconforto esperado pelo efeito de rebote e/ou sintomas de abstinência. Nos pacientes com aumentação em uso de agonistas dopaminérgicos, deve-se tentar redução e/ou fracionamento da dose. Existem relatos de troca entre diferentes agonistas dopaminérgicos com melhora da aumentação, mas são declarações com pouca consistência e a recomendação mais eficaz é que, caracterizada a aumentação com agonistas dopaminérgicos, substitua-se a droga em questão por um não agonista dopaminérgico. Outro esquema possível é a redução da dose do agonista dopaminérgico e associação com gabapentina ou opioide[61].

Além disso, outras complicações inerentes ao tratamento com agonistas dopaminérgicos já foram relatadas em pacientes sob tratamento para SPI/DWE/ MPM. Relatos esporádicos sugerem a associação entre o uso dos agonistas dopaminérgicos ergolínicos (pergolida e cabergolina) e um risco aumentado para valvopatias cardíacas e fibrose pleuropulmonar[74,75]. Alterações comportamentais como jogo patológico e movimentos involuntários foram recentemente relatadas em pacientes em uso de agonistas dopaminérgicos para SPI/DWE[76,77]. Efeitos colaterais comuns inespecíficos como náuseas e tonturas podem ocorrer com agonistas dopaminérgicos mas são menos frequentes com o pramipexol e rotigotina[52].

No que diz respeito a comorbidades, faz-se necessário mencionar que a associação SAOS + SPI/DWE tem sido descrita na literatura desde há muito[78,79]. Alguns autores têm chamado a atenção para as dificuldades no diagnóstico diferencial[80-83], ressaltando o fato que ambas as doenças influenciam de maneira importante o sono noturno, causando sonolência diurna excessiva e MPM. Além disso, sabe-se que alguns serviços não têm por rotina a realização de análise eletromiográfica de superfície do músculo tibial anterior durante o registro polissonográfico. Assim, nesses casos, sem um interrogatório pertinente pode-se facilmente atribuir a existência de MPM apenas ao esforço respiratório.

Na verdade, os detalhes dessa associação de doenças ainda não foram plenamente estudados e muitos pontos permanecem em aberto, a saber: existem interações que modifiquem a apresentação clínica de uma ou de outra doença ou que alterem ainda mais a estrutura e a qualidade do sono? Existe diferença na resposta ao tratamento da SAOS pelo CPAP?[82,83]

Já chegou a ser sugerida uma relação causal comum dentre essas duas patologias, envolvendo uma disfunção de centros do tronco cerebral[79]. Todavia, não há descrição ou evidência clara de um transtorno no sistema nervoso central causado pela associação no mesmo paciente de SAOS e SPI/DWE.

Além disso, a presença de uma síndrome metabólica, frequentemente observada em pacientes com SAOS[84,85], acrescenta outro fator causativo importante (sobrecarga relativa de ferro) para o aparecimento de anormalidades motoras dos membros.

Finalmente, a SPI/DWE tem sido associada com intensa redução na qualidade de vida, semelhante a vista em doenças crônicas como diabetes e depressão, podendo contribuir inclusive para essa última pela fragmentação do sono que causa, além de estar igualmente implicada em alteração cardiovasculares e hipertensão arterial pela ativação do sistema nervoso simpático[86].

2.2. Transtorno de movimentos periódicos de membros (TMPM)

De acordo com a mais recente classificação de transtornos do sono[1], os critérios diagnósticos são:

Critérios de A-D obrigatórios:

A. Demonstração polissonográfica de movimentos periódicos de membros (MPM) de acordo com a mais recente versão do manual de estagiamento da *American Academy of Sleep Medicine* (AASM)

B. Frequência > 5 h/h em crianças e > 15/h em adultos

C. Os MPM causam transtornos clínicos significativos no sono ou atingem domínios importantes para o funcionamento diurno (áreas mental, física, social, ocupacional, educacional, comportamental e outras).

D. Os MPM e seus sintomas não podem ser mais bem explicados por outro transtorno do sono ou condição médico-neurológica ou mental (ex.: MPM ocasionados por transtornos respiratórios).

Os MPM são caracterizados por movimentos de membros inferiores repetitivos, estereotipados, ocorrendo durante o sono e associados à ruptura de sua continuidade bem como fadiga. Tipicamente, apresentam-se como extensão do hálux, flexão parcial do tornozelo, joelho e, algumas vezes, do quadril. Por vezes, lembram o famoso sinal de Babinski. Apesar de serem mais tipicamente vistos nos membros inferiores, podem ocorrer nos superiores. São acompanhados por microdespertares autonômicos ou corticais ou ainda por um despertar completo. As manifestações de despertar pode preceder, acompanhar ou seguirem-se aos MPM, o que parece sugerir que uma alteração dos centros geradores de padrões de movimentos seja na verdade as responsáveis tanto pelo movimento em si como pelo fenômeno de fragmentação do sono.

Além de fadiga e ruptura da funcionalidade diurna, o TMPM pode dar lugar a importantes queixas de sonolência diurna excessiva.

Problemas de diagnóstico diferencial existem com relação aos movimentos periódicos de membros que acompanham outros transtornos de sono, sobretudo os respiratórios, os da SPI/DWE, das parassonias comportamentais e da narcolepsia. Um diagnóstico mais preciso com o uso de recursos adequados para a monitorização da pressão esofagiana (identificando a síndrome de resistência aumentada de vias aéreas superiores ou RAVAS), uso extenso da videopolissonografia e testes que apuram a sonolência diurna pode ajudar a excluir as outras causas e facilitar o diagnóstico do TMPM.

Do ponto de vista fisiopatológico, como na SPI/DWE, uma alteração nos circuitos dopaminérgicos com implicação dos níveis cerebrais de ferro também tem sido preconizada no TMPM. Mas é necessário lembrar que TMPM e SPI/DWE são condição clínicas diferentes e mutuamente exclusivas embora 80% dos pacientes com SPI/DWE apresentem MPM. SPI/DWE é um transtorno sensório-motor, enquanto o TMPM, motor apenas.

A ativação autonômica e fragmentação do sono causadas pelo TMPM tem sido implicada na gênese de doenças cardiovasculares e transtornos neurocognitivos[87].

Do ponto de vista terapêutico, as opções segundo as últimas diretrizes da AASM superpõem-se às da SPI/DWE[88].

2.3. Cãibras nos membros inferiores relacionadas com o sono

Trata-se de sensações dolorosas causadas por contrações involuntárias e intensas de grupos musculares dos membros inferiores, frequentemente panturrilhas ou pequenos músculos dos pés[5] Tais contrações musculares ocorrem predominantemente durante o período de sono, embora também possam ter início na vigília. Caracterizam-se por início geralmente abrupto, mas podem ser precedidas por uma sensação vaga de dor ou tensão local. A duração é breve e a remissão, espontânea ou, então, após alongamento ou movimentação dos músculos envolvidos. Sua frequência pode variar de raros episódios anuais a múltiplos durante a mesma noite[5]. Diferente das distonias, não se observa contração simultânea de musculatura agonista e antagonista. Os achados neurofisiológicos sugerem ativações espontâneas dos neurônios do corno anterior seguidas por descargas de unidades motoras de até 300 Hz. A dor parece resultar de processo inflamatório/oxidativo local relacionado a isquemia.

A prevalência das câimbras relacionadas ao sono aumenta com a idade, alcançando uma prevalência de 33% em adultos acima dos 60 anos e 50% acima dos 80 anos (para uma frequência mínima de um episódio a cada dois meses). Cerca de 6% dos adultos acima de 60 anos apresentam os sintomas diariamente[2]. Em gestantes, as câimbras durante o sono são uma das principais queixas relacionadas com o sono. A incidência vai de 21% no primeiro trimestre podendo alcançar 75% no terceiro trimestre, mas a regra é uma boa evolução após o parto[2].

Alguns dos fatores predisponentes identificados são: exercício físico vigoroso durante o dia, gestação, idade avançada, insuficiência vascular periférica, uso de contraceptivos orais, hipomagnesemia, hipocalcemia e desidratação. É necessário cautela na interpretação das sensações dolorosas nas pernas, por vezes relatadas pelos pacientes portadores de SPI/DWE, às quais não se associam reais espasmos musculares nos membros inferiores.

O tratamento sugerido pela literatura é realizado com compostos à base de quinina, vitamina E e magnésio (citrato e lactato) mas sua eficácia ainda resta a ser confirmada[89,90].

2.4. Bruxismo relacionado com o sono

Trata-se de uma atividade disfuncional dos músculos mastigatórios, durante o sono resultando em contato dental, com sintomas locais ou sistêmicos. O bruxismo pode ocorrer também na vigília, embora nesta condição provavelmente responda a um mecanismo fisiopatológico diferente do bruxismo do sono[4]. A atividade anormal de mastigação pode ter duas maneiras: um apertamento mandibular contínuo e isolado, na maneira de *contração tônica* ou uma série de contrações repetitivas e fásicas ou *atividade muscular mastigatória rítmica* (AMMR)[4].

O ruído produzido pode ser intenso e causar perturbação da continuidade do sono (do paciente e parceiro). Essa atividade disfuncional pode levar a desgaste dentário, dor nos dentes, gengivas, mandibular, cefaleia e desordens da articulação temporomandibular[4].

A prevalência do bruxismo reduz-se com a idade embora seja ainda comum no idoso (3%)[2]. Sua etiologia ainda obscura envolve múltiplos fatores como mecanismos de despertar, aumento do tônus simpático, predisposição genética além de fatores psicossociais (ativação de estresse como ansiedade) e exógenos (medicações e outras substancias).

A polissonografia não está formalmente indicada para o diagnóstico desta condição, uma vez que a sensibilidade deste exame é baixa na maioria dos casos não graves. Pode, no entanto vir a ter algum interesse para se afastar a possibilidade de desordens associadas, tais como transtornos respiratórios do sono, parassonias, mioclonia fáscio-mandibular ou epilepsia[4].

A avaliação odontológica está sempre indicada, devendo-se, porém, considerar a associação temporal das queixas de sono apresentadas com as alterações estruturais observadas. O tratamento deve envolver a triagem e resolução de situações que ativem os mecanismos de despertar como transtornos respiratórios do sono, insônia, movimentos periódicos dos membros, síndrome das pernas inquietas dentre outros; avaliação e tratamento de disfunções psiquiátricas como reação de ajustamento e transtorno de ansiedade; reduzir, eliminar ou substituir substancias que podem desencadear o bruxismo (estimulantes, alguns psicotrópicos, dentre outras). As evidências científicas para tratamento farmacológico são insuficientes. Algumas modalidades terapêuticas cogitadas são alguns antidepressivos, anticonvulsivantes e benzodiazepínicos. Além disso, como parte de uma abordagem terapêutica multifacetada, pode-se recorrer a psicoterapia e técnicas mente-corpo como relaxamento progressivo, *biofeedback* e meditação. Deve-se ressaltar que o tratamento deve ser individualizado, pois abordagens benéficas para um tipo de paciente podem até mesmo agravar o quadro de outro paciente que apresenta um histórico diferente de fatores de predisposição ou agravantes.

2.5. Transtorno de movimentos rítmicos relacionados com o sono (TMRRS)

O diagnóstico de TMRRS, de acordo com a Classificação Internacional dos Transtornos do Sono, baseia-se na detecção de comportamento motor repetitivo, estereotipado e rítmico envolvendo grandes grupos musculares. Tais movimentos são predominantemente relacionados ao sono, ocorrendo nos períodos de indução do sono (próximos de uma soneca ou da hora de ir para a cama) ou quando o indivíduo aparenta sonolência ou durante o estado de sono. O fenômeno acarreta queixa significante manifesta como uma simples interferência no padrão normal de sono, impacto funcional diurno ou potencial para dano físico. Desde que as alterações acima não sejam justificadas por epilepsia ou outros transtornos do movimento deve se considerar o diagnóstico de TMRRS. Os movimentos rítmicos relacionados ao sono são muito comuns em bebês e crianças até aproximadamente o quinto ano de vida e deve-se ressaltar que, na ausência de consequências clínicas, a melhor designação para o fenômeno é movimento rítmico relacionado com o sono, não se utilizando, portanto, a palavra "transtorno".

A frequência dos movimentos vai de 0,5 a 2 Hz e sua duração geralmente menor do que 15 minutos. O movimento pode ser interrompido por estimulo ambiental ou, sob demanda do cuidador, a criança é capaz de interrompe-lo. Tal fato endossa o diagnóstico de TMRRS descartando diagnósticos diferenciais como epilepsia. Os pacientes geralmente tem amnesia para os eventos. Alguns adultos se lembram dos movimentos e ainda relatam um componente volitivo[2]. Raramente os TMRS podem persistir ou ocorrer *de novo* em adultos, estando geralmente relacionados a estresse psíquico. A Classificação Internacional dos Transtornos de Sono define alguns subtipos de TMRS:

A "balanço do corpo" (*body rocking*): a criança se coloca apoiada nas mãos ou joelhos e balança o tronco.

B "bater de cabeça" (*head banging*): a criança, na posição em decúbito ventral, eleva a cabeça ou o tronco por inteiro, acima do plano do leito, e a seguir desce a cabeça com força sobre o travesseiro. Pode também colocar-se assentada contra a parede e bater fortemente contra ela com a região occipital.

C "rolar da cabeça" (*head rolling*): a criança move lateralmente a cabeça, frequentemente na posição em decúbito supino. Esse movimento pode acometer também o tronco ou os membros (*body rolling, leg banging, leg rolling*).

Tais movimentos são relativamente comuns na infância (60% de prevalência aos nove meses) e tem sua prevalência reduzida com o avançar do desenvolvimento motor chegando a uma prevalência de apenas 5% aos 5 anos de idade. A existência ou persistência de TMRS em crianças maiores e adultos está frequentemente associada a alteração do desenvolvimento neuropsicomotor, como no contexto de autismo ou encefalopatias. Além disso, nesses casos pode não haver uma associação nítida com o período de sono.

Do ponto de vista fisiopatológico, propõe-se que tais movimentos levariam a um estímulo vestibular que, por sua vez, proporcionaria um efeito de "autoacalanto" aliviando estresse, favorecendo melhor adaptação ambiental e ao sono. Além disso, trata-se de um comportamento condicionado, agradável, possivelmente relacionado a memória de ter sido embalado[92]. O mecanismo neurofisiológico por trás desse fenômeno seria a desinibição, durante o sono/sonolência, de redes neuronais (geradores de padrão central) associadas a comportamentos instintivos (padrão de ação fixo). Deve-se ressaltar ainda o papel das comorbidades como a síndrome das pernas inquietas e os transtornos respiratórios do sono, agravando o quadro de TMRRS.

A abordagem terapêutica consiste em orientar os cuidadores quanto ao caráter benigno da maioria dos casos e, quando indicado, advertir quanto a necessidade de tornar mais seguro o ambiente onde a criança dorme. Outras abordagens indicadas são técnicas comportamentais, psicoterapia e tratamento farmacológico com benzodiazepínicos ou antidepressivos tricíclicos[2,92].

■ 2.6. Mioclonia benigna do sono na infância (MBSI)

Essa condição caracteriza-se por abalos musculares breves e repetitivos em uma frequência de quatro a cinco por segundo que ocorrem exclusivamente durante o sono. Em cerca de 50% dos casos a musculatura acometida é a dos membros superiores, 20% musculatura abdominal ou proximal dos membros e, em 30% os abalos acontecem no corpo todo. A atividade é simétrica em 90% dos casos. O despertar (espontâneo ou provocado) interrompe prontamente os episódios ao passo em que, o estimulo mecânico ou sonoro leve durante o sono é passível de desencadear os abalos musculares. A incidência dessa condição é estimada em cerca de 3,7 para cada 10.000 nascimentos e predomina no sexo masculino, acometendo bebes desde o nascimento até o sexto mês de vida[91,93].

Deve-se ressaltar que não se conhece fatores de predisposição para essa condição que acomete crianças saudáveis e não implica em aumento de risco para doenças neurológicas como epilepsia.

■ 2.7. Mioclono proprioespinhal do início do sono

Trata-se de movimentos compostos por abalos musculares súbitos que acontecem na transição entre a vigília e o sono e, mais raramente, em períodos de vigília relaxada ou em episódios de vigília durante o sono ou ainda no despertar matinal. As contrações acometem, geralmente, a musculatura axial (abdome, tórax e pescoço) e espalha-se nos sentidos cranial e caudal. Os abalos desaparecem com ativação mental ou ao longo de um período de sono estável.

O mecanismo fisiopatológico proposto envolve um gerador de padrão espinhal focal que, durante a indução do sono (relaxamento e sonolência), perde influências inibitórias central e se propaga pela medula recrutando músculos de diversos seguimentos. Em cerca de 20% dos casos, há evidências de alterações estruturais medular, sobretudo nos casos em que as manifestações ocorrem durante o dia.

O curso dessa condição tende a cronicidade e os pacientes tendem a desenvolver insônia, ansiedade e depressão. Há relatos de dano físico ao paciente e parceira relacionado a intensidade dos movimentos. O tratamento sugerido consiste no uso de benzodiazepínicos e anticonvulsivantes.

2.8. Sintomas isolados e variantes da normalidade

As condições clínicas mencionadas a seguir ainda são consideradas pela última Classificação Internacional dos Transtornos, "Sintomas Isolados, Variantes do Normal"[1]. No entanto, sua descrição faz-se necessária para que se possa realizar o diagnóstico diferencial destas entidades, tidas como de evolução benigna, de outras como os MPM, mioclonias proprioespinhais, discinesias dos pés, tremores de origem extrapiramidal ou ainda acatisia induzida por neurolépticos, por exemplo.

2.8.1. Mioclono fragmentar excessivo (MFE)

O mioclono fragmentar excessivo consiste em movimentos menores, envolvendo, por exemplo, os dedos das mãos, os artelhos ou o canto da boca, que persistem durante todos os estágios do sono[93]. Por vezes, assemelham-se a fasciculações e podem também ocorrer durante a vigília. Não há certeza sobre a existência de repercussões clínicas, embora sonolência diurna possa ser encontrada em até 10% dos pacientes com MFE[93].

Do ponto de vista eletromiográfico, trata-se de movimentos breves (75 a 150 ms), com amplitude mínima de 50 microvolts, assimétricos, assíncronos, podendo repetir-se por até 20 minutos[93]. As MFE são mais frequentes em idosos do sexo masculino e pode ser vista em pacientes portadores de diversas outras queixas de sono, embora nenhuma relação causal tenha podido ser estabelecida firmemente até o presente momento[94]. O paciente geralmente não percebe as mioclonias. Não é necessário tratamento[93,94].

2.8.2. Tremor hipnagógico do pé (THP) e ativação muscular alternante da perna (AMAP)

O THP é definido como um movimento rítmico dos pés ou artelhos, ocorrendo na transição da vigília-sono ou durante as fases mais superficiais do sono NREM (estágios N1 e N2)[1].

Os movimentos podem ser percebidos pelo próprio paciente ou por outro observador. Algumas vezes são detectados apenas pela monitorização neurofisiológica. A prevalência desta condição pode chegar a 7,5% em pacientes portadores de outros transtornos do sono[95] embora uma prevalência semelhante (5%) tenha sido encontrada na população normal[95].

Sob o ponto de vista polissonográfico, observa-se a existência de potenciais eletromiográficos ou mesmo movimentação do(s) pé(s)-artelhos na frequência de 0,3 a 4 Hz. Os surtos que correspondem a ativação dos potenciais musculares tem duração de 250 ms a 1 s, ocorrendo em sequências de potenciais que duram em torno de 10 segundos[95].

A AMAP representam um condição semelhante ao THP, onde o movimento de um membro alterna-se com o outro, sequencialmente. É um padrão caracteristicamente polissonográfico, no qual se observam ativações breves, repetitivas e alternadas dos músculos tibiais anteriores de ambas as pernas. A frequência de ativação individual de cada músculo é a mesma do THP e as sequências de potenciais podem durar de 1 a 30 segundos[95].

Conforme mencionado anteriormente, a evolução dessas entidades é benigna e não há tratamento conhecido. Frequentemente, os pacientes não estão conscientes de sua existência. A associação com o uso de antidepressivos foi descrita em pacientes com AMAP[95], mas essa informação ainda carece de evidências mais sólidas.

2.8.3. Espasmos hípnicos (EH)

São movimentos súbitos, breves, na maneira de contrações, que envolvem o corpo por inteiro, ou algum segmento corporal, geralmente de maneira assimétrica, ocorrendo no início do sono, frequentemente ocorrendo associado a componente somestésico como sensação subjetiva de queda, componentes sensoriais visuais (flashes, alucinações, sonhos), ou auditivos[5]. O paciente pode ainda chegar a emitir sons, geralmente agudos. É um transtorno comum e pode ser encontrado em cerca de 70% das pessoas de ambos os sexos[2] tendo curso geralmente benigno, apesar de poder em alguns casos, levar à insônia, ansiedade ou medo de adormecer e, mais raramente, resultar em dano físico do indivíduo ou companheiro(a). Fatores agravantes ou desencadeantes comuns são o uso de estimulantes como cafeína, privação de sono estresse físico e psíquico[2].

Do ponto de vista fisiopatológico, trata-se provavelmente de uma manifestação de estímulos descendentes a partir da formação reticular do tronco cerebral, alcançando a medula, que se expressa no período de instabilidade característica da transição entre vigília e sono. A abordagem terapêutica, geralmente, limita-se a orientação quanto a benignidade do quadro e a intervenção em possíveis fatores desencadeantes e agravantes.

■ Referências bibliográficas

1. American Academy of Sleep Medicine. Sleep Related Movement Disorders. In Sateia MJ, ed. The international classification of sleep disorders: diagnostic and coding manual, 3rd ed. Westchester, IL, American Academy of Sleep Medicine 2014; 281.
2. Walters AS. Clinical identification of the simple sleep-related movement disorders. Chest 2007; 131: 1260-66.
3. Shouse M and Mahowald M. Epilepsy, sleep and sleep disorders. In: Kryger M, Roth T and Dement WC, eds. Principles and Practice of Sleep Medicine. 4th ed.Philadelphia, PA. Elsevier-Saunders, 2005; 863-878.
4. Aloe F. Sleep bruxism treatment. Sleep Science 2009; 2(1): 49-54.
5. Garcia-Borreguero D, Odin P, Schwarz C. Restless legs syndrome: an overview of the current understanding and management. Acta Neurol Scand. 2004; 109(5):303-17.
6. Ekbom KA. Asthenia crurum paraesthetica ("irritable legs"). Acta Med Scand 1944; 118:197-209.
7. Montplaisir J, Boucher S, Poirier G, Lavigne G, Lapierre O, Lesperance P. Clinical, polysomnographic, and genetic characteristics of restless legs syndrome: A study of 133 patients diagnosed with new standard criteria. Movement Disorders 1997; 12(1):61-65.
8. Walters A. Toward a better definition of the restless legs syndrome. Movements Disorders 1995; 10:634-642.
9. Validation of the International Restless Legs Syndrome Study Group rating scale for restless legs syndrome--The International Restless Legs Syndrome Study Group. Sleep Medicine 2003; 4:121-132.
10. Allen RP, Earley CJ. Restless legs syndrome: a review of clinical and pathophysiologic features. J Clin Neurophysiol 2001; 18:128-47.
11. Trotti LM. Restless Legs Syndrome and Sleep-Related Movement Disorders. Continuum 2017; 23:4: 1005–1016.
12. Lavigne GJ, Montplaisir JY. Restless legs syndrome and sleep bruxism: prevalence and association among Canadians. Sleep. 1994; 17(8):739-43.
13. Allen RP. Race, iron status and restless legs syndrome. Sleep Medicine 2002; 3(6):467-468.

14. Zucconi M, Ferini-Strambi L. Epidemiology and clinical findings of restless legs syndrome-Udine Special Section. Sleep Medicine 2004; 5:293-299.
15. Ohayon MM, Roth T. Prevalence of restless legs syndrome and periodic movement disorder in the general population. J Psychos Res 2002 53:547-554.
16. Rothdach AJ, Trenkwalder C, Haberstock J, Keil U, Berger K. Prevalence and risk factors of RLS in an elderly population - The MEMO Study. Neurology 2000; 54(5):1064-1068.
17. Krieger J, Schroeder C. Iron, brain and restless legs syndrome. Sleep Med Rev 2001; 5(4):277-286.
18. Simakajornboon N, Gozal D, Vlasic V, Mack C, Sharon D, Mcginley BM. Periodic Limb Movements in Sleep and Iron Status in Children. Sleep 2003; 26(6):735-738.
19. Connor JR, Boyer PJ, Menzies SL Dellinger BS, Allen RP, Ondo WG, Earley CJ. Neuropathological Examination Suggests Impaired Brain Iron Acquisition in Restless Legs Syndrome. Neurology 2003; 61(3):304-309.
20. Iwaki H, Hughes KC, Gao X, Schwarzschild MA, Ascherio A. The association between restless legs syndrome and premotor symptoms of Parkinson's disease. Journal of the Neurological Sciences 2018;394:41–44.
21. Garcia-Borreguero D, Odin P, Serrano C. Restless Legs Syndrome and PD - a Review of the Evidence for a Possible Association. Neurology 2003; 61(6):S49-S55.
22. Allen RP, Picchietti D, Hening WA, Trenkwalder C, Walters AS, Montplaisir J. Restless legs syndrome: diagnostic criteria, special considerations, and epidemiology: A report from the restless legs syndrome diagnosis and epidemiology workshop at the National Institutes of Health. Sleep Medicine 2003; 4(2):101-119.
23. Coleman RM, Bliwise DL, Sajben N, Boomkamp A, De Bruyn LM, et al. Daytime sleepiness in patients with periodic movements in sleep. Sleep 1982; P 5:S191-S202.
24. Karadeniz D, Ondze B, Besset A, Billiard M. EEG arousals and awakenings in relation with periodic leg movements during sleep. Journal of Sleep Research 2000; 9(3):273-277.
25. Leissner L Sandelin M –Periodic limb movements in sleep: to treat or not to treat? Sleep Medicine (2002) 3:S27-S30.
26. Haba-Rubio J, Staner L, Cornette F Lainey E, Luthringer R, Krieger J and Macher JP. Acute Low Single Dose of Apomorphine Reduces Periodic Limb Movements but Has No Significant Effect on Sleep Arousals: a Preliminary Report. Neurophysiologie Clinique-Clinical Neurophysiology 2003; 33(4):180-184.
27. Chervin RD. Periodic leg movements and sleepiness in patients evaluated for sleep-disordered breathing. American Journal of ReSPI/DWEratory and Critical Care Medicine 2001; 164(8):1454-1458.
28. Odin P, Mrowka M, Shing M. Restless Legs Syndrome. European Journal of Neurology 2002; 9:59-67.
29. Rodrigues RN, Rodrigues AA, Corso JT, Peixoto TF. Restless legs syndrome associated with cardiac failure and aggravated after valvular replacement: Vesper's curse?Arq Neuropsiquiatr. 2008 Sep;66(3A):539-41.
30. Garcia-Borreguero, D., Kohnen, R., Boothby, L., Tzonova, D., Larrosa, O., & Dunkl, E. (2013). Validation of the Multiple Suggested Immobilization Test: A Test for the Assessment of Severity of Restless Legs Syndrome (Willis-Ekbom Disease). Sleep, 36(7), 1101–1109. https://doi.org/10.5665/sleep.2820.
31. Wulff CH. Painful legs and moving toes. A report of 3 cases with neurophysiological studies. Acta Neurol Scand. 1982; 66(2):283-7.
32. Chervin RD, Archbold KH, Dillon JE, Pituch KJ, Panahi P, Dahl RE, Guilleminault C. Associations between symptoms of inattention, hyperactivity, restless legs, and periodic leg movements. Sleep. 2002; 25(2):213-8.
33. Walters AS, Mandelbaum DE, Lewin DS, Kugler S, England SJ, Miller M. Dopaminergic therapy in children with restless legs/periodic limb movements in sleep and ADHD. Dopaminergic Therapy Study Group. Pediatr Neurol. 2000; 22(3):182-6.
34. Desautels A, Turecki G, Montplaisir J, Xiong L, Walters AS, Ehrenberg BL, Brisebois K, Desautels AK, Gingras Y, Johnson WG, Lugaresi E, Coccagna G, Picchietti DL, Lazzarini A, Rouleau GA. Restless legs syndrome: confirmation of linkage to chromosome 12q, genetic heterogeneity, and evidence of complexity. Arch Neurol. 2005; 62(4):591-6.
35. Bonati MT, Ferini-Strambi L, Aridon P, Oldani A, Zucconi M, Casari G. Autosomal dominant restless legs syndrome maps on chromosome 14q. Brain. 2003; 126(Pt 6):1485-92.
36. Trenkwalder C, Bucher SF, Oertel WH, Proeckl D, Plendl H, Paulus W. Bereitschaftspotential in idiopathic and symptomatic restless legs syndrome. Electroencephalogr Clin Neurophysiol. 1993; 89(2):95-103.
37. Kaplan PW, Allen RP, Buchholz DW, Walters JK. A double-blind, placebo-controlled study of the treatment of periodic limb movements in sleep using carbidopa/levodopa and propoxyphene. Sleep. 1993; 16(8):717-23.
38. Wetter TC, Eisensehr I, Trenkwalder C. Functional neuroimaging studies in restless legs syndrome. Sleep Med. 2004; 5(4):401-6.
39. Tings T, Baier PC, Paulus W, Trenkwalder C. Restless Legs Syndrome induced by impairment of sensory SPI/DWEnal pathways.J Neurol. 2003; 250(4):499-500.

40. Suzuki K, Ohida T, Sone T, Takemura S, Yokoyama E, Miyake T, Harano S, Motojima S, Suga M, Ibuka E. The prevalence of restless legs syndrome among pregnant women in Japan and the relationship between restless legs syndrome and sleep problems. Sleep. 2003; 26(6):673-7.
41. Earley CJ, Allen RP, Beard JL, Connor JR. Insight into the pathophysiology of restless legs syndrome. J Neurosci Res. 2000; 62(5):623-8.
42. Earley CJ, Connor JR, Beard JL, Malecki EA, Epstein DK, Allen RP. Abnormalities in CSF concentrations of ferritin and transferrin in restless legs syndrome. Neurology. 2000; 54(8):1698-700.
43. Allen RP, Barker PB, Wehrl F, Song HK, Earley CJ. MRI measurement of brain iron in patients with restless legs syndrome. Neurology. 2001; 56(2):263-5
44. Connor JR, Wang XS, Patton SM, Menzies SL, Troncoso JC, Earley CJ, Allen RP. Decreased transferrin receptor expression by neuromelanin cells in restless legs syndrome. Neurology. 2004; 62(9): 1563-7.
45. Allen, R. P. (2015). Restless Leg Syndrome/Willis-Ekbom Disease Pathophysiology. Sleep Medicine Clinics, 10(3), 207–214. https://doi.org/10.1016/j.jsmc.2015.05.022.
46. Akpinar S. Treatment of restless legs syndrome with levodopa plus benserazide. Arch Neurol. 1982; 39(11):739.
47. Saletu M, Anderer P, Hogl B, Saletu-Zyhlarz G, Kunz A, Poewe W, Brodeur C, Montplaisir J, Godbout R, Marinier R. Treatment of restless legs syndrome and periodic movements during sleep with L-dopa: a double-blind, controlled study. Neurology. 1988; 38(12):1845-8.
48. Saletu B. Acute double-blind, placebo-controlled sleep laboratory and clinical follow-up studies with a combination treatment of rr-L-dopa and sr-L-dopa in restless legs syndrome. J Neural Transm. 2003; 110(6):611-26.
49. Comella CL. Restless legs syndrome: treatment with dopaminergic agents. Neurology. 2002; 58(4 Suppl 1):S87-92.
50. Silber MH, Girish M, Izurieta R. Pramipexole in the management of restless legs syndrome: an extended study. Sleep 2003; 26(7):819-21.
51. Clavadetscher SC, Gugger M, Bassetti CL. Restless legs syndrome: clinical experience with long-term treatment. Sleep Med. 2004; 5(5):495-500.
52. Ferini-Strambi L, Manconi M. Treatment of restless legs syndrome. Parkinsonism Relat Disord 2009;15S:S-65-S70.
53. Stiasny-Kolster K, Benes H, Peglau I, Hornyak M, Holinka B, Wessel K, Emser W, Leroux M, Kohnen R, Oertel WH. Effective cabergoline treatment in idiopathic restless legs syndrome. Neurology. 2004; 63(12):2272-9.
54. Garcia-Borreguero D, Benitez A, Kohnen R, Allen R. Augmentation of restless leg syndrome (Willis-Ekbom disease) during long-term dopaminergictreatment. Postgrad Med. 2015;127(7):716-25.
55. Walters AS. Review of receptor agonist and antagonist studies relevant to the opiate system in restless legs syndrome. Sleep Med. 2002; 3(4):301-4.
56. Happe S, Klosch G, Saletu B, Zeitlhofer J. Treatment of idiopathic restless legs syndrome (RLS) with gabapentin. Neurology. 2001; 57(9):1717-9.
57. O'Keeffe ST, Gavin K, Lavan JN. Iron status and restless legs syndrome in the elderly. Age Ageing. 1994; 23(3):200-3.
58. Garcia-Borreguero D, Patrick J, DuBrava S, Becker PM, Lankford A, Chen C, Miceli J, Knapp L, Allen RP. Pregabalin versus pramipexole: effects on sleep disturbance in restless legs syndrome. Sleep. 2014 Apr 1;37(4):635-43.
59. Von Scheele C, Kempi V. Long term effect of dopaminergic drugs in restless legs. A 2-year follow-up. Arch Neurol 1990; 47:1223-4.
60. Allen RP, Earley CJ. Augmentation of the restless legs syndrome with carbidopa/levodopa. Sleep 1996; 19(3):205-13.
61. Garcia-Borreguero D, Allen RP, Benes H, Earley C, Happe S, Högl B, Kohnen R, Paulus W, Rye D, Winkelmann J. Augmentation as a treatment complication of restless legs syndrome: concept and management. Mov Disord 2007;22(S18):S476-S584.
62. Garcia-Borreguero D. Augmentation: understanding a key feature of RLS. Sleep Med 2004;5:5-6.
63. Winkelman JW, Johnston L. Augmentation and tolerance with long-term pramipexole treatment of restless legs syndrome (RLS). Sleep Med 2004; 5:9-14
64. García-Borreguero D, Allen RP, Kohnen R, Högl B, Trenkwalder C, Oertel W, Hening WA, Paulus W, Rye D, Walters A, Winkelmann J. Diagnostic Standards for dopaminergic augmentation of restless legs syndrome: report from a World Association of Sleep Medicine – International Restless Legs Syndrome Study Group Consensus Conference at the Max Planck Institute. Sleep Med 2007; 8:520-30.
65. Santamaría J, Iranzo A, Tolosa E. Development of restless legs syndrome after dopaminergic treatment in a patient with periodic leg movements in sleep. Sleep Med 2003; 4:153-5.

66. Silber MH, Shepard Jr JW, Wisbey JA. Pergolida in the management of restless legs syndrome: an extended study. Sleep 1997;20:878-82
67. Ferini-Strambi L. Restless legs syndrome augmentation and pramipexol treatment. Sleep Med 2002; 3:S23-S25.
68. Vetrugno R, La Morgia C, D´Ângelo R, Loi D, Provini F, Plazzi G, Montagna P. Augmentation of restless syndrome with long-term tramadol treatment. Mov Disord 2007; 22(3): 424-7.
69. Allen RP, Earley CJ. Restless legs syndrome augmentation associated with tramadol. Sleep Med 2006; 7:592-3.
70. Paulus W, Trenkwalder C. Less is more: pathophysiology of dopaminergic-therapy-related augmentation in restless legs syndrome. Lancet Neurol 2006; 5:878-86.
71. Paulus W, Schomburg ED. Dopamine and the SPI/DWEnal cord in restles legs syndrome: does SPI/DWEnal cord physiology reveal a basis of augmentation? Sleep Med Rev 2006; 10:185-96.
72. Vetrugno R, Contin M, Baruzzi A, Provini F, Plazzi G, Montagna P. Polysomnographic and pharmacokinetic findings in levodopa-induced augmentation of restless legs syndrome. Mov Disord 2006; 21(2): 254-8.
73. Garcia-Borroguero D, Serrano C, Larrosa O, Granizo JJ. Circadian effects of dopaminergic treatment in restless legs syndrome. Sleep Med 2004;5:413-20
74. Schede R, Andersohn F, Suissa S, Haverkamp W, Garbe E. Dopamine agonists and the risk of cardiac-valve regurgitation. N Engl J Med 2007;356:29-38.
75. Danoff SK, Grasso ME, Terry PB, Flynn JA. Pleuropulmonary disease due to pergolide use for restless legs syndrome. Chest 2001;120:313-6.
76. Evans AH, Butzkueven H. Dopamine agonist-inducednpathological gambling in restless legs syndrome due to multiple sclerosis. Mov Disord 2007;22:590-1
77. Evans AH, Stegeman JR. Punding in patients on dopamine agonists for restless legs syndrome. Mov Disord 2009;24:140-1.
78. Chokroverty S, Sachdeo R. Restless limb-myoclonus-sleep apnea syndrome. Ann Neurol 1984; 16:124.
79. Schönbrunn E, Rieman D, Hohagen F, Berger M. Restless legs and sleep apnea syndrome--random coincidence or causal relation? Nervenarzt. 1990; 61(5): 306-11.
80. Dorow P, Thalhofer S. Restless legs syndrome and periodic leg movements during sleep in patients with sleep apnea – a therapeutic problem? Pneumologie. 1997; 51 Suppl 3:716-20.
81. Lakshminarayanan S, Paramasivan KD, Walters AS, Wagner ML, Patel S, Passi V Clinically significant but unsuspected restless legs syndrome in patients with sleep apnea. Mov Disord. 2005; 20(4):501-3.
82. Delgado Rodrigues RN, Alvim de Abreu e Silva Rodrigues AA, Pratesi R, Krieger J.Outcome of restless legs severity after continuous positive air pressure (CPAP) treatment in patients affected by the association of RLS and obstructive sleep apneas. Sleep Med. 2006 Apr;7(3):235-9.
83. Rodrigues RN, Abreu e Silva Rodrigues AA, Pratesi R, Gomes MM, Vasconcelos AM, Erhardt C, Krieger J. Outcome of sleepiness and fatigue scores in obstructive sleep apnea syndrome patients with and without restless legs syndrome after nasal CPAP.Arq Neuropsiquiatr. 2007 Mar;65(1):54-8.
84. Wolk R, Shamsuzzaman AS, Somers VK. Obesity, sleep apnea, and hypertension. Hypertension. 2003; 42(6):1067-74.
85. Svatikova A, Wolk R, Gami AS, Pohanka M, Somers VK. Interactions between obstructive sleep apnea and the metabolic syndrome. Curr Diab Rep. 2005; 5(1):53-8.
86. Stevens MS. Restless Legs Syndrome/Willis-Ekbom Disease Morbidity: burden, quality of life, cardiovascular aspects and Sleep. Sleep Med Clin. 2015;10(3):369-73.
87. Rulong G, Dye T, Simakajornboon N. Pharmacological Management of Restless Legs Syndrome and Periodic Limb Movement Disorder in Children. Paediatr Drugs. 2018;20(1):9-17.
88. Aurora RN, Kristo DA, Bista SR, Rowley JA, Zak RS, Casey KR, Lamm CI, Tracy SL, Rosenberg RS; American Academy of Sleep Medicine. The treatment of restless legs syndrome and periodic limb movement disorder in adults--an update for 2012: practice parameters with an evidence-based systematic review and meta-analyses: an American Academy of Sleep Medicine Clinical Practice Guideline. Sleep. 2012 ;35(8):1039-62.
89. Butler JV, Mulkerin EC, O'Keefe ST. Nocturnal legs cramps in older people. Postgrad Med J 2002; 78: 596-98.
90. Ridley JD, Antony Sj,. Leg cramps: differential diagnosis and management Am Fam Physician 1995;52: 1794-98.
91. Di Capua M. Fusco L, Ricci S et al. Benign neonatal sleep myoclonus: clinical features video-polygraphic recordings. Mov Disord 1993;8: 191-94.
92. Hoban TF. Rhythmic movement disorders in children. CNS Spectr 2003; 8: 135-38.
93. Broughton R, Tolentino MA, Krelina M. Excessive fragmentary myoclonus in NREM sleep: a report of 38 cases. Electroencephalogr Clin Neurophysiol 1985; 61: 123-33.
94. Vetrugno R, Plazzi G, Provini F et al. Excessive fragmentary hypnic myoclonus: clinical and neurophysiological findings. Sleep Med 2002; 3: 73-76
95. Wichniak A, Track F, Geisler P. et al. Rhythmic feet movement while falling asleep. Mov Disord 2001;16: 1164-70.

Parassonias

7

Geraldo Nunes Vieira Rizzo
Luciano Ribeiro Pinto Junior

1. Introdução

As parassonias são fenômenos comportamentais ou perceptuais, em geral indesejáveis, que tendem a ocorrer ou durante o sono ou na transição dos principais estados de consciência, como vigília, sono não REM e sono REM. Consistem em movimentos anormais, distorções comportamentais e perceptuais, oníricas, emocionais e transtornos autonômicos[1].

A maioria das parassonias são manifestações de ativação do sistema nervoso central. Não é raro um paciente apresentar vários tipos de parassonias no decorrer da vida. As parassonias são por sua vez divididas de acordo com o estágio de origem, ou seja, parassonias NREM, parassonias REM ou indiferentes as quais não são específicas de um determinado estágio de sono[1-6].

Entender a intersecção dos diversos estados de consciência, como vigília, sono N2, sono de ondas lentas (sono profundo, N3) e sono REM é a chave para entender as parassonias primárias de sono (Quadro 7.1).

Durante um episódio de parassonia os indivíduos não estão totalmente acordados nem plenamente conscientes. À medida que essas ações ultrapassam o inócuo até comportamentos de maior risco como se alimentar, cometer atos de violência, seu grau de importância e relevância aumenta exponencialmente. Parassonias que resultam em atividades ilegais, particularmente a violência, são fenômenos relevantes para a medicina legal.

2. Avaliação das parassonias

Pessoas saudáveis podem apresentar eventos relacionados ao sono isolados, frequentemente bizarros, mas que não requerem uma avaliação extensiva. A abordagem inicial para as queixas de comportamentos atípicos durante o sono consiste em determinar se uma avaliação complementar é necessária. Os pacientes devem ser questionados sobre a exata natureza dos acontecimentos e, tendo em vista que muitos dos episódios estão associados com amnésia parcial ou completa, informação descritiva adicional do parceiro ou parceira

QUADRO 7.1
Principais parassonias
A. Parassonias do sono não REM
Despertares confusionais
Transtornos alimentares relacionados ao sono
Transtornos violentos relacionados ao sono
Transtornos sexuais relacionados ao sono
Sonambulismo
Terror noturno
B. Transtornos associados ao sono REM
Transtorno comportamental do sono REM
Estado dissociado
Paralisia do sono
Pesadelos
Alucinações hipnagógicas
C. Outras
Síndrome da explosão da cabeça
Fala hipnagógica
Catatrenia
Enurese

de cama ou outro observador pode se tornar necessária. De ajuda também são vídeos caseiros documentando o evento[1-6].

Polissonografias de rotina realizadas para transtornos de sono convencionais são inadequadas nesses casos. Além da monitorização dos parâmetros fisiológicos da polissonografia padrão deve haver uma montagem de eletroencefalografia expandida bem como monitorização audiovisual contínua[1-6].

A observação de um técnico experiente é fundamental e, muitas vezes, múltiplos estudos noturnos podem ser requeridos para captação do evento. Polissonografia domiciliar sem a presença do técnico não tem papel na avaliação das parassonias[1-6].

Em geral, indicações para uma avaliação formal das parassonias inclui comportamentos que são potencialmente violentos ou traumáticos, os quais são extremamente perturbadores a outras pessoas da casa, ou aqueles que resultam em queixa de insônia ou sonolência excessiva diurna[1-6].

3. Parassonias do sono não REM (NREM)

3.1. Conceito e etiopatogenia

As parassonias do sono NREM geralmente decorrem de um transtorno do despertar e tendem a ocorrer no primeiro ciclo do sono noturno, geralmente na transição da vigília para o sono ou como despertar parcial principalmente do sono de ondas lentas (N3). Embora frequentemente ocorram durante o estágio de sono de ondas lentas, os distúrbios do despertar podem ocorrer em qualquer estágio NREM e inclusive tardiamente no período de sono.

Algumas parassonias do sono NREM, como enurese, sonambulismo e terror noturno, têm como fatores comuns a prevalência maior em crianças e a diminuição com o passar dos anos. Um padrão familiar genético parece importante, bem como fatores precipitantes, como privação de sono, estresse, ansiedade, doenças psiquiátricas, consumo de álcool, trabalho em turnos e outros transtornos do sono[1-6].

Transtornos do despertar podem ocorrer em crianças e adultos jovens e são exacerbados por gravidez ou menstruação, sugerindo fatores hormonais. Tais precipitantes devem ser considerados fatores desencadeantes em indivíduos susceptíveis, mas não causais.

O mecanismo dessas doenças não é claro, mas fatores ambientais e genéticos estão operantes. Uma predisposição genética parece necessária na maioria dos casos. Um gene candidato para sonambulismo foi identificado no cromossomo 20q12-q13.12 em uma família de sonâmbulos. As parassonias NREM têm uma ligação genética e clínica com epilepsias do lobo noturno-frontal; possivelmente por meio de uma anormalidade do sistema de controle do sono relacionado à acetilcolina. A associação de parassonias NREM com o sistema de antígenos de leucócitos humanos pode ser o sinal de um fundo autoimune para ser esclarecido[4,7].

Entendendo as parassonias como transtornos dos despertares, deve-se saber que o padrão alternante cíclico (CAP) é uma medida da instabilidade NREM com um alto nível de oscilação de despertares. Pacientes que têm distúrbios do despertar, entretanto, mostram um aumento no índice de CAP, no número de ciclos CAP, e nos despertares com sincronização EEG. Um aumento na instabilidade do sono e na oscilação de despertares é um achado típico da microestrutura de parassonias relacionadas ao sono de ondas lentas e pode representar um papel no desencadeamento de episódios motores anormais durante o sono desses pacientes. Microdespertares precedidos por sincronização de ondas lentas durante o sono NREM são mais frequentes em pacientes com sonambulismo e terror noturno do que em controles.

Os distúrbios de despertar aparecem em um amplo espectro que vai do sonambulismo, terror noturno até despertares confusionais, os quais podem ser acompanhados de transtornos alimentares do sono ou comportamentos violentos e sexuais atípicos[1].

■ 3.2. Principais parassonias do sono NREM

3.2.1. Sonambulismo

O sonambulismo decorre de um transtorno do despertar, bastante prevalente na infância (1%-17%) com pico entre 11-12 anos, porém também podendo persistir na idade adulta, com vários graus de complexidade e duração[7-13]. Os critérios diagnósticos para sonambulismo são os seguintes[1]:

Deambulação que ocorre durante o sono.

Persistência de sono em estado alterado de consciência, ou julgamento prejudicado durante a ambulação é demonstrado por pelo menos uma das seguintes condições: dificuldade em acordar a pessoa, confusão mental quando acordado de um episódio, amnesia (parcial ou completa) para o episódio, comportamentos rotineiros que ocorrem em horas inapropriadas, comportamentos inapropriados ou desconexos e comportamentos perigosos ou potencialmente perigosos.

A epidemiologia desse transtorno ainda não foi sistematicamente esclarecida. Meta-análises mostraram que a prevalência do sonambulismo foi de 6,9% (IC 95% 4,6% – 10,3%). A taxa de prevalência atual de sonambulismo – nos últimos 12 meses – foi significativamente maior em crianças 5,0% (IC 95% 3,8% – 6,5%) do que adultos 1,5% (IC 95% 1,0% – 2,3%)[7-13].

3.2.2. Terror noturno

Terror noturno é um episódio súbito de medo intenso que ocorre durante o sono, geralmente iniciado por um grito e é acompanhado por manifestações comportamentais ou autonômicas[3,4,23]. Pelo menos uma das seguintes situações está presente: dificuldade de recordar (amnesia completa ou parcial) o episódio, confusão mental quando acordada de um episódio, amnésia parcial ou completa para o episódio, comportamentos perigosos ou potencialmente[1,14,15].

A prevalência em adultos gira em torno de 4%-5% e os fatores desencadeantes incluem doença febril, álcool, privação de sono, atividade física, estresse, medicamentos[8,15,16].

3.2.3. Despertares confusionais

O despertar confusional consiste em um estado de confusão durante e após despertares do sono, tipicamente do sono de ondas lentas, na primeira parte da noite, mas também podem ocorrer ao acordar do sono pela manhã. O indivíduo está desorientado no tempo e no espaço, com uma voz arrastada, dificuldade de raciocínio e frequentemente ocorre alteração de memória tanto anterógrada como retrógrada. Esses comportamentos podem ser extremamente complexos, como sair de casa e caminhar longas distâncias, ou mesmo dirigir automóveis durante um episódio. Durante essas crises o indivíduo pode parecer estar acordado, mas se despertado está frequentemente confuso e desorientado e geralmente não lembra do acontecido[1].

3.2.4. Transtorno alimentar relacionado com o sono

O distúrbio alimentar relacionado com o sono se caracteriza por despertares confusionais com episódios de alimentação noturna, geralmente sem consciência. Essa condição frequentemente responde ao tratamento com uma combinação de agentes opiáceos e dopaminérgicos. Distúrbio alimentar do sono pode estar associado à administração de zolpidem. O distúrbio alimentar relacionado com o sono é distinto do transtorno alimentar noturno caracterizado pela hiperfagia noturna (enquanto acordado) e insônia[1].

3.2.5. Transtornos violentos e sexuais (sexônia) relacionados com o sono

O transtorno de violência relacionado com o sono (TVRS) caracteriza-se por comportamentos de violência geralmente com a companheira de cama, situação em que o paciente encontra-se em estado confusional, não se encontrando em plena posse de sua consciência normal.

Os TVRS são os distúrbios de despertar mais comuns associadas com consequências legais. Atos violentos ou criminais cometidos durante despertares confusionais são explicados pela preservação da atividade motora durante o sono NREM com desativação de regiões corticais normalmente com comportamentos complexos sem consciência, e por tanto sem culpabilidade. Comportamento pode ser inapropriado e às vezes até violento e esses episódios duram minutos a horas[16-25].

Embora a completa falta de consciência de um parassoníaco justifique a absolvição da responsabilidade criminal, não exclui a responsabilidade de submeter-se a fatores exacerbadores que resultam nessas parassonias violentas. Os indivíduos devem ser responsabilizados se eles poderiam ser esperados para controlar esses fatores. Além disso, eles devem ser submetidos a um tratamento e gerenciamento adequados para evitar futuros comportamentos de risco. O estabelecimento de uma defesa legal para a essa parassonia é complexo.

Critérios específicos devem ser delineados para distinguir dentre reivindicações verdadeiras e fraudulentas de crimes cometidos durante esses estados alterados de consciência[16].

Nos casos de transtornos sexuais atípicos relacionado com o sono (TSARS) são despertares confusionais, geralmente ocorrendo na transição do sono de ondas lentas (N3) para a vigília durante os quais o paciente pode realizar comportamentos sexuais anormais sem ter plena consciência do ato que está realizando. O conjunto de comportamentos sexuais anormais durante distúrbios do despertar inclui masturbação prolongada ou violenta, molestação ou assalto sexuais (de menores e adultos), iniciação de intercurso sexual e vocalizações sexuais durante o sono seguidas de amnésia pela manhã[16-25].

Estudos têm mostrado que a acusação está relacionada a assassinatos ou tentativa de assassinato nos casos de transtornos de violência relacionados com o sono. Nos casos dos transtornos da sexualidade relacionados com o sono, a acusação variou de toque sexual à violação. Os acusados geralmente são homens relativamente jovens e as vítimas geralmente são parentes adultos dos réus em casos de TVRS e meninas ou adolescentes em casos de TSRS. Os eventos criminosos tendem a ocorrer de uma a duas horas após o início do sono[18].

3.2.6. Síndrome da explosão da cabeça

Entretanto variações nesse tema incluem sintomas visuais como flashes de luz e alucinações fragmentares, auditivos como ruídos fortes ou somestésicos como dor, dormência, sensação do corpo flutuando. Esses fenômenos sensoriais podem ocorrer sem o abalo do corpo. Tais fenômenos são eventos fisiológicos normais embora não bem compreendidos e não deveriam ser confundidos com epilepsia ou outras condições neurológicas. É possível que a síndrome de explosão da cabeça seja uma variedade de abalos sensoriais do sono[26-29].

■ 3.3. Tratamento das parassonias do sono NREM

Tratamento frequentemente não é necessário. Assegurar a natureza benigna desses episódios, a falta de significância psicológica, e a tendência de diminuir com o tempo é suficiente. Antidepressivos tricíclicos e benzodiazepínicos podem ser efetivos e deveriam ser administrados se os comportamentos forem perigosos para a pessoa ou para a propriedade ou extremamente perturbadores aos membros da família. Paroxetina e trazodona são relatados como efetivos em casos isolados de distúrbio de despertar. A terapia não farmacológica que inclui psicoterapia, relaxamento progressivo ou hipnose são recomendados para manejo a longo prazo.

No tratamento das parassonias as principais ferramentas são a higiene do sono adequada e o gerenciamento das condições subjacentes. A sua farmacoterapia permaneceu sem solução; as melhores opções são clonazepam e alguns dos antidepressivos, enquanto uma abordagem comportamental pode ser indicada[4].

4. Parassonias do sono REM

■ 4.1. Transtorno comportamental do sono REM (TCSR)

Embora vários componentes clínicos e polissonográficos do TCSR tenham sido identificados por investigadores europeus, japoneses e americanos desde 1966, TCSR não foi reconhecido formalmente e nomeado até 1985 e foi incorporado na Classificação Internacional de Distúrbios de Sono em 1990. Em 1965, Jouvet e Delorme relataram que lesões bilaterais e simétricas induzidas experimentalmente no tegmento pontino dorsolateral em gatos resultavam em permanente e contínua perda da atonia REM, ao passo que lesões em outras estruturas do tronco cerebral não tinham efeito no sono REM. Esses gatos apresentavam comportamentos tipo alucinatórios durante o sono REM que lembravam fortemente onirismo. Os comportamentos oníricos nesses gatos sempre ocorriam durante sono REM de maneira inequívoca, e o sono REM retinha todos seus achados identificadores exceto a perda da atonia REM: ativação cortical; atividade rápida do bulbo olfatório; ondas pontogenículo occipitais; miose pronunciada; relaxamento das membranas nictantes e falta de reatividade ao estimulo ambiental. Desse modo, os mecanismos responsáveis pelos comportamentos oníricos foram postulados se originar no cérebro e serem dependentes da organização neural interna do sono REM[1,30-32].

O transtorno de comportamento do sono REM (RBD) é uma parassonia associada à promulgação dos sonhos, envolvendo frequentemente comportamentos violentos ou potencialmente prejudiciais durante o sono REM, fortemente associado à neurodegeneração de sinucleinopatia.

O TCSR é mais comum acima dos 50 anos, sendo a maioria dos pacientes do sexo masculino. Ocorre em 0,38% a 0,5% da população adulta. A apresentação mais frequente consiste na queixa de atividade motora violenta, dramática, capaz de provocar ferimentos durante o sono. Esses comportamentos incluem falar, gritar, lutar, correr, apanhar coisas etc. Não é raro observarmos equimoses, lacerações ou fraturas envolvendo o próprio paciente ou o(a) companheiro(a) de cama. Essa atividade motora relatada durante o sono geralmente se correlaciona com o conteúdo do sonho. Em alguns casos, bruxismo, solilóquio ou movimentos periódicos de extremidades podem acompanhar ou ser a manifestação primária desse distúrbio. A duração dos comportamentos é breve e geralmente ao acordar há uma rápida recuperação da orientação e da consciência. A frequência dos episódios é variável[30-32].

Podemos dividir esse transtorno em casos agudos, crônicos, idiopáticos e associados a transtornos neurológicos. Nos casos agudos geralmente os sintomas se devem ao uso de medicamentos (antidepressivos tricíclicos, e inibidores seletivos da recaptação de serotonina, inibidores da MAO, selegilina, drogas colinérgicas para doença de Alzheimer), abstinência de álcool ou barbitúricos, abuso de chocolate ou cafeína[33-36].

A forma crônica de TCSR é idiopática em 25% a 60% dos casos. Os casos remanescentes estão associados com várias doenças neurológicas degenerativas. Uma grande variedade de condições neurológicas também pode apresentar sono REM sem atonia ou atividade muscular fásica excessiva no sono REM como um achado isolado na polissonografia e sem presença de transtorno comportamental. Consideradas como fórmulas pré-clínicas de TCSR, podem estar associadas a doenças neurológicas ou em indivíduos assintomáticos[1,37-39].

4.1.1. O TCSR e as sinucleopatias

O transtorno comportamental do sono do movimento rápido do olho idiopático (REM) é classificado como uma das parassonias REM com características clínicas, incluindo sonhos desagradáveis, vivência de sonhos, atonia muscular típica durante a fase REM do sono. Outras características clínicas associadas incluem perda olfativa, disautonomia, comprometimento da visão colorida e sinais parkinsonianos sutis. TCSR pode preceder o desenvolvimento de uma alfa-sinucleinopatia em 20%-45% dos pacientes dentro de 5 anos, e até 92% dentro de 14 anos pós-diagnóstico. Portanto, esse distúrbio oferece uma oportunidade potencial para a compreensão dos estádios prodrômicos das sinucleinopatias e a análise da eficácia de possíveis agentes neuroprotetores[39-52].

No sono REM, neurônios do núcleo tegmental sublaterodorsal se projetam para interneurônios no bulbo ventromedial e medula espinhal que, por sua vez, inibem os motoneurônios espinhais. No TCSR, a degeneração desse circuito desinibe os comandos motores fásicos provenientes de geradores de motores. O comportamento resultante varia de simples contrações ou abalos até um comportamento complexo. Os comportamentos simples no TCSR podem ser originários dos geradores de motor cortical, do tronco encefálico e da medula espinhal, enquanto o comportamento complexo pode ser originado por geradores de motores corticais, possivelmente relacionados ao conteúdo de sonhos no sono REM.

Embora o TCSR possa ocorrer de forma idiopática, geralmente é comórbido ou precursor de uma sinucleinopatia, como a doença de Parkinson (PD). O TCSR pode preceder o início da DP por décadas, sugerindo uma patologia subjacente que pode comprometer progressivamente os centros dopaminérgicos mesencefálicos. A recuperação relativa da função motora durante o sono REM em alguns casos de PD com TCSR enfatiza a complexidade do controle da via do motor durante a vigília e o sono REM[41].

O TCSR confirmado por polissonografia está presente em até 88% dos pacientes com atrofia de múltiplos sistemas (AMS). Mais de metade dos pacientes com AMS relatam sintomas de TCSR antes do início dos déficits motores[39-53].

A doença de Parkinson (DP) é uma doença neurodegenerativa progressiva associada à patologia da doença do corpo de Lewy (LBD) nas estruturas do sistema nervoso central e periférico. Embora a etiologia da DP não seja totalmente compreendida, as análises clinicopatológicas recentes realizadas por Braak e colegas levaram ao desenvolvimento de um sistema de estadiamento da demência por corpos de Lewy (DCL) na evolução da DP. Esse sistema postula uma topografia relativamente previsível da progressão da patologia do DCL no sistema nervoso central, das estruturas olfativas, do bulbo, progredindo rostralmente do bulbo para a ponte, de estruturas do mesencéfalo, substância negra, acometendo sistema límbico e finalmente estruturas neocorticais. Se essa topografia e evolução temporal da patologia TCSR realmente ocorre, pode-se argumentar que outras manifestações de TCSR que refletem degeneração de estruturas olfativas e pontomedulares podem começar muitos anos antes do desenvolvimento de degeneração nigral proeminente e as características parkinsonianas associadas da DP clássica. Uma dessas manifestações da DP prodrômica é o transtorno rápido do comportamento do sono do movimento dos olhos (REM), que é uma parassonia manifestada por sonhos vívidos associados ao comportamento de promissão dos sonhos durante o sono REM.

Estudos em animais e humanos implicaram lesões ou disfunções no sono REM e circuitos de controle motor nas estruturas pontomedulares causam a fenomenologia do TCR, e a degeneração dessas estruturas pode explicar a presença de TCR anos ou décadas antes do início do parkinsonismo naqueles que desenvolvem DP. Um resultado importante desse quadro será determinar a história natural do TCR e as características associadas na evolução para DP, permitindo o desenvolvimento de metodologia de trilha clínica com medidas-chave e poder suficiente para detectar se essas terapias atrasam o seu aparecimento.

4.1.2. Avaliação diagnóstica do TCSR

Entrevista clínica com uma boa anamnese e exame físico, além de questionários de sono e de exame neurológico e psiquiátrico. Fundamental é a realização de polissonografia com monitorização videopolissonográfica durante a noite. O ideal seria que a polissonografia contivesse uma expansão dos canais eletroencefalográficos, em torno de oito, para o diagnóstico diferencial de epilepsia. Ideal seria também eletromiografia das quatro extremidades[54].

Avaliação neuropsicométrica e ressonância magnética cerebral deveriam ser realizadas devido à alta prevalência de doenças neurodegenerativas com essa condição.

Os critérios mínimos de diagnóstico de TCSR são:

- Anormalidade polissonográfica durante o sono REM: aumento do tônus submentoniano ou aumento de abalos fásicos na eletromiografia submentoniana ou de extremidades.
- Documentação de comportamentos anormais pela videopolissonografia.
- Ausência de atividades epileptiformes no EEG durante o sono REM.

Mais importante, entretanto é a associação de TCSR com parkinsonismo. Tanto parkinsonismo ocorre de maneira prevalente em TCSR como TCSR pode ser uma manifestação inicial de uma doença parkinsoniana em um número substancial de casos de TCSR inicialmente considerados idiopáticos. Por outro lado, um grande número de pacientes parkinsonianos sem queixas de sono pode apresentar ou TCSR pré-clínico ou clínico.

O acompanhamento de pacientes com TCSR idiopático tem mostrado que a maioria desenvolve doenças degenerativas, principalmente sinucleopatias (doença de Parkinson, atrofia de múltiplos sistemas e demência de corpos de Lewy) TCSR também tem sido descrito como associado à paralisia supranuclear progressiva que é uma taupatia, associada à doença de Parkinson com mutações parkin e à narcolepsia.

O diagnóstico diferencial de TCSR inclui outros tantos transtornos que podem se manifestar com comportamentos violentos como transtorno do despertar, convulsões noturnas, apneia obstrutiva do sono, transtornos rítmicos do movimento, doenças psicogênicas dissociativas etc.

4.1.3. Tratamento de TCSR

O clonazepam é uma droga bastante efetiva no controle dos distúrbios comportamentais e dos componentes oníricos dessa doença. As doses de 0,5 a 1 mg costumam ser suficientes. A recorrência de TCSR ocorre sempre que o paciente esquece de tomar a medicação em determinada noite. O mecanismo de ação terapêutica consiste na supressão da atividade eletromiográfica fásica durante o sono REM mais do que na restauração da atonia REM. A eficácia e a segurança do uso crônico de clonazepam no tratamento do TCSR e outras parassonias já foi bem documentada. No caso de não haver resposta a essa droga outras medicações podem ser testadas tais como imipramina, carbamazepina, clonidina, carbidopa+ levodopa, triptofano, gabapentina. Entretanto, no caso de não poder se usar o clonazepam, tem se optado por melatonina em doses de 6 a 12 mg ao deitar ou pramipexol[55-60].

Clonazepam tem sido sugerido como a opção de tratamento de primeira linha para TCSR No entanto, a evidência que apoia a terapia com melatonina está se expandindo. A melatonina parece ser benéfica para o manejo do TCSR com reduções nos resultados comportamentais clínicos e diminuição da tonicidade muscular durante o sono REM. A melatonina também possui um perfil favorável de segurança e tolerabilidade em relação ao clonazepam com potencial limitado para interações medicamentosas, uma consideração importante especialmente em indivíduos idosos com TCSR que recebem polifarmácia[55-60].

■ 4.2. Estado dissociado (*Status dissociatus*)

É uma maneira complexa de parassonia na qual os pacientes apresentam estados de consciência alterada, podendo ocorrer abalos musculares frequentes, vocalização e sonhos vívidos quando são forçados a acordar ou acordam espontaneamente. Poligraficamente não há achados de sono REM ou NREM convencionais, havendo uma mistura de intersecções simultâneas de elementos de vigília, sono REM e sono NREM[61-66].

4.3. Agrypnia excitata

Essa condição é caracterizada por uma hiperatividade generalizada, associada com perda do sono de ondas lentas, incapacidade de iniciar e manter o sono, sonhos acordados, ativação motora e autonômica simpática exagerada. É visto em condições diversas como *delirium tremens*, insônia familiar fatal e coreia fibrilar de Morvan[67-69].

4.4. Pesadelos

Pesadelos são definidos como sonhos assustadores que geralmente acordam o indivíduo do sono REM[10]. Ativação comportamental como falar, gritar ou sair da cama raramente acontecem e ajudam a distinguir essa parassonia de outras. Pesadelos ocorrem em qualquer idade ou sexo, mas são mais comuns em crianças do que em adultos e mais comuns em mulheres do que em homens. O cenário mais comum envolve o sonhador sendo perseguido ou atacado. Eventos assustadores do mundo real podem desencadear pesadelos frequentes[70-73].

São muitos os fatores predisponentes nos pesadelos incluindo doenças médicas e psiquiátricas. Talvez um grande fator desencadeante seja a privação de sono. Devemos considerar também o uso de drogas como propranolol e antidepressivos[70-73].

Outros transtornos do sono podem ser relatados pelos pacientes, como sonhos intenso, prolongados e cansativos, atividade mental exagerada durante todo o sono

O tratamento para pesadelos crônicos não relacionados a doenças médicas ou psiquiátricas pode ser feito com terapia cognitiva comportamental ou uso de tricíclicos[74].

4.5. Paralisia do sono

A paralisia do sono representa a persistência da atonia do sono REM na vigília e é extremamente comum mesmo em não narcolépticos, ocorrendo em mais do que 33% da população em geral. Pode ser familiar, mas é mais comum associada à privação do sono e estando o indivíduo na posição supina[75-80].

4.6. Alucinações hipnagógicas e hipnopômpicas

Assim como a paralisia de sono tais fenômenos alucinatórios de início ou de fim de sono são bastante comuns na população de não narcolépticos e podem estar combinados com paralisia de sono. Os pacientes devem entender que essas alucinações são fenômenos normais do sono e não sintomas de doença psiquiátrica[81].

4.7. Transtornos da ereção peniana

A manifestação de ciclos eréteis penianos ocorre particularmente no sono REM, quando a maioria das ereções noturnas ocorre. A redução ou ausência de ereções penianas relacionadas ao sono, na presença de uma arquitetura de sono intacta, geralmente indica uma causa orgânica da impotência. Essa condição de dificuldade de ereção peniana relacionada ao sono é definida como a incapacidade de manter uma ereção peniana durante o sono que seja substancialmente grande ou rígida suficiente para que o paciente se engaje em uma relação sexual. Nos casos de ereções dolorosas relacionadas ao sono trata-se de uma condição caracterizada por dor peniana com ereções que ocorrem tipicamente durante sono REM. Homens adultos de meia idade ou idosos são mais afetados e há queixa de despertares recorrentes com ereções parciais ou completas associadas à dor. Os efeitos cumulativos de noites mal dormidas podem resultar em queixas adicionais de insônia, irritabilidade, ansiedade e sonolência diurna. Geralmente há uma história de ereções normais durante a vigília e não se encontra patologia peniana. Embora não seja conhecido, o curso e evolução da doença, essa condição pode se tornar mais severa com o passar do tempo e não se conhece um tratamento efetivo[1].

5. Outras parassonias

Outros comportamentos que podem ocorrer durante o sono são enurese[82-101], sonilóquio[102,103], gemidos noturnos, soluços, expiração ruidosa (catatrenia)[104-106], ataques de pânico noturnos[107-119], transtornos psicogênicos[120,121], prurido noturno e sudorese[122].

6. Diagnóstico diferencial das parassonias

TCSR é uma das muitas doenças ou distúrbios que podem se manifestar com um sono violento e com comportamentos relacionados ao sono levando a implicações forênsicas. Outros distúrbios incluem aqueles do despertar (despertar confusional, sonambulismo, terror noturno), convulsões noturnas incluindo as crises epilépticas do lobo frontal (distonia paroxística), apneia obstrutiva do sono com despertares agitados, distúrbios rítmicos do movimento, doenças dissociativas psicogênicas etc. Por isso, é fundamental que realizemos uma videopolissonografia com mais canais para registros de eletroencefalograma quando existe um transtorno comportamental durante o sono.

7. Tratamento comportamental das parassonias

Tratamentos farmacológicos de parassonias estão disponíveis, mas sua eficácia é estabelecida apenas para alguns distúrbios. A maioria desses distúrbios tendem a se remeter espontaneamente com o desenvolvimento. Os tratamentos não farmacológicos representam, portanto, escolhas terapêuticas válidas. Algumas orientações e técnicas comportamentais e cognitivas podem ser empregadas para parassonias (Quadro 7.2)[74,123].

QUADRO 7.2 Tratamento comportamental das parassonias
A. Componente psicoeducacional
B. Medidas comportamentais:
• Identificar fatores precipitantes
• Regularidade dos horários de sono
• Evitar privação do sono
• Proteção do ambiente (cama, grades acolchoadas, criado-mudo distante e acolchoado, armários, evitar objetos e vidros na cabeceira, piso acolchoado)
• Evitar escadas
• Portas fechadas
• Janelas trancadas
• Cuidados com companheiro(a) de cama
• Evitar proximidade de armas de fogo ou objetos contundentes

Finalmente, é da intersecção dos diversos estágios do sono e diferentes estados de consciência que teremos os vários tipos de parassonias. A superposição desses comportamentos são frequentes e essa complexidade dificulta o perfeito diagnóstico e o tratamento adequado desses transtornos do sono (Figura 7.1)[124].

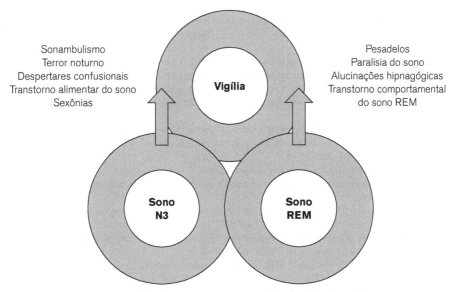

FIGURA 7.1 – Parassonias nas principais intersecções dos três estados de consciência: vigília, sono NREM e sono REM.

■ Referências bibliográficas

1. American Academy of Sleep Medicine. International Classification of Sleep Disorders, 3rd ed. Darien, IL: American Academy of Sleep Medicine; 2014.
2. Mahowald MW, Ettinger MG. Things that go bump in the night – the parasomnias revisited. J Clin Neurophysiol 7:119–43, 1990.
3. Parkes JD. The parasomnias. Lancet 2:1021–5, 1986.
4. Horváth A, Papp A, Szucs A. Progress in elucidating the pathophysiological basis of nonrapid eye movement parasomnias: not yet informing therapeutic strategies. Nature and Science of Sleep 2016; 8: 73–79.
5. Tinuper P, Bisulli F, Provini F. The parasomnias: Mechanisms and treatment. Epilepsia 2012; 53:s7:12–19.
6. Fleetham JA, Fleming JAE. Parasomnias. CMAJ 2014; 186(8): 273-80.
7. Hublin C, Kaprio J, Partinen M, et al. Prevalence and genetics of sleepwalking; a population-based twin study. Neurology 48:177–81, 1997.
8. Klackenberg G. Somnambulism in childhooddprevalence, course and behavior correlates. A prospective longitudinal study (6–16 years). Acta Paediatr Scand 71:495–9, 1982.
9. Vela Bueno A, Blanco BD, Cajal FV. Episodic sleep disorder triggered by fever - a case presentation. Waking Sleeping 4:243–51, 1980
10. Warnes H, Osivka S, Montplaisir J. Somnambulistic like behavior induced by lithiumneuroleptic treatment. Sleep Res 1993; 22:287.
11. Mendelson WB. Sleepwalking associated with zolpidem. J Clin Psychopharmacol 1994;14:150.
12. Harazin J, Berigan TR. Zolpidem tartrate and somnambulism. Mil Med 1999; 164:669–70.
13. Helen M. Stallman HM, Kohler M. Prevalence of Sleepwalking: A Systematic Review and Meta-Analysis. PLoS One. 2016; 11(11).
14. Naylor MW, Aldrich MS. The distribution of confusional arousals across sleep stages and time of night in children and adolescents with sleep terrors. Sleep Res 1991;20:308.
15. Ohayon M, Guilleminault C, Priest RG. Night terrors, sleepwalking, and confusional arousal in the general population: their frequency and relationship to other sleep and mental disorders. J Clin Psychiatry 1999; 160:268–76.

16. Shreeya Popat, William Winslade. While You Were Sleepwalking: Science and Neurobiology of Sleep Disorders & the Enigma of Legal Responsibility of Violence During Parasomnia. Neuroethics 2015; 8:203–214.
17. Wong KE. Masturbation during sleep a somnambulistic variant? Singapore Med J 1986; 27:542–3.
18. Ingravallo F, Poli F, Gilmore EV, Pizza F, Vignatelli L, Schenck CH, Plazzi G. Sleep-Related Violence and Sexual Behavior in Sleep: A Systematic Review of Medical-Legal Case Reports. J Clin Sleep Med 2014;10(8):927-935.
19. Shapiro CM, Fedoroff JP, Trajanovic NN. Sexual behavior in sleep: a newly described parasomnia. Sleep Res 1996;25:367.
20. Shapiro CM, Trajanovic NN, Fedoroff JP. Sexsomnia a new parasomnia? Can J Psychiatry 2003;48:311–7.
21. Hurwitz TD, Mahowald MW, Schenck CH, et al. Sleep-related sexual abuse of children. Sleep Res 1989;18:246.
22. Buchanan A. Sleepwalking and indecent exposure. Med Sci Law 1991; 31:38–40.
23. Fenwick P. Sleep and sexual offending. Med Sci Law 1996; 36:122-34.
24. Rosenfeld DS, Elhajjar AJ. Sleepsex: a variant of sleepwalking. Arch Sex Behav 1998; 27:269–78.
25. Guilleminault C, Moscovitch A, Yuen K, et al. Atypical sexual behavior during sleep. Psychosom Med 2002; 64:328–36.
26. Pearce JMS. Clinical features of the exploding head syndrome. J Neurol Neurosurg Psychiatry 1989; 52:907–10.
27. Sachs C, Svanborg E. The exploding head syndrome: polysomnographic recordings and therapeutic suggestions. Sleep 1991; 14:263–6.
28. Pearce JMS. The exploding head syndrome. Headache 2001; 41:602-603.
29. Jacome DE. Exploding head syndrome and idiopathic stabbing headache relieved by nifedipine. Cephalalgia 2001; 21:617–8.
30. Schenck CH, Bundlie SR, Ettinger MG, et al. Chronic behavioral disorders of human REM sleep: a new category of parasomnia. Sleep 1986; 9:293–308.
31. Olson EJ, Boeve BF, Silber MH. Rapid eye movement sleep behaviour disorder: demographic, clinical and laboratory findings in 93 cases. Brain 2000; 123:331–9.
32. Schenck CH, Hurwitz TD, Mahowald MW. REM sleep behavior literature. J Sleep Res 1993; 2:224–31.
33. Schenck CH, Mahowald MW, Kim SW, et al. Prominent eye movements during NREM sleep and REM sleep behavior disorder associated with fluoxetine treatment of depression and obsessive-compulsive disorder. Sleep 1992; 15:226–35.
34. Schutte S, Doghramji K. REM behavior disorder seen with venlafaxine (Effexor). 1996;Sleep Res 25:364.
35. Silber MH. REM sleep behavior disorder associated with barbiturate withdrawal. Sleep Res 1996; 25:371.
36. Stolz SE, Aldrich MS. REM sleep behavior disorder associated with caffeine abuse. Sleep Res1991; 20:341.
37. Sforza E, Krieger J, Petiau C.REM sleep behavior disorder: clinical and physiopathological findings. Sleep Med Rev 1997; 1:57–69.
38. Hishikawa Y, Shimizu T, Tachibana N, et al. Oniric behavior during REM sleep without muscle atonia in patients with neurologic disease and some withdrawal delirium. Sleep Research 1991; 20A:425
39. Pinto Jr LR, Rego AFB. Sleep disorders in Parkinson`s disease and dementia. In Pandi-Perumal. Synopsis of Sleep Medicine, Apple Academic Press, 1916: 257-77.
40. Louden MB1, Morehead MA, Schmidt HS. Activation by selegiline (Eldepryle) of REM sleep behavior disorder in parkinsonism. W V Med J 1995;91(3):101.
41. Chen MC, Yu H, Huang ZL, Lu J. Rapid eye movement sleep behavior disorder. Curr Opin Neurobiol 2013;23(5): 793-798.
42. Peall KJ, N. R. Robertson. Idiopathic rapid eye movement sleep behaviour disorder: a potential gateway to the development of disease-modifying treatments in neurodegenerative disorders. J Neurol 2016; 263:1678–1680.
43. Boeve BF. Idiopathic REM Sleep Behavior Disorder in the development of Parkinson's Disease Lancet Neurol. 2013; 12(5): 469-482.
44. Tachibana N, Kimura K, Kitajima K, et al. REM sleep motor dysfunction in multiple system atrophy. Sleep Res 1995; 24A:415.
45. Tachibana N, Sugita Y, Tachibana N, et al. Sleeptalking in REM sleep could be the prodromal symptom of REM sleep behavior disorder. Sleep Res 1995; 24A:242.
46. Boeve BF, Silber MH, Parisi JE, et al. Synucleinopathy pathology and REM sleep behavior disorder plus dementia or parkinsonism. Neurology 61:40–5, 2003.
47. Comella CL, Tanner CM, Ristanovic RK. Polysomnographic sleep measures in Parkinson's disease patients with treatment-induced hallucinations. Ann Neurol1993; 34:710–4.
48. Boeve BF, Silber MH, Parisi JE, et al. Synucleinopathy pathology often underlies REM sleep behavior disorder and dementia or parkinsonism. Neurology 2003; 61:40–5.

49. Arnulf I, Merino-Andreu M, Bloch F, et al. REM sleep behavior disorder and REM without atonia in patients with progressive supranuclear palsy. Sleep 2005; 28:349–54.
50. Kumru H, Santamaria J, Tolosa E, et al. Rapid eye movement sleep behavior disorder in Parkinsonism with PARKIN mutations. Ann Neurol 2004; 56:599–603.
51. Schenck CH, Garcia-Rill E, Segall M, et al. HLA class II genes associated with REM sleep behavior disorder. Ann Neurol 1996; 39:261–3.
52. Palma JA, Fernandez-Cordon C, Coon EA, Low PA, Miglis MG, Jaradeh S et al. Prevalence of REM sleep behavior disorder in multiple system atrophy: a multicenter study and meta-analysis Clin Auton Res 2015; 25(1): 69–75.
53. Lapierre O, Montplaisir J. Polysomnographic features of REM sleep behavior disorder: development of a scoring method. Neurology 1992; 42:1371– 4.
54. Berry RB, Brooks R, Gamaldo CE, Harding SM, Lloyd RM, Quan SF, Troester MM, Marcus CL, Vaughn BV, Thomas SM. for the American Academy of Sleep Medicine. The AASM Manual for the Scoring of Sleep and Associated Events: Rules, Terminology and Technical Specifications. Version 2.4. Darien, IL: American Academy of Sleep Medicine, 2017.
55. Ian R. McGrane, Jonathan G. Leung, Erik K. St Louis, Bradley F. Boeve. Melatonin Therapy for REM Sleep Behavior Disorder: A Critical Review
56. Tan A, Salgado M, Fahn S. Rapid eye movement sleep behavior disorder preceding Parkinson's disease with therapeutic response to levodopa. Mov Disord 1996; 11:214–6.
57. Fantini mL, Gagnon J-F, Filipini D, et al. The effects of pramipexole in REM sleep behavior disorder. Neurology 2003; 61:1418–20.
58. Boeve BF, Silber MH, Ferman TJ. Melatonin for treatment of REM sleep behavior disorder in neurologic disorders: results in 14 patients. Sleep Med 2003; 4:281-284.
59. Kumru H, Iranzo A, Carrasco E, Valldeoriola F, Marti MJ, Santamaria J, Tolosa E. Lack of effects of pramipexole on RBD in Parkinson Disease. Sleep 2008; 31(10):1418-1421.
60. Schenck CH, Mahowald MW. Long-term, nightly benzodiazepine treatment of injurious parasomnias and other disorders of disrupted nocturnal sleep in 170 adults. Am J Med 1996; 100:333-7, 1996.
61. Mahowald MW, Schenck CH. Dissociated states of wakefulness and sleep. Neurology 1992; 42:44–52.
62. Mahowald MW, Schenck CH. Status dissociates perspective on states of being. Sleep 1991; 14:69–79.
63. Agargun MY, Kara H, Ozer OA, et al. Characteristics of patients with nocturnal dissociative disorders. Sleep Hypnosis 2001; 3:131–4.
64. Agargun MY, Kara H, Ozer OA, et al. Sleep-related violence, dissociative experiences, and childhood traumatic events. Sleep Hypnosis 2002; 4:52–7.
65. Chu JA, Dill DL. Dissociative symptoms in relation to childhood physical and sexual abuse. Am J Psychiatry 1990;147:887–92.
66. Schenck CS, Milner DM, Hurwitz TD, et al. Dissociative disorders presenting as somnambulism: polysomnographic, video, and clinical documentation (8 cases). Dissociation 1989; 4:194–204.
67. Lugaresi E, Provini F. Agrypnia excitata: clinical features and pathophysiological implications. Sleep Med Rev 2001; 5:313–22.
68. Montagna P, Lugaresi E. Agrypnia excitata: a generalized overactivity syndrome and a useful concept in the neurophysiology of sleep. Clin Neurophysiol 2002; 113:552–60.
69. Plazzi G, Montagna P, Meletti S, et al. Polysomnographic study of sleeplessness and onericisms in the alcohol withdrawal syndrome. Sleep Med 2002; 3:279–82.
70. Eccles A, Wilde A, Marshall WL. In Vivo desensitization in the treatment of recurrent nightmares. J Behav Ther Exp Psychiat 1988; 19:318.
71. MatsumotoM, Mutoh F, Naoe H, et al. The effects of imipramine on REM sleep behavior disorder in 3 cases. Sleep Res 1991; 20A:351.
72. Brophy MH. Cyproheptadine for combat nightmares in post-traumatic stress disorder and dream anxiety disorder. Mil Med 1991; 156:100.
73. Harsch HH. Cyproheptadine for recurrent nightmares. Am J Psychiatry 1986; 143:1491.
74. Thünker J, Pietrowsky R.Effectiveness of a manualized imagery rehearsal for patients suffering from nightmare disorder with and without a comorbidity of depression or PTSD. Behavior Res Therapy 2012; 50:588- 64.
75. Ohayon MM, Zulley J, Gulleminault C, Smirne S: Prevalence and pathologic associations of sleep paralysis in the general population. Neurology 1999; 52:1194-200.
76. Takeuchi T, Fukada K, Sasaki Y: Factors related to the occurrence of isolated sleep paralysis elicited during a multi-phasic sleep-wake schedule. Sleep 2002; 25-89-96.
77. Cheyne JA: Situational factors affecting sleep paralysis and associated hallucinations: position and timing effects. J Sleep Res 2002; 11:169-177.

78. Herman J, Furman Z, Cantrell G, Peled R: Sleep paralysis: a study in family practice. J R Coll Gen Pract 1988; 38:465-467.
79. Takeuchi T, Fukada K, Sasaki Y, et al: Isolated sleep paralysis elicited by slep interruption. Sleep 1992; 15:217-225.
80. Buzzi G, Mostacci B, Sancisi E, Cirignotta F: Sleep complaints in periodic paralysis: a web survey. Funct Neurol 2001; 16:245-252.
81. Ohayon MM, Priest RG, Caulet M, Guilleminault C: Hypnagogic and hypnopompic hallucinations: pathological phenomena? Br J Psychiatry 1996; 169:459-467.
82. Gillin JC, Rapoport JL, Mikkelsen EJ, et al. EEG sleep patterns in enuresis: a further analysis and comparison with normal controls. Biol Psychiatry 1982; 17:947–53.
83. Mikkelsen EJ, Rapoport JL, Nee L, et al. Childhood enuresis. I. Sleep patterns and psychopathology. Arch Gen Psychiatry 1980; 37:1139-44.
84. Hunsballe JM, Rittig S, Djurhuus JC. Sleep and arousal in adolescents and adults with nocturnal enuresis. Scand J Urol Nephrol 1995; 173(Suppl):59–61.
85. Bader G, Neveus T, Kruse S, et al. Sleep of primary enuretic children and controls. Sleep 2002; 25:579–83.
86. Burke EC, Stikler GB. Enuresis is it being overtreated? Mayo Clin Proc 1980; 55:118–9.
87. Hirasing RA, van Leerdam FJM, Bolk-Bennink L, et al. Enuresis nocturnal in adults. Scand J Urol Nephrol 1997; 31:533–6.
88. Yeung CK, Sihoe JDY, Sit FKY, et al. Characteristics of primary nocturnal enuresis in adults: an epidemiological study. BJU Int 2004; 93:341–5.
89. 89 Robert M, Averous M, Besset A, et al. Sleep polygraphic studies using cystomanometry in twenty patients with enuresis. Eur Urol 1993; 24:97–102.
90. Fritz GK, Armbrust J. Enuresis and encopresis. Psychiatr Clin North Am 1982; 5:283–96.
91. Fritz GK, Anders TF. Enuresis: the clinical application of an etiologically based classification system. Child Psychiatry Hum Dev 1979; 10:103–13.
92. Hallgren B. Nocturnal enuresis: etiologic aspects. Acta Pediatr 1958; 118(Suppl):66.
93. Werry J, Coharssen J. Enuresis: an etiologic and therapeutic study. J Pediatr 1965; 67: 423–3.
94. Lund S. Primary nocturnal enuresis in children. Background and treatment. Scand J Urol Nephrol 1994; 156(Suppl):1–48.
95. Hublin C, Kaprio J, Partinen M, Koskenvuo M. Nocturnal enuresis in a nationwide twin cohort. Sleep 1998; 21:579–85.
96. Sireling LI, Crisp AH. Sleep and the enuresis alarm device. J R Soc Med 76:131–3, 1983.
97. Alon US. Nocturnal enuresis. Pediatr Nephrol 1995; 9:94–103.
98. Rapoport JL, Mikkelsen EJ, Zavadi A, et al. Childhood enuresis. II. Psychopathology, tricyclic concentration in plasma, and antidiuretic effect. Arch Gen Psychiatry 1980; .7:1146–52.
99. Post EM, Richman RA, Blackett PR, et al. Desmopressin response of enuretic children.Am J Dis Child 1983; 137:962–3.
100. Fermaglich JL. Electroencephalographic study of enuretics. Am J Dis Child 1969; 118: 473–7.
101. Everaert K, Pevernagie D, Oosterlinck W. Nocturnal enuresis provoked by an obstructive sleep apnea syndrome. J Urol 1995; 153:1236.
102. Arkin AM, Toth MF, Baker J, et al. The degree of concordance between the content of sleep talking and mentation recalled in wakefulness. J Nerv Ment Dis 1970; 151: 375–93.
103. Hublin C, Kaprio J, Partinen M, et al. Sleeptalking in twins: epidemiology and psychiatric comorbidity. Behav Genet 1998; 28:289–98.
104. DeRoeck J, Van Hoof E, Cluydts R. Sleep-related expiratory groaning: a case report. Sleep Res 1983; 12:237.
105. Pevernagie DA, Boon PA, Mariman AN, et al. Vocalization during episodes of prolonged expiration: a parasomnia related to REM sleep. Sleep Med 2001; 2:19–30.
106. Vetrugno R, Provini F, Plazzi G, et al. Catathrenia (nocturnal groaning): a new type of parasomnia. Neurology 2001; 56:681–3.
107. Mellman TA, Uhde TW. Sleep panic attacks: new clinical findings and theoretical implications. Am J Psychiatry 1989; 146:1204–7.
108. Mellman TA, Uhde TW. Electroencephalographic sleep in panic disorder. Arch Gen Psychiatry 1989; 46:178–84.
109. Mellman TA, Uhde TW. Patients with frequent sleep panic: clinical findings and response to medication treatment. J Clin Psychiatry 1990; 51:513–6.
110. Rosenfield DS, Furman Y. Pure sleep panic: two case reports and a review of the literature. Sleep 1994; 17:462–5.

111. Craske MG, Rowe MK. Nocturnal panic. Clin Psychol Sci Pract 1997; 4:153-74.
112. Craske MG, Kreuger MT. Prevalence of nocturnal panic in a college population. J Anxiety Disord 1990; 4:125-39.
113. Lepola U, Koponen H, Leinonen E. Sleep in panic disorders. J Psychosom Res 1994; m38(Suppl 1):105-11.
114. Stein MB, Enns MW, Kryger MH. Sleep in nondepressed patients with panic disorder: II. Polysomnographic assessment of sleep architecture and sleep continuity. J Affect Disord 1993; 28:1-6.
115. Landry P, Marchand L, Mainguy N, et al. Electroencephalography during sleep of patients with nocturnal panic disorder. J Nerv Ment Dis 2002; 190:559-62.
116. Edlund MJ, McNamara ME, Millman RP. Sleep apnea and panic attacks. Compr Psychiatry 1991; 32:130-2.
117. Lesser IM, Poland RE, Holcomb C, et al. Electroencephalographic study of nighttime panic attacks. J Nerv Ment Dis 1985; 173:744-6.
118. Grunhaus L, Birmaher B. The clinical spectrum of panic attacks. J Clin Psychopharmacol 1985; 5:93-9.
119. Hauri P, FriedmanM, Ravaris CL. Sleep in patients with spontaneous panic attacks. Sleep 1989; 12:323-37.
120. Molaie M, Deutsch GK. Psychogenic events presenting as parasomnia. Sleep 1997; 20: 402-5.
121. Bokey K. Conversion disorder revisited: severe parasomnia discovered. Aust N Z J Psychiatry 1993; 27:694.
122. Duhon DR. Night sweats: two other causes [letter]. 1994; JAMA 271:1577.
123. Galbiati A, Rinaldi F, Giora E, Ferini-Strambi L, Marelli S. Behavioural and cognitive-behavioural treatments of parasomnias. Behav Neurol 2015; 2015:1-8.
124. Schenck CH, Boyd JL, Mahowald MW. A parasomnia overlap disorder involving sleepwalking, sleep terrors, and REM sleep behavior disorder in 33 polysomnographically confirmed cases. Sleep 1997;20:972-81.

Transtornos Respiratórios

8.1 Transtornos Respiratórios Relacionados com o Sono

Lia Rita Azeredo Bittencourt
Pedro Rodrigues Genta
Geraldo Lorenzi Filho

1. Introdução

Os distúrbios respiratórios relacionados com o sono (DRS) englobam diversas alterações no padrão respiratório durante o sono, sendo o ronco e a apneia obstrutiva do sono as condições clínicas mais frequentemente observadas. Em alguns desses distúrbios, a respiração também pode ser anormal durante a vigília. Os distúrbios são agrupados em:

- Apneia obstrutiva do sono (AOS);
- Síndromes da apneia central do sono (SACS);
- Distúrbios da hipoventilação relacionada ao sono;
- Distúrbio da hipoxemia relacionada ao sono.

É importante ressaltar que, muitos pacientes podem satisfazer os critérios diagnósticos para mais do que um desses grupos. Embora o diagnóstico seja muitas vezes baseado no distúrbio predominante, há variação de noite para noite, bem como ao longo do tempo. Em particular, muitas vezes existe uma sobreposição entre apneia obstrutiva e central durante o sono. A fisiopatologia da apneia central e obstrutiva tem vários elementos em comum, pois algumas apneias centrais podem provocar o fechamento da via aérea superior. Por outro lado, a instabilidade do centro respiratório (que é um mecanismo clássico para explicar a apneia central do sono) é um mecanismo que pode estar envolvido na gênese da AOS.

Neste capítulo, iremos abordar os DRS do adulto.

2. Apneia obstrutiva do sono (AOS)

2.1. Conceito

A apneia obstrutiva do sono (AOS) é caracterizada por eventos recorrentes de obstrução parcial (hipopneia) ou total (apneia) da via aérea superior (VAS) durante o sono na persistência dos movimentos respiratórios. A interrupção da ventilação resulta em geral, em dessaturação da oxi-hemoglobina e, nos eventos prolongados, em hipercapnia e como consequência despertares do sono[1]. Na atual Classificação Internacional dos Distúrbios do Sono (CIDS-3), a síndrome da resistência da vias aéreas superiores (SRVAS) é considerada parte das AOS e se caracteriza por despertares relacionados com o esforço respiratório aumentado na ausência de apneias ou hipopneias[2].

■ 2.2. Epidemiologia

A AOS é prevalente e nem sempre diagnosticada adequadamente. Estudos epidemiológicos mais antigos mostraram que a prevalência da AOS em adultos variava de 1,2% a 7,5%. Porém, estudos mais recentes apontam taxas de prevalência bem mais altas, em torno de 17% a 49,7%, dependendo dos critérios adotados para o diagnóstico, faixa etária e gênero[3-5].

■ 2.3. Fisiopatologia

Os principais fatores de risco são o sexo masculino, a progressão da idade, a obesidade e a estrutura craniofacial, sendo que a constituição genética e étnica podem ter um papel determinante. O principais mecanismos que contribuem para o colapso da VAS estão as alterações anatômicas no seu tamanho e forma; a resposta neuromuscular diminuída dos músculos dilatadores da faringe durante o sono; a instabilidade respiratória (*loop gain* aumentado); a diminuição do limiar para despertar; a diminuição tração traqueal que ocorre durante a inspiração, decorrente a diminuição do volume pulmonar associado à obesidade e o deslocamento de liquido da porção inferior do corpo para a região cervical quando o paciente assume o decúbito[6].

■ 2.4. Quadro clínico e diagnóstico

Na nova Classificação Internacional dos Distúrbios do Sono publicada (CIDS-3)[2], os critérios diagnósticos da AOS ocorrem pela presença dos itens A e B ou C:

A. Presença de um ou mais dos seguintes itens:
- Queixa de sonolência, sono não reparador, fadiga ou sintomas de insônia;
- Despertar com suspensão da respiração, ofegante ou asfixia;
- Parceiro de cama ou outro observador relatar ronco habitual, interrupções de respiração ou ambos durante o sono do paciente.
- Diagnóstico de hipertensão, distúrbio do humor, disfunção cognitiva, doença arterial coronariana, acidente vascular cerebral, insuficiência cardíaca congestiva, fibrilação atrial ou diabetes *mellitus* tipo 2.

B. Polissonografia ou polígrafo portátil apresentando:
- Cinco ou mais eventos respiratórios obstrutivos predominantes (obstrutivo e apneias mistas ou esforço respiratório relacionado a despertar [*Respiratory-Effort Related Arousal – RERAs*]) por horas de sono durante a polissonografia ou por horas da monitorização.

C. Polissonografia ou polígrafo portátil apresentando:
- Quinze ou mais eventos obstrutivos predominantes (apneias, hipopneias ou RERAs) por hora de sono durante a polissonografia ou por hora na monitorização.

■ 2.5. Consequências

A AOS pode levar à sonolência diurna excessiva (SDE), com consequente risco de acidentes de trabalho e de trânsito. A AOS aumenta o risco de desenvolvimento de hipertensão arterial sistêmica (HAS). A AOS pode também estar associada a alterações de humor, cognição, piora da qualidade de vida, distúrbio do metabolismo da glicose e outras doenças cardiovasculares como acidente vascular encefálico, doença arterial coronariana, insuficiência cardíaca congestiva e fibrilação atrial. Sendo assim, estudos observacionais apontam para uma maior taxa de morbidade e mortalidade cardiovascular nos pacientes portadores de SAOS grave e não tratados[7].

2.6. Tratamentos

- Medidas gerais: medidas de higiene do sono e comportamentais como evitar privação do sono, perda de peso, retirada de álcool e medicações sedativas e evitar decúbito dorsal, tratar doenças otorrinolaringológicas e exercício físico devem ser incentivadas.
- Aparelhos de pressão positiva: os aparelhos de pressão positiva são geradores de fluxo de ar que cria uma pressão positiva indireta na VAS quando esse fluxo é direcionado a uma máscara aderida ao nariz ou nariz e boca do paciente. A pressão na VAS expande a mesma permitindo uma passagem livre do ar. Outro mecanismo de ação atribuído ao CPAP é o aumento dos volumes pulmonares que leva a tração caudal da VAS e consequente aumento da sua área transversa.
  - CPAP: O aparelho *Continuous Positive Airway Pressure* (CPAP) é considerada a terapêutica ideal para AOS de grau moderado a acentuado porque elimina as apneias, hipopneias, RERAs e roncos. Ocorre normalização da saturação da oxihemoglobina e da estrutura do sono melhorando as queixas clínicas. Recomenda-se que a o ajuste pressórico do CPAP (titulação) seja determinado pela polissonografia completa de noite inteira sob supervisão no laboratório de sono. Porém, o registro de noite parcial de diagnóstico e de ajuste de pressão de CPAP (*split night*) ou mesmo o uso de auto CPAP por um determinado período em domicílio, com ajuste subsequente da pressão adequada (percentil 90%) são condutas aceitáveis quando a polissonografia completa não pode ser realizada e a condição clínica do paciente seja de forte suspeita de AOS sem outra comorbidade[8]. Estudos duplo-cego, randomizados, placebo-controlado confirmam que o CPAP melhora a sonolência diurna de maneira subjetiva e objetiva[9]. Estudos desse porte estão em curso para afirmar se o CPAP teria impacto benéfico na HAS e outras comorbidades cardiovasculares, metabolismo, cognição, humor e qualidade de vida relacionados a AOS. Estudos observacionais mostraram redução da mortalidade em pacientes com AOS tratados com CPAP comparados com os sem tratamento[10]. Porém, faltam estudos randomizados e longitudinais para confirmar tais achados. A despeito da sua eficácia, os pacientes apresentam dificuldade em usar o CPAP. Sugere-se que o mesmo seja usado por mais de sete horas e, preferencialmente a noite toda, para melhora da SDE subjetiva e objetiva e da qualidade de vida. Entretanto, quando avaliada objetivamente, a adesão ao CPAP varia entre 40% e 80%[9]. Entretanto, existem evidencias consistentes de que o uso de umidificadores melhora a adesão ao CPAP naqueles pacientes com queixas nasais. Um programa de acompanhamento e educação para o uso do CPAP é considerado a melhor intervenção para a melhora da adesão ao tratamento. Os efeitos adversos do CPAP em geral são mínimos e se referem ao ressecamento nasal, dificuldade de adaptação à máscara ou dificuldade expiratória. Soro fisiológico e/ou corticoides nasais podem ser prescritos como adjuvante ao umidificador para melhora das queixas nasais. Uso de máscaras nasais mais anatômicas e confortáveis podem resolver esses problemas. O uso de máscara oronasal deve ser reservado à pacientes que falharam à tentativa de usar a máscara

nasal já que a máscara oronasal é mais desconfortável, pode provocar mais vazamento, requerer maior pressão terapêutica e reduzir a adesão.

- ◆ *Bilevel* ou aparelhos com dois níveis de pressão, inspiratória (IPAP) e expiratória (EPAP). Essa modalidade de aparelho fornece uma pressão de suporte ventilatório e tem sua indicação mais precisa no tratamento da hipoventilação. Porém, tem sido sugerido em casos em que há necessidade de utilizar o CPAP com altos níveis de pressão positiva quando há desconforto expiratório relatado pelo paciente. O *Bilevel* não tem demonstrado superioridade na eficácia e nem na adesão terapêutica em relação ao CPAP nos pacientes com AOS isoladamente[8].

- ◆ Auto CPAP ou auto *Bilevel* são aparelhos que, dependendo de cada marca e seu respectivo algoritmo, ajusta automaticamente a pressão na tentativa de abolir todos os eventos respiratório obstrutivos. Apesar de propiciar uma pressão média menor na VAS e propiciar um aumento discreto no tempo de uso do que os aparelhos com pressão fixa, estudos até o momento não demonstraram superioridade dessa modalidade na eficácia e adesão ao tratamento. O Auto CPAP pode ser utilizado durante curto espaço de tempo para se determinar a pressão terapêutica de CPAP fixa baseada na pressão no percentil 90% do tempo. São contraindicados na presença de hipoventilação e apneias centrais[11].

- Aparelhos intraorais (AIOs): são dispositivos colocados na cavidade oral. Os principais são aparelhos reposicionadores mandibulares (ARM), que, ao tracionarem a mandíbula anteriormente, previnem o colapso da VAS durante o sono. Os ARM constituem uma abordagem de tratamento reversível e simples, com melhor aceitação e tolerância por parte dos pacientes quando comparado ao CPAP. Os modelos de ARM mais usados são: "Klearway™", "PM Positioner", "Herbst", "TAP III", "Silencer" e "Somnomed", além de um aparelho que foi desenvolvido no Brasil e denominado "BRD" ("Brazilian Dental Appliance"). A indicação principal do tratamento com ARM inclui os pacientes com ronco primário e AOS leve a moderada. São ainda recomendados para indivíduos com AOS moderada a grave que são intolerantes ou que não tiveram resposta ao uso do CPAP. Em alguns casos, a combinação do AIO à perda de peso ou outros procedimentos terapêuticos pode ser indicada pelo médico. As contraindicações incluem pacientes com apneia central, pacientes com condições dentais inapropriadas e disfunção temporomandibular grave. A taxa de sucesso é da ordem de 64%, ao ser comparado a um placebo ou ao CPAP. Sua eficácia está relacionada ao menor valor do IAH basal, idade mais jovem e menor peso. Os efeitos colaterais de curto e médio prazo incluem salivação excessiva, sensação de boca seca ou xerostomia, dor ou desconforto nos dentes de apoio, dor nos tecidos moles intrabucal, sensação de não ocluir os dentes após a remoção do AIO, e dor ou desconforto nos músculos da mastigação e ou nas articulações temporomandibulares (ATM), que na maioria das vezes são transitórios. Os efeitos colaterais de longo prazo englobam alterações dentais e esqueléticas, que podem ser progressivas e se manifestam principalmente por movimentação dentária. Atualmente nos estudos comparativos apontam uma não inferioridade do tratamento com AIOs comparado ao CPAP, já que os primeiros são mais usados, ou seja, mais efetivos, enquanto o CPAP apesar de mais eficaz é pouco usado, ou seja não tão efetivo[12].

- Cirurgias: a indicação do tratamento cirúrgico é baseada principalmente na abordagem das alterações anatômicas da VAS. Os principais procedimentos são as cirurgias nasais, faríngeas, craniofaciais e traqueostomia. As cirurgias nasais incluem septoplastia, turbinectomia e cauterização linear ou radiofrequência de conchas nasais inferiores. As cirurgias faríngeas incluem a uvulopalatofaringoplastia (UPFP) e suas variações a laser de CO_2 (LAUP), radiofrequência de palato mole e base de língua, implantes palatais, aplicação de substâncias esclerosantes no palato mole, glossectomiamediana. As cirurgias craniofaciais consistem principalmente na osteotomia mandibular com avanço do genioglosso e no avanço maxilomandibular (AMM). A maioria desses procedimentos ainda conta com taxa de sucesso inferior aos demais tratamentos acima citados. Estudos com boa evidência científica são escassos pela natureza dos procedimentos que dificultam randomização, uso de controles ou placebo, desenho duplo cego, número suficiente de pacientes e acompanhamento a longo prazo[13].

Dentre os procedimentos, o AMM tem sucesso mais expressivo na redução do IAH e dos sintomas clínicos da AOS, podendo ser indicado, principalmente na presença de alteração craniofacial, como primeiro modo de tratamento cirúrgico em pacientes com AOS grave que não tenham se adaptado ao CPAP ou que não tenham respondido satisfatoriamente a terapia com aparelhos intraorais.

- Terapia posicional: em pacientes com predomínio de eventos respiratórios em posição supina, a posição lateral durante o sono é eficaz para controlar a AOS. No passado, a colocação de bola de tênis no dorso do pijama foi recomendado. Atualmente, dispositivos eletrônicos são capazes de alertar o paciente quando se assume a posição supina, evitando-se os eventos respiratórios associados sem expressivo aumento dos despertares.

- Recentes estudos com fonoterapia, canto e uso de instrumento de sopro apontam resultados favoráveis na AOS de grau leve, porém necessitando de mais estudos para que sejam indicados como opção terapêutica.

- Estimulação elétrica do músculo genioglosso é uma terapia recentemente aprovada que tem resultados promissores como alternativa ao CPAP.

- Outros tratamentos: o uso de estimulantes da ventilação, os antidepressivos e os fármacos com ação em musculatura de VAS não se mostraram eficazes no tratamento definitivo da AOS. Já a reposição hormonal (estrogênio-progesterona) em mulheres no climatério, os hormônios tireoidianos no hipotireoidismo e a bromocriptina na acromegalia são indicados como coadjuvantes aos tratamentos convencionais da AOS.

3. Síndrome da apneia central do sono

3.1. Conceito

A apneia central do sono central (ACS) é caracterizada por episódios recorrentes de redução ou abolição do fluxo respiratório devido à queda ou cessação temporária do comando ventilatório. Os principais tipos descritos de ACS são: respiração de Cheyne-Stokes (RCS), apneia central das grandes altitudes, as secundárias ao consumo de opioides e as emergentes após o uso de pressão positiva (ou apneia complexa)[2].

3.2. Fisiopatologia

Na insuficiência cardíaca (IC), é comum a coexistência de eventos respiratórios obstrutivos devido ao edema na região cervical e centrais devido a congestão pulmonar, hiperventilação e instabilidade respiratória durante o sono. ACS em pacientes com IC se apresentam com um padrão específico denominado respiração de Cheyne-Stokes (RCS). A RCS consiste de um padrão de hiperventilação crescendo e decrescendo intercalados por apneias ou hipopneias centrais. A fisiopatologia da RCS é complexa e envolve vários fatores. A congestão pulmonar, típica dos pacientes com IC, estimula receptores J localizados no interstício pulmonar que por sua vez causam hiperventilação e baixos níveis de $PaCO_2$ tanto durante a vigília como durante o sono. O $PaCO_2$ abaixo do limiar de apneia durante o sono desencadeia apneias centrais. O padrão de hiperventilação prolongado é consequência do retardo circulatório causado pelo baixo débito cardíaco. A RCS é indicador de gravidade da IC[14].

Em grandes altitudes, acima de 4.000 metros, a hipóxia estimula a hiperventilação e redução da $PaCO_2$, com indução de eventos centrais durante o sono em indivíduos com tendência a elevação do *loop gain* (resposta ventilatória exarcebada a estímulos ventilatórios[14].

A ACS pode ser idiopática, sem correlação neurológica ou cardíaca. O principal mecanismo é a elevação do *loop gain* e redução da reserva de CO_2[14].

As ACS emergentes após o início de ventilação não invasiva noturna ocorrem em portadores de apneias obstrutivas do sono que iniciaram o tratamento geralmente com pressão positiva contínua em vias aéreas (CPAP). Podem ser transitórias e desaparecerem logo após o início do tratamento, perdurar por alguns meses ou manter-se durante o tempo em que o paciente estiver sob tratamento. Sua patogênese é multifatorial e dependente da sensibilidade do CV como a ACS idiopática[14].

■ 3.3. Tratamento

O tratamento das ACS deve ser baseado no reconhecimento da fisiopatogenia específica. Na ACS idiopática, a terapia com pressão positiva (CPAP, BiPAP-ST, BiPAP servo-assistido) pode ser implementada devido ao potencial de resolução de eventos centrais, pela facilidade do manuseio e pelos baixos efeitos colaterais[15]. A acetazolamida e a teofilina têm suas prescrições limitadas, porém, podem ser recomendadas por curtos períodos em casos de ACS das grandes altitudes. O zolpidem pode ser tentado como uma opção terapêutica, pois estabiliza e reduz a fragmentação do sono, responsável pela alternância do limiar de CO_2 (vigília/sono) na gênese das ACS. As ACS complexas podem ser transitórias e de resolução espontânea conforme a adaptação do CV durante o tratamento; quando refratárias, respondem muito bem ao BiPAP servo-assistido[15]. Nas ACS da IC, tem-se como base a otimização do tratamento da IC. Caso haja ACS residuais ou refratárias, tem-se a opção terapêutica com uso de CPAP, BiPAP-ST ou BiPAP Servo-assistido, esse último com indicação sendo reavaliada no momento devido a resultados de aumento de mortalidade com esse tipo de ventilação[16].

4. Síndrome da hipoventilação relacionada com o sono

■ 4.1. Conceito

As síndromes de hipoventilação crônica caracterizam-se por redução da ventilação alveolar, com hipercapnia diurna (elevação da $PaCO_2$ acima de 45 mmHg) e valores de pH no limite da normalidade, com acúmulo de bicarbonato (compensação metabólica)[17].

■ 4.2. Fisiopatogenia

Podem resultar de problemas no comando ventilatório central (*drive* ventilatório), na transmissão periférica do estímulo ventilatório (medula espinhal, nervos periféricos) ou de anormalidades do sistema musculoesquelético torácico. Acredita-se que a hipoventilação do sono possa representar um estágio inicial de hipoventilação que pode evoluir para a hipoventilação crônica com hipercapnia diurna[17].

A hipoventilação relacionada ao sono é definida por ventilação insuficiente durante o sono, com hipercapnia noturna documentada pela gasometria arterial ou por medidas de PCO_2 no final da expiração ou transcutâneo. Caso exista hipoxemia sustentada durante o sono (SpO_2 ≤ 88% por ≥ 5 minutos) na ausência de registro do PCO_2, o diagnóstico deverá ser de Distúrbio de Hipoxemia Relacionada ao Sono e não de hipoventilação relacionada ao sono.

■ 4.3. Classificação

As síndromes da hipoventilação relacionadas ao sono são subdivididas, de acordo com terceira edição da Classificação Internacional dos Distúrbios do Sono (CIDS 3)[2], em:
- Síndrome da hipoventilação obesidade (SHO);
- Síndrome da hipoventilação alveolar central congênita;
- Hipoventilação alveolar central de início tardio associada com disfunção hipotalâmica;
- Hipoventilação alveolar central idiopática;
- Hipoventilação alveolar do sono associada ao uso de medicações; e
- Hipoventilação do sono associada à condição médica.

O achado comum dessas síndromes é a ventilação insuficiente com hipercapnia durante o sono.

A SHO é definida pela $PaCO_2$ > 45 mmHg na vigília em um indivíduo com IMC > 30 kg/m², na ausência de outras causas de hipoventilação. Nas demais síndromes, não é necessário haver hipoventilação diurna para diagnóstico; mas, caso presente também em vigília, ocorrerá agravamento durante o sono[2]. A SHO é frequentemente confundida com outras patologias como a doença pulmonar obstrutiva crônica. Os sintomas são parecidos com aqueles associados à AOS. A SHO é doença potencialmente grave, podendo requerer internação hospitalar durante exacerbações da doença causada muitas vezes por infecções respiratória e de pele.

■ 4.4. Tratamento

Estimulantes respiratórios (progesterona, acetazolamida, almitrina e aminofilina) foram utilizados no passado, mas frente à fraca evidência dos seus benefícios, não estão indicados para tratamento.

Pacientes sintomáticos sem hipoventilação diurna e pacientes assintomáticos, mas com mas com doenças reconhecidamente de caráter progressivo, devem ser tratados com ventilação não invasiva (VNI) com pressão positiva em vias aéreas durante o sono. Se a dependência da ventilação aumentar com o tempo, ou em caso de hipoventilação diurna associada, pode ocorrer progressão da ventilação para o período diurno também. A modalidade de VNI indicada é o BiPAP, e a diferença gerada entre a pressão inspiratória e a pressão expiratória é que garante o volume corrente adequado para corrigir a hipoventilação. O uso de frequência respiratória auxiliar (modo S/T), principalmente no sono REM, garante a ventilação quando o estímulo e o esforço inspiratório diminuem.

Em casos de SHO e apneia obstrutiva do sono, o tratamento apenas com CPAP costuma ser efetivo em mais da metade dos casos. Se houver falha na normalização dos gases arteriais após dois meses, indica-se o tratamento com BiPAP desde que se assegure que a pressão de CPAP esteja adequada e que a adesão ao CPAP seja ideal.

A pressão positiva com volume garantido (AVAPS) é um modo ventilatório híbrido limitados à pressão e volume. O aparelho avalia o volume corrente ofertado no ciclo respiratório, por meio de um pneumotacógrafo e automaticamente ajusta a pressão inspiratória ciclo a ciclo para fornecer um volume corrente próximo ao previamente estabelecido. O alto custo do aparelho inviabiliza seu uso rotineiro.

Antes do advento da terapia com pressão positiva, a traqueostomia foi amplamente utilizada, sendo hoje reservada para casos refratários à correção da hipoventilação ou intolerância ao tratamento[18].

5. Síndrome da hipoxemia relacionada com o sono

5.1. Conceito

A hipoxemia relacionada com o sono ou hipoxemia noturna também foi recentemente definida pela CIDS 3 e envolve a presença de queda sustentada na oximetria de pulso (SpO_2) durante o sono, sem que exista hipoventilação alveolar concomitantemente documentada ou sabida. A hipoxemia durante o sono é definida por $SpO_2 \leq 88\%$ em adultos ou $\leq 90\%$ em crianças, por período $\geq$ a 5 minutos, avaliada durante a monitorização noturna por meio de PSG completa em laboratório de sono, por aparelho portátil de PSG ou por SpO_2 noturna. É necessário que a hipoventilação alveolar não tenha sido demonstrada ou documentada por medidas de $PaCO_2$ ou pela avaliação do CO_2 transcutâneo ou exalado. Caso a hipoventilação alveolar esteja presente, o distúrbio será denominado hipoventilação relacionada com o sono e não hipoxemia relacionada com o sono[2].

5.2. Fisiopatogenia

Dentre os mecanismos fisiopatológicos da hipoxemia noturna, destacam-se os distúrbios da mecânica ventilatória e da relação ventilação perfusão, a baixa pressão parcial inspirada de oxigênio, os *shunts* arteriovenosos, ou uma combinação de mais de um desses fatores.

5.3. Tratamento

A hipoxemia documentada exclusivamente durante o sono, por sua vez, ainda não constitui justificativa para a prescrição de oxigênio de maneira contínua, a menos que associada a hipoxemia em vigília e em repouso. Caso exista apneia do sono e/ou outras condições de hipoventilação, outros tratamentos devem ser utilizados (CPAP, BiPAP), com ou sem oxigênio simultâneo.

Salienta-se que as consequências da hipoxemia noturna relacionada ao sono observada de maneira isolada, bem como a necessidade de oxigenoterapia suplementar quando não existe alteração da oxigenação em vigília, não são claramente conhecidas. Mais estudos são necessários para que se determine quando se deve iniciar a oxigenoterapia suplementar e quais serão as subpopulações específicas de pacientes que se beneficiarão da suplementação de oxigênio caso a hipoxemia relacionada ao sono tenha sido detectada isoladamente.

Referências bibliográficas

1. American Academy of Sleep Medicine. Sleep-related breathing disorders in adults: recommendations for syndrome definition and measurement techniques in clinical research. The report of an American Academy of Sleep Medicine Task Force. Sleep 1999;22(5):667-689.
2. American Academy of Sleep Medicine, International classification of sleep disorders. 3rd ed. 2014, Darien, IL.
3. Tufik S, Santos-Silva R, Taddei JA, Bittencourt LRA. Obstructive Sleep Apnea Syndrome in the São Paulo Epidemiologic Sleep Study. Sleep Medicine 2010;11:441-46.

4. Peppard PE, Young T, Barnet JH, Palta M, Hagen EW, Hla KM. Increased prevalence of sleep-disordered breathing in adults. Am J Epidemiol. 2013 May 1;177(9):1006-14.
5. Heinzer R, Vat S, Marques-Vidal P, Marti-Soler H, Andries D, Tobback N5, Mooser V, Preisig M, Malhotra A, Waeber G, Vollenweider P, Tafti M, Haba-Rubio J. Prevalence of sleep-disordered breathing in the general population: the HypnoLaus study. Lancet Respir Med. 2015 Apr;3(4):310-8.
6. Jordan AS, McSharry DG, Malhotra A. Adult obstructive sleep apnoea. Lancet 2014; 383: 736-47.
7. Gurubhagavatula I. Consequences of obstructive sleep apnoea. Indian J Med Res. 2010;131:188-95.
8. Kushida CA, Chediak A, Berry RB, Brown LK, Gozal D, Iber C, Parthasarathy S, Quan SF, Rowley JA. American Academy of Sleep Medicine. Positive Airway Pressure Titration Task Force. Clinical guidelines for the manual titration of positive airway pressure in patients with obstructive sleep apnea. J ClinSleepMed 2008;4(2):157-71.
9. Weaver TE, Maislin G, Dinges DF, Bloxham T, George CF, Greenberg H, et al. Relationship between hours of CPAP use and achieving normal levels of sleepiness and daily functioning. Sleep 2007;30(6):711-719.
10. Marin JM, Carrizo SJ, Vicente E, Agusti AG. Long-term cardiovascular outcomes in men with obstructive sleep apnoea-hypopnoea with or without treatment with continuous positive airway pressure: an observational study. Lancet 2005;365(9464):1046-1053.
11. Berry RB, Parish JM, Hartse KM. The use of auto-titrating continuous positive airway pressure for treatment of adult obstructive sleep apnea. An American Academy of Sleep Medicine review. Sleep 2002;25(2):148-73.
12. Bamagoos AA, Sutherland K, Cistulli PA. Mandibular Advancement Splints. Sleep Med Clin 2016;(3):343-52.
13. Camacho M, Certal V, Capasso R. Comprehensive review of surgeries for obstructive sleep apnea syndrome. Braz J Otorhinolaryngol 2013;79(6):780-8.
14. Hernandez AB, Patil SP. Pathophysiology of central sleep apneas. Sleep Breath. 2016 May; 20(2):467-82.
15. Aurora RN, Chowdhuri S, Ramar K, Bista SR, Casey KR, Lamm CI, Kristo DA, Mallea JM, Rowley JA, Zak RS, Tracy SL. The treatment of central sleep apnea syndromes in adults: practice parameters with an evidence--based literature review and meta-analyses. Sleep 2012;35(1):17-40.
16. Cowie MR, Woehrle H, Wegscheider K, et al. Adaptive Servo-Ventilation for Central Sleep Apnea in Systolic Heart Failure. N Engl J Med 2015;373(12):1095-105.
17. Böing S, Randerath WJ. Chronic hypoventilation syndromes and sleep-related hypoventilation. J Thorac Dis 2015;7(8):1273-85.
18. Berry RB, Chediak A, Brown LK, Finder J, Gozal D, Iber C, Kushida CA, Morgenthaler T, Rowley JA, Davidson-Ward SL; NPPV Titration Task Force of the American Academy of Sleep Medicine. Best clinical practices for the sleep center adjustment of noninvasive positive pressure ventilation (NPPV) in stable chronic alveolar hypoventilation syndromes. J Clin Sleep Med 2010;6(5):491-509.

8.2 Apneia Central do Sono e Respiração de Cheyne-Stokes

Rafaela Boaventura Martins
Sônia Maria Guimarães Pereira Togeiro

1. Introdução

A apneia central do sono (ACS), consiste em um grupo distinto de distúrbio respiratório do sono, caracterizada pela redução ou cessação do fluxo aéreo decorrente da ausência de esforço respiratório.

Pode ter diferentes etiologias, evoluções e tratamentos assim, nesse contexto a ACS foi revista na publicação da última Classificação Internacional dos Distúrbios do Sono (ICSD)[1] pela Academia Americana de Medicina do Sono e classificada em vários tipos: ACS idiopática, ACS das grandes altitudes, ACS com respiração de Cheyne-Stokes, ACS sem respiração Cheyne-Stokes, ACS devido a medicamentos ou substâncias, ACS da infância, ACS da prematuridade e ACS emergente após o uso de ventilação não invasiva para o tratamento de distúrbio respiratório do sono obstrutivo (ou apneia complexa).

2. Apneia central do sono idiopática de altitude

■ 2.1. Idiopática

Não tem relação com doença cardíaca ou neurológica. O principal mecanismo implicado é o aumento do *loop gain* e a redução da reserva de CO_2. Pode levar a fragmentação do sono e queixas de insônia. Seu diagnóstico fundamenta-se na exclusão de outras causas de ACS.

■ 2.2. Altitude

Indivíduos expostos a grandes altitudes (acima de 4.000 metros) em função da hipóxia, apresentam hiperventilação e com a redução do CO_2 surgem apneias centrais durante o sono naqueles indivíduos com alto *loop gain* (ou seja, resposta exacerbada aos estímulos respiratórios). Ainda sem tratamento definido, mas já com alguns estudos sobre o uso em curto período de acetazolamida, zolpidem e teofilina preventivamente.

3. Apneia central com respiração de Cheyne-Stokes (ACS-RCS)

Sua fisiopatogenia ainda não é totalmente conhecida, mas se sabe da importância da congestão pulmonar presente em pacientes com insuficiência cardíaca (IC). Esse padrão ventilatório predomina durante o sono NREM e em decúbito dorsal. A congestão pulmonar associada à instabilidade do controle da ventilação (alto *loop gain*) e ao retardo circulatório (tempo circulatório coração – cérebro), acarreta um estado de hiperventilação e consequente queda da $PaCO_2$ abaixo do limiar de apneia. Por último, ocorre hipoventilação e apneia central, elevando os níveis da $PaCO_2$ acima do limiar de apneia e restaurando a ventilação, em um ciclo que ocasiona despertares, má qualidade do sono e insônia. Assim, apenas pacientes com IC e alto *loop gain* na presença de edema pulmonar é que apresentam maior risco para esse padrão respiratório[2]. A instabilidade respiratória e a RCS têm maior possibilidade de ocorrer durante o sono, quando o centro respiratório depende exclusivamente do controle dos quimiorreceptores para a manutenção da ventilação, porém, esse padrão ventilatório também pode ser visto na vigília e durante o exercício.

As características clínicas dos pacientes com ACS-RCS estão associadas à insuficiência cardíaca refratária (ortopneia, dispneia paroxística noturna) e à má qualidade do sono (sono fragmentado, fadiga, sonolência diurna) causada por despertares frequentes.

Sexo masculino, idade avançada (> 60 anos), fibrilação atrial e hipocapnia são fatores de risco para ocorrência de ACS-RCS. É comum o relato de roncos e apneias testemunhadas.

Ao contrário do observado nos pacientes portadores da síndrome de apneia obstrutiva do sono (SAOS), a maioria dos pacientes com AC-RCS não apresenta queixa de sonolência diurna excessiva, o que pode ser explicado pelo estado de hiperestimulação simpática associada à cardiopatia e/ou uso de medicações para manejo da doença cardíaca que interferem no sono. A SAOS pode coexistir no indivíduo com apneias centrais. É importante ressaltar que a ocorrência de ACS-RCS no paciente IC é marcador independente de mortalidade. Segundo a ICSD-3 o diagnóstico da ACS-RSC deve preencher os seguintes critérios (A ou B) + C + D, sendo:

- Presença de um ou mais dos seguintes parâmetros:
    - Sonolência;
    - Dificuldade em iniciar ou manter o sono, sono fragmentado ou não reparador;
    - Despertar com falta de ar;
    - Ronco;
    - Apneias presenciadas.
- Presença de fibrilação atrial, insuficiência cardíaca congestiva ou doença neurológica.
- Polissonografia evidenciando:
    - ≥ 5 apneias e/ou hipopneias centrais/hora de sono;
    - O número total de apneias centrais e/ou hipopneias centrais é maior que 50% do número total de apneias e hipopneias;
    - O padrão de ventilação atende os critérios para RCS.
- O distúrbio não é mais bem explicado por outro distúrbio de sono, uso de medicamentos (ex.: opioides) ou abuso de substâncias.

O padrão ventilatório de Cheyne-Stokes consiste na ocorrência de três ou mais apneias e/ou hipopneias centrais do sono consecutivas, separadas por uma alteração de crescendo e decrescendo na amplitude da respiração, sendo o ciclo ≥ 40 segundos. Deve ocorrer cinco ou mais apneias e/ou hipopneias centrais por hora de sono com um padrão crescendo e decrescendo na amplitude da respiração em 2 horas ou mais de sono (Figura 8.2-1).

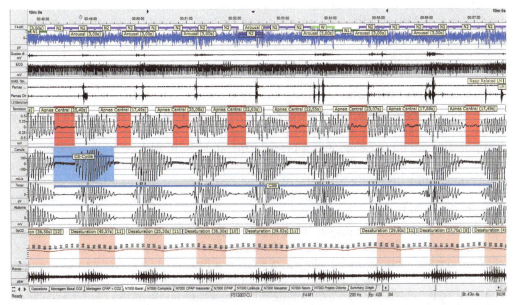

FIGURA 8.2-1 – Traçado polissonográfico de 5 minutos com RCS.

Canais de fluxo (termistor e cânula) e esforço (tórax e abdômen) evidenciam padrão crescente e decrescente intercalados de apneias centrais.

■ 3.1. Tratamento

Levando-se em consideração que a ACS é secundária a condições como IC, arritmias, doença neurológica e medicações, o tratamento consiste em otimizar o manejo da doença primária. A otimização da medicação para IC pode ser uma abordagem inicial, assim como a retirada de medicações e substâncias que possam estar implicadas no distúrbio do sono.

O tratamento específico consiste na utilização de aparelhos que geram pressão positiva nas vias aéreas durante o sono, através de pressão contínua (CPAP), variável na inspiração ou expiração (*bilevel*) ou variável a cada ciclo respiratório (Servoventilador).

■ 3.2. CPAP

O CPAP na IC reduz a pressão sistólica e melhora a fração de ejeção de ventrículo esquerdo. Quando utilizado, é eficaz em 50% a 70% dos casos, porém sem associação com melhora de desfechos cardiovasculares ou sobrevida. A pressão positiva contínua em todo ciclo respiratório reduz o retorno venoso e aumenta a pressão intrapleural, favorecendo a mobilização de gases ao manter a via aérea pérvia, reduzindo o trabalho respiratório e melhorando a mecânica cardíaca. A terapia é associada à redução da atividade simpática, melhora da RCS e da qualidade de vida, entretanto não foi demonstrado redução de mortalidade.

A Academia Americana de Medicina do Sono, AASM (American Academy of Sleep Medicine), recomenda para RCS com IC, terapia inicial com CPAP[3].

■ 3.3. Bilevel

Os aparelhos de pressão positiva binível fornecem um nível de pressão positiva inspiratória (IPAP) e outro nível na expiração (EPAP), a última atuando de modo semelhante ao CPAP. Essa estratégia não provou ser superior ao CPAP no manejo de pacientes com ACS[4].

■ 3.4. Servoventilação

A modalidade automática de servoventilação fornece pressão de suporte com dois níveis de pressão, onde a pressão expiratória (EPAP) tem como objetivo eliminar o componente obstrutivo enquanto a pressão inspiratória (IPAP) varia a cada ciclo ventilatório, com o objetivo de estabilizar a ventilação, evitando oscilações na $PaCO_2$ e fornecendo altos níveis de IPAP quando o paciente ventila pouco e baixos valores na hiperventilação. Tal mecanismo abole a hipoventilação, as hipopneias e apneias centrais (Figura 8.2-2).

Os efeitos da servoventilação sobre a RCS são efetivos com eliminação praticamente imediata da instabilidade respiratória. Diferentemente do ventilador servo, o CPAP não eliminou completamente, mas melhorou a RCS e a hipoxemia intermitente associada às apneias e reduziu a hiperatividade simpática. Entretanto, a utilização dessa modalidade não esteve associada a efeito significativo na mortalidade ou desfecho cardiovascular em pacientes com IC e fração de ejeção ventricular reduzida[5].

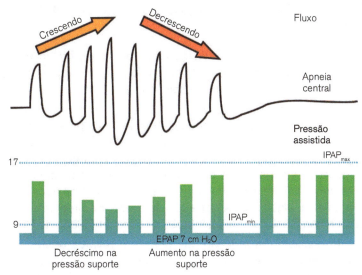

FIGURA 8.2-2 – Ventilador Servo.

Tendo em mente que o CPAP não foi capaz de eliminar a RCS em uma grande proporção de pacientes, em uma subanálise posterior, foi demonstrado que nos pacientes em que a RCS foi eliminada, o CPAP diminui a mortalidade, sugerindo que a servoventilação, que é mais efetiva do que o CPAP em eliminar a RCS, poderia reduzir a mortalidade em pacientes com IC e RCS. Assim, foi conduzido o estudo clínico randomizado e de evidência mais robusta: o SERVE-HF, que avaliou 1.325 pacientes com fração de ejeção sistólica < 45% e randomizados para tratamento padrão da IC ou tratamento padrão da IC + servoventilador. O desfecho primário (combinação de eventos) foi negativo, mas com uma tendência a aumento da mortalidade no grupo tratado com servoventilador. No entanto o risco relativo de morte cardíaca foi maior no grupo recebendo servoventilador do que no grupo controle 1,25 (95% CI: 1,02 a 1,53)[38]. As explicações para os resultados inesperados não foram esclarecidas. Portanto, a atual recomendação é que a servoventilação com objetivo de normalizar IAH em pacientes com RCS e IC com fração de ejeção ≤ 45% está contraindicada. Naqueles com fração de ejeção > 45% ou ICC leve, o uso é opcional[6].

4. Apneia central do sono sem respiração de Cheyne-Stokes

Tumores ou lesões traumáticas do tronco cerebral podem diminuir o comando da ventilação resultando em apneia centrais. Outras condições clínicas que geram esse padrão respiratório são esclerose múltipla, acidente vascular cerebral, doença renal crônica em estágio terminal e diabetes. Para serem consideradas nessa categoria, devem apresentar os critérios diagnósticos acima descritos:

A e C

Exceto que na polissonografia não se evidencia o padrão crescente e decrescente da respiração

e

Associação com doença clínica ou neurológica, mas não como consequência de uso medicações ou substâncias.

5. Apneia central do sono devido ao uso de medicamentos ou substâncias

Devido ao aumento do uso de medicamentos para dores crônicas, a ACS induzida principalmente por opioides tem se tornado mais frequente. Outros representantes farmacológicos responsáveis por esse padrão respiratório são a morfina, metadona, oxicodona e adesivo de fentanil

Pacientes pediátricos e geriátricos podem ter maior risco para os efeitos depressores na ventilação por substâncias. Sabe-se que o estímulo de receptores opioides no complexo pré-Bötzinger deprime o *drive* respiratório com ação na redução de volume corrente e frequência respiratória. Independente de comorbidades, o uso de opioides tem uma relação dose dependente com as alterações respiratórias. Podem aparecer em associação a respiração atáxica e em alguns casos, hipercapnia diurna. Há predomínio da ACS durante o período de sono não REM com fragmentação de sono e redução de REM.

O tratamento consiste em redução das doses ou retirada destes medicamentos e acréscimo de analgésico de outra classe. Uma inovação recente é o uso de servoventiladores, que se mostrou mais eficaz que a ventilação por CPAP e Binível em reduzir o índice de apneia central, mas ainda sem indicação formal.

6. Apneia central emergente de tratamento

Tal denominação introduzida pela última Classificação Internacional de Distúrbios do Sono veio a substituir a antiga, apneia complexa. Emerge do tratamento com aparelhos de pressão positiva e já sendo detectada nas suas titulações durante a polissonografia: ocorre a resolução significativa das apneias obstrutivas e emergência de apneia centrais (cinco ou mais eventos centrais por hora de sono), a qual não é justificada por comorbidades ou uso de substâncias.

As características do grupo preferencial ao seu desenvolvimento são homens, com aumento do índice de massa corpórea, comorbidades presentes como insuficiência cardíaca e infarto do miocárdio prévio, maior índice de apneia e hipopneia, maior índice de despertares, presença de apneia central e idade avançada. Critica-se que não há quantificação documentada de hipopneias centrais dentre o índice de apneia-hipopneia em muitos estudos publicados, o que subestimaria o diagnóstico de apneia induzida por tratamento.

O uso do CPAP associada a fragmentação do sono em pacientes com maior sensibilidade dos quimiorreceptores ao CO_2 geraria redução da $PaCO_2$ com uma instabilidade hipocápnica durante o sono não REM e consequente apneia central induzida por tratamento.

Outro fator descrito é o uso de pressões elevadas de pressão positiva, que além de ocasionar maior desconforto e vazamentos nas máscaras, pode contribuir para a fragmentação do sono, ativar o mecanorreceptor J no interstício pulmonar e com isso, a via aferente vagal, traz como consequência o surgimento dessas apneias.

Seu surgimento pode ser transitório ou persistente com uso de CPAP. Aqueles com persistência das apneias centrais durante o uso de CPAP, podem aumentar a chance de má adesão ou interromper esse tratamento. Não há pressão estabelecida que potencialize ou previna seu aparecimento, mas geralmente há resolução espontânea após manutenção do uso do CPAP.

■ Referências bibliográficas

1. American Academy of Sleep Medicine, ed. International Classification of Sleep Disorders, 3rd Ed. Darien, IL; 2014.
2. Solin P, Bergin P, Richardson M, Kaye DM, Walters EH, Naughton MT. Influence of pulmonary capillary wedge pressure on central apnea in heart failure. Circulation. 1999;99(12):1574-1579.
3. Johnson KG, Johnson DC. Bilevel positive airway pressure worsens central apneas during sleep. Chest. 2005;128(4):2141-2150. doi:10.1378/chest.128.4.2141.
4. Dohi T, Kasai T, Narui K, et al. Bi-level positive airway pressure ventilation for treating heart failure with central sleep apnea that is unresponsive to continuous positive airway pressure. Circ J. 2008;72(7):1100-1105. http://www.ncbi.nlm.nih.gov/pubmed/18577818.
5. Cowie MR, Woehrle H, Wegscheider K, et al. Adaptive Servo-Ventilation for Central Sleep Apnea in Systolic Heart Failure. N Engl J Med. 2015;373(12):1095-1105. doi:10.1056/NEJMoa1506459.
6. Rn A, Sr B, Kr C, et al. Updated adaptive servo-ventilation recommendations for the 2012 AASM guideline: The Treatment of Central Sleep Apnea Syndromes in Adults: Practice Parameters with an Evidence-Based Literature Review and Meta-Analyses. Clin Sleep Med. 2016;1212(55):757-761. doi:10.5664/jcsm.5812.
7. Manual do Residente de Medicina do Sono; Manole; 2017 p 140-146.
8. Série atualização e reciclagem em Pneumologia - SPPT; Atheneu; 2018; p 143-152.

Hipersonias 9

Fernando Morgadinho Santos Coelho

1. Introdução

As hipersonias são responsáveis por muitos dos atendimentos no ambulatório de especialistas em Medicina do Sono. A correta abordagem diagnóstica e terapêutica são fundamentais para o manejo de pacientes com queixas de hipersonia. As principais causas de sonolência excessiva diurna (SED) estão listadas na Tabela 9.1.

Excluindo-se os diagnósticos diferenciais de SED da Tabela 9.1 sobram um conjunto de hipersonias do sistema nervoso central que são mais raras. A SED de origem central deve ser suspeitada em pacientes onde não há evidência de privação de sono, distúrbio de ritmo, uso de medicamento com mecanismo de ação no sistema nervoso central, além de doenças clínicas e psiquiátricas. Doenças como narcolepsia, síndrome de Kleine-Levin e hipersonolência idiopática devem ser reconhecidas e devem ter os diagnósticos diferenciais lembrados. Essas doenças levam a uma redução significativa da qualidade de vida, bem como risco de acidentes pessoais e profissionais. A demora para o diagnóstico dessas doenças é maior do que dez anos com impacto significativamente na qualidade de vida desses pacientes.

Os profissionais de saúde precisam estar bem preparados e motivados para realizarem os diagnósticos de doenças mais raras do sono. Esforços dos meios universitários vêm tentando reverter esse cenário com educação continuada sobre o tema para o público leigo e profissionais de saúde.

TABELA 9.1 Diagnóstico
Clínico – sonolência excessiva diurna, cataplexia, alucinações, paralisia do sono e fragmentação do sono
Neurofisiológico – polissonografia seguido do teste de múltiplas latências do sono (média das latências menor do que 8 minutos e dois ou mais SOREMPs)
Genético – presença do alelo HLA-DQB1*0602
Dosagem de hipocretina no líquido cefalorraquiano – menor do 110 pg/mL (narcolepsia tipo 1)

TABELA 9.2 Tratamento
O tratamento comportamental – higiene do sono com horários regulares de dormir e acordar e cochilos programados. Evitar o consumo de bebidas alcoólicas e de sedativos
O tratamento farmacológico da sonolência – metilfenidato (20 a 50 mg por dia em duas tomadas – café da manhã e almoço); modafinila (nas doses de 100 a 400 mg em duas tomadas)
O tratamento farmacológico da cataplexia – Os antidepressivos tricíclicos e os não tricíclicos (citalopram, fluoxetina e a venlafaxina)

A avaliação dos pacientes com queixa de hipersonolência diurna deve ser realizada com uma anamnese detalhada voltada para o sono, com a quantificação objetiva da sonolência pela escala de sonolência de Epworth (ESE), além da avaliação do sono com a polissonografia (PSG) seguida do teste de múltiplas latências do sono (TMLS).

2. Escala de sonolência de Epworth

A escala de sonolência de Epworth (ESE) é uma boa alternativa para quantificar objetivamente a sonolência de pacientes com hipersonia. É uma ferramenta barata, muito simples e de rápida execução. A ESE é um questionário de oito questões com situações rotineiras. O paciente gradua de 0 até 3 a possibilidade de adormecer (0: nenhuma chance de adormecer; 3: chance total de adormecer). A sonolência é considerada excessiva quando a pontuação for maior que 9 (Figura 9.1).

Qual a chance de cochilar nas situações abaixo?
0 – Nenhuma chance
1 – Pequena chance de cochilar
2 – Moderada chance de cochilar
3 – Alta chance de cochilar

1. Sentando e lendo ( )
2. Vendo TV ( )
3. Sentado em lugar público, sem atividade ( )
(sala de espera, cinema, reunião)
4. Como passageiro de trem, carro ou ônibus andando 1 hora sem parar ( )
5. Deitado para descansar à tarde, quando as circunstâncias permitem ( )
6. Sentado e conversando com alguém ( )
7. Sentado, calmamente, após almoço sem álcool ( )
8. Se estiver de carro, enquanto para por alguns minutos no trânsito intenso ( )

FIGURA 9.1 – Escala de sonolência de Epworth.

3. Polissonografia

A PSG é um exame complementar que faz o registro de várias variáveis fisiológicas durante o sono: latência para o sono em minutos, a latência para o REM em minutos, o tempo total de registro em minutos (TTR), o tempo total de sono em minutos (TTS), a eficiência do sono em porcentagem, os estágios do sono (0, N1, N2, N3 e REM), despertares por hora de sono, índice de apneia e hipopneia (IAH), a saturação da oxi-hemoglobina (SpO_2 mínima), assim como os movimentos do corpo e dos membros.

O registro de outras variáveis também pode ser feito dependendo das necessidades clínicas de cada suspeita clínica. O uso de montagens neurológicas mais complexas no registro do EEG, assim como mais eletrodos para captação de atividade muscular em extremidades ou para detalhamento de bruxismo podem ser necessárias.

4. Teste das múltiplas latências do sono

O TMLS é indicado para o diagnóstico de narcolepsia e para a investigação de pacientes com sonolência excessiva diurna (SED) sem nenhuma causa clara como privação de sono ou a presença de doença do sono. O TMLS é a análise neurofisiológica (canais de EEG, deoculograma e de EMG da região mentoniana) de cinco cochilos realizados durante o dia. O exame é iniciado duas horas após o término da PSG e os intervalos entre os cochilos são de duas horas em um ambiente calmo, escuro e silencioso.

Se não houver sono durante o registro, cada registro será de 20 minutos. Entretanto, prolonga-se o registro por mais 15 minutos em caso de início de sono.

O TMLS é considerado como sugestivo de SED com a média das latências para início do sono for menor do que 10 minutos. Para o critério de narcolepsia há a média das latências menor do que 8 minutos e deve haver a presença de dois ou mais cochilos com o registro de sono REM.

5. Hipersonolência idiopática (HI)

A HI é uma doença do sono de causa desconhecida com origem neurológica. Os pacientes apresentam SED sem os achados comuns aos pacientes com narcolepsia. A HI é mais comum em familiares de pacientes com narcolepsia e não há marcadores biológicos. O diagnóstico da HI consiste na exclusão de outras causas de SED. É muito importante descartar a privação de sono, o uso de medicamentos sedativos, as doenças primárias do sono, as lesões no SNC, além dos distúrbios do humor e do ritmo circadiano. A PSG seguida por TMLS devem ser realizadas. Os achados na PSG são inespecíficos com uma eficiência de sono aumentada e no TMLS pode ocorrer a presença do sono de ondas lentas sem a presença do sono REM. O tratamento deve ter abordagens comportamental e farmacológica. A orientação aos familiares e o uso de estimulantes melhoram a qualidade de vida desses pacientes.

6. Síndrome de Kleine-Levin (SKL)

A SKL é uma doença muito rara caracterizada por ataques de SED associados a hiperfagia, hipersexualidade, coprolalia ou copropraxia, alteração comportamental e agressividade. Os pacientes apresentam crises de SED que podem durar de até 30 dias, entretanto os pacientes costumam ter um índice de massa corpórea aumentado pelo aumento da ingesta e pela pouca atividade física durante as crises. Durante os intervalos das crises os pacientes não apresentam os sintomas das crises. A SKL se inicia na adolescência, sendo mais frequente no sexo masculino e a fisiopatologia é desconhecida. Autores demonstraram uma disfunção hipotalâmica após possível distúrbio autoimune pós-infeccioso. Não há uma terapia específica e efetiva e o tratamento envolve medicações com diferentes efeitos. O carbonato de lítio, e a carbamazepina têm sido utilizadas com reposta inconsistente para aumento dos intervalos das crises. Normalmente, há remissões espontâneas frequentes com o avanço da idade.

7. Narcolepsia

■ 7.1. Introdução

Narcolepsia é uma rara doença primária do sistema nervoso central com a prevalência ao redor de 0,02% na população geral. A narcolepsia se caracteriza por sonolência diurna excessiva associada a cataplexia, alucinações hipnagógicas, paralisia do sono e fragmentação do sono.

A cataplexia é uma manifestação patognomônica da narcolepsia, sendo caracterizada por perda súbita da força muscular (global ou segmentar) provocada por emoções intensas como alegria ou raiva. Os ataques de cataplexia podem ser unilaterais ou bilaterais, de curta duração (segundos até 3 minutos) e sem sono ou perda da consciência. As alucinações hipnagógicas ou hipnopômpicas são experiências vívidas visuais, tácteis ou de movimento com componentes oníricos. A paralisia do sono é a incapacidade de se mover após despertar do sono REM, de caráter transitório, mantendo a função do diafragma e da ventilação.

Após os estudos eletroencefalográficos realizados por Rechschaffen em 1967, na narcolepsia e os seus achados (cataplexia, alucinações hipnagógicas e paralisia do sono) foram relacionados ao sono REM.

■ 7.2. Diagnóstico

O diagnóstico da narcolepsia segue critérios eletrofisiológicos da análise de cinco cochilos diurnos por 20 minutos denominados de TMLS, após uma polissonografia de noite inteira. A polissonografia deve ser realizada considerando-se o mínimo de 6 horas de sono já que é primordial afastar outros distúrbios do sono, além de privação do sono na noite anterior. Os pacientes com narcolepsia devem apresentar no TMLS a média das latências menores ou iguais a oito minutos, além de dois ou mais cochilos com episódios de sono REM segundo o ICSD-3.

Melhora na sensibilidade do diagnóstico em pacientes narcolépticos foi demonstrada com a repetição da TMLS em casos que não completaram formalmente os critérios diagnósticos na primeira vez. Outro importante achado é a relação entre os sonos NREM e REM. Quando os episódios de sono REM forem precedidos e seguidos de sono NREM, durante os cochilos na TMLS, é mais provável que tenha maior influência a privação de sono.

A narcolepsia é dividida em: narcolepsia tipo 1; narcolepsia tipo 2 segundo a 3ª Classificação Internacional dos Distúrbio do Sono (ICSD-3). A narcolepsia tipo 1 é observada nos pacientes que possuem cataplexia e/ou os níveis de hipocretina-1 abaixo de 110 pg/mL e a narcolepsia tipo 2 caracteriza os pacientes que não apresentam cataplexia e possuem usualmente níveis de hipocretina-1 maior do que 200 pg/mL ou não dosados.

■ 7.3. Fisiopatologia

O alelo HLA-DQB1*0602 variante do gene HLA-DQB1 é muito mais prevalente em paciente com cataplexia (95%), porém mais baixa (40%) em pacientes sem cataplexia. O alelo HLA-DQB1*0602 é um potencial biomarcador na predição das diferenças individuais na privação de sono de pessoas normais.

Em cães, foi definida a ausência de receptores de hipocretina-2 predispondo aos sintomas e sinais de narcolepsia com um padrão genético de transmissão autossômica em 1999. Entretanto, em humanos há baixos níveis de hipocretina-1 após perda de células hipocretinérgicas no hipotálamo lateral.

Em 1998, foi descoberta a hipocretina que é um neuropeptídeo produzido no hipotálamo lateral com função reguladora do sono. A hipocretina possui dois receptores reconhecidos denominados 1 e 2. A hipocretina-1 que modula o controle vigília-sono está baixa no líquido cefalorraquiano de pacientes com narcolepsia tipo 1. Nesses pacientes, há uma diminuição da hipocretina-1 e uma instabilidade do ciclo sono-vigília e consequentes sinais e sintomas de narcolepsia.

Em 2010, foi caracterizada uma associação na Europa e China entre a narcolepsia e uma vacina para controle do vírus H1N1 da Glaxo.

Assim, uma maior prevalência do alelo HLA-DQB1*0602 e a diminuição da população de células hipocretinérgicas no hipotálamo lateral direcionam para um mecanismo imunológico. Mudanças em um ou mais dos componentes do complexo formado por TCR, CHC e CD40L poderiam direcionar para o ataque das células produtoras de hipocretina.

Foi também descrita em pacientes com narcolepsia tipo 1, a presença de anticorpos específicos *tribbles homolog 2,* o que sugere uma autoagressão mediada por anticorpos nessa população de pacientes com narcolepsia.

■ 7.4. Tratamento

O tratamento da narcolepsia deve ser comportamental e farmacológico.

A integração social e familiar deve ser garantida, já que esses pacientes possuem maior prevalência dos distúrbios do humor, como depressão e ansiedade com prejuízo na qualidade de vida do paciente bem como de seus familiares. O suporte e a educação continuada para seus familiares e pessoas que do seu convívio são fundamentais.

Higiene do sono com horários regulares de dormir e acordar são importantes, além de cochilos programados durante facilitam o controle da sonolência diurna. Os pacientes com narcolepsia devem evitar o consumo de bebidas alcoólicas e de sedativos.

O risco aumentado de acidentes deve sempre ser lembrado a cada consulta.

O tratamento medicamentoso tem por objetivo controlar a SED e a cataplexia. A SED é tratada com estimulantes típicos, como o metilfenidato. Mais recentemente, a modafinila (nas doses de 100 a 400 mg) despontou como importante medicamento no controle da SED, mas com pouco efeito no controle da cataplexia. Outro fármaco utilizado para controle da SED é o pitolizante. Este é uma agonista/antagonista reverso do receptor de histamina (H3) e não está disponível no Brasil.

Os antidepressivos tricíclicos e os não tricíclicos (citalopram, fluoxetina e a venlafaxina) são usados no controle da cataplexia. Entretanto, o melhor fármaco no controle das crises de cataplexia é o oxibato de sódio ou ácido hidroxibutírico, infelizmente também não disponível no Brasil.

É importante ressaltar que o tratamento da narcolepsia deve ser customizada e deve seguir as normas recomendadas pelas diretrizes nacionais e internacionais de sono. O acompanhamento regular desses pacientes garante o satisfatório resultado da opção terapêutica, bem como a rápida identificação e correção dos efeitos indesejados e danosos.

Referências bibliográficas

1. Scammell TE. Narcolepsy. N Engl J Med 2015;373:2654-62.
2. Krahn LE, Hershner S, Loeding LD, et al. Quality measures for the care of patients with narcolepsy. J Clin Sleep Med 2015;11:335.
3. Medicine AAoS. International Classification of Sleep Disorders ICSD 3. Chicago; 2014.
4. Coelho FM, Pradella-Hallinan M, Pedrazzoli M, et al. Traditional biomarkers in narcolepsy: experience of a Brazilian sleep centre. ArqNeuropsiquiatr2010;68:712-15.
5. Aloe F, Alves RC, Araujo JF, et al. [Brazilian guidelines for the treatment of narcolepsy]. Rev Bras Psiquiatr 2010;32:305-14.
6. Dahmen N, Kasten M, Wieczorek S, Gencik M, Epplen JT, Ullrich B Increased frequency of migraine in narcoleptic patients: a confirmatory study. Cephalalgia2003;23:14-9.
7. Baier PC, Weinhold SL, Huth V, Gottwald B, Ferstl R, Hinze-Selch D Olfactory dysfunction in patients with narcolepsy with cataplexy is restored by intranasal Orexin A (Hypocretin-1). Brain 2008;131:2734-41.
8. Droogleever Fortuyn HA, Fronczek R, Smitshoek M et al. Severe fatigue in narcolepsy with cataplexy. J Sleep Res 2012;21:163-9.
9. Dauvilliers Y, Bayard S, Shneerson JM, Plazzi G, Myers AJ, Garcia-Borreguero D High pain frequency in narcolepsy with cataplexy. Sleep Med 2011;12:572-7.
10. Tsunematsu T, Yamanaka A The role of orexin/hypocretin in the central nervous system and peripheral tissues. VitamHorm 2012;89:19-33.
11. Coelho FM, Pradella-Hallinan M, Pedrazzoli M et al. Low CD40L levels and relative lymphopenia in narcoleptic patients. Hum Immunol 2011;72:817-20.
12. De la Herran-Arita AK, Garcia-Garcia F. Narcolepsy as an immune-mediated disease. Sleep Disord 2014;2014:792687.
13. Doghramji K Sleep extension in sleepy individuals reduces pain sensitivity: new evidence regarding the complex, reciprocal relationship between sleep and pain. Sleep2012;35:1587-8.
14. Yamuy J, Fung SJ, Xi M, Chase MH. Hypocretinergic control of spinal cord motoneurons. J Neurosci 2004;24:5336-45.
15. Colas D, Manca A, Delcroix JD, Mourrain P Orexin A and orexin receptor 1 axonal traffic in dorsal roots at the CNS/PNS interface. Front Neurosci 2014;8:20.
16. Chiou LC, Lee HJ, Ho YC et al. Orexins/hypocretins: pain regulation and cellular actions. Curr Pharm Des 2010;16:3089-100.
17. van den Pol AN Hypothalamic hypocretin (orexin): robust innervation of the spinal cord. J Neurosci 1999;19:3171-82.
18. Yan JA, Ge L, Huang W, Song B, Chen XW, Yu ZP Orexin affects dorsal root ganglion neurons: a mechanism for regulating the spinal nociceptive processing. Physiol Res 2008;57:797-800.
19. Pain TFoTotIAftSo. Classification of chronic pain description of chronic pain syndromes and definitions of pain terms. . Seatle: IASP Press, 1994.
20. Doong SH, Dhruva A, Dunn LB et al. Associations Between Cytokine Genes and a Symptom Cluster of Pain, Fatigue, Sleep Disturbance, and Depression in Patients Prior to Breast Cancer Surgery. Biol Res Nurs 2014.
21. Patricia H. Berry JAK, Edward C. Covington, June L. Dahl, Christine Miaskowski. Pain: Current Understanding ofAssessment, Management, and Treatments. Atlanta, 2013.
22. Krupp LB, LaRocca NG, Muir-Nash J, Steinberg AD The fatigue severity scale. Application to patients with multiple sclerosis and systemic lupus erythematosus. Arch Neurol 1989;46:1121-3.
23. Goulart FO, Godke BA, Borges V et al. Fatigue in a cohort of geriatric patients with and without Parkinson's disease. Braz J Med Biol Res 2009;42:771-5.
24. Mendes MF, Tilbery CP, Felipe E [Fatigue and multiple sclerosis: preliminary study of 15 patients with self-reported scales]. ArqNeuropsiquiatr 2000;58:467-70.
25. Medicine AAoS. International Classification of Sleep Disorders ICSD 3. Chicago, 2014.
26. Johns MW A new method for measuring daytime sleepiness: the Epworth sleepiness scale. Sleep 1991;14:540-5.
27. Bertolazi AN, Fagondes SC, Hoff LS, Pedro VD, MennaBarreto SS, Johns MW Portuguese-language version of the Epworth sleepiness scale: validation for use in Brazil. J Bras Pneumol 2009;35:877-83.
28. Berry RB, Budhiraja R, Gottlieb DJ et al. Rules for scoring respiratory events in sleep: update of the 2007 AASM Manual for the Scoring of Sleep and Associated Events. Deliberations of the Sleep Apnea Definitions Task Force of the American Academy of Sleep Medicine. J Clin Sleep Med 2012;8:597-619.
29. Richardson GS, Carskadon MA, Flagg W, Van den Hoed J, Dement WC, Mitler MM Excessive daytime sleepiness in man: multiple sleep latency measurement in narcoleptic and control subjects. ElectroencephalogrClinNeurophysiol 1978;45:621-7.

30. Mignot E, Lin X, Arrigoni J et al. DQB1*0602 and DQA1*0102 (DQ1) are better markers than DR2 for narcolepsy in Caucasian and black Americans. Sleep1994;17:S60-7.
31. Farrar JT, Young JP, Jr., LaMoreaux L, Werth JL, Poole RM Clinical importance of changes in chronic pain intensity measured on an 11-point numerical pain rating scale. Pain 2001;94:149-58.
32. Hawker GA, Mian S, Kendzerska T, French M Measures of adult pain: Visual Analog Scale for Pain (VAS Pain), Numeric Rating Scale for Pain (NRS Pain), McGill Pain Questionnaire (MPQ), Short-Form McGill Pain Questionnaire (SF-MPQ), Chronic Pain Grade Scale (CPGS), Short Form-36 Bodily Pain Scale (SF-36 BPS), and Measure of Intermittent and Constant Osteoarthritis Pain (ICOAP). Arthritis Care Res (Hoboken) 2011;63Suppl 11:S240-52.
33. Ferraz MB, Quaresma MR, Aquino LR, Atra E, Tugwell P, Goldsmith CH Reliability of pain scales in the assessment of literate and illiterate patients with rheumatoid arthritis. J Rheumatol 1990;17:1022-4.
34. WHO. Cancer Pain Relief: With a Guide to Opioid Avaliability. Geneva, 1996.
35. Melzack R The McGill Pain Questionnaire: major properties and scoring methods. Pain 1975;1:277-99.
36. Varoli FK, Pedrazzi V Adapted version of the McGill Pain Questionnaire to Brazilian Portuguese. Braz Dent J 2006;17:328-35.
37. Menezes Costa Lda C, Maher CG, McAuley JH et al. The Brazilian-Portuguese versions of the McGill Pain Questionnaire were reproducible, valid, and responsive in patients with musculoskeletal pain. J ClinEpidemiol 2011;64:903-12.
38. Pimenta CA, Teixeiro MJ [Proposal to adapt the McGill Pain Questionnaire into Portuguese]. Rev Esc Enferm USP 1996;30:473-83.
39. Fatigue TmomusCPa, Group W. VHA/DoD Clinical Pratice Guidelines for the management of medically unexplained symptoms: Chronic Pain and Fatigue. Washington, DC, 2001.
40. Pavan K, Schmidt K, Marangoni B, Mendes MF, Tilbery CP, Lianza S [Multiple sclerosis: cross-cultural adaptation and validation of the modified fatigue impact scale]. ArqNeuropsiquiatr 2007;65:669-73.
41. Beck AT, Ward CH, Mendelson M, Mock J, Erbaugh J An inventory for measuring depression. Arch Gen Psychiatry 1961;4:561-71.
42. Beck AT, Steer, R. A., & Brown, G. K. (1996). BDI-II Manual. . BDI-II Manual. San Antonio: The Psychological Corporation, Harcourt Brace & Company. , 1996.
43. Beck AT, Steer, R. A., Ball, R., &Ranieri, W. (1996). 67(3), 588-97. Comparison of Beck Depression Inventories-IA and −II in psychiatric outpatients. Journal of Personality Assessment 1996;67:9.
44. Gorenstein C, Andrade L Validation of a Portuguese version of the Beck Depression Inventory and the State-Trait Anxiety Inventory in Brazilian subjects. Braz J Med Biol Res 1996;29:453-7.
45. Beck AT, Epstein N, Brown G, Steer RA An inventory for measuring clinical anxiety: psychometric properties. J ConsultClinPsychol1988;56:893-7.
46. JA C. Manual da versão em português das Escalas Beck. São Paulo: Casa do Psicólogo, 2001.
47. Ciconelli RMF, Marcos Bosi; Santos, Wilton; Meinão, Ivone; Quaresma, Marina Rodrigues. Tradução para a língua portuguesa e validação do questionário genérico de avaliação de qualidade de vida SF-36 (Brasil SF-36) / Brazilian-Portugueseversionofthe SF-36. A reliable and valid quality of life outcome measure. In: Editor, ed.^eds. Tradução para a língua portuguesa e validação do questionário genérico de avaliação de qualidade de vida SF-36 (Brasil SF-36) / Brazilian-Portugueseversionofthe SF-36. A reliable and valid quality of life outcome measure. City, 1999:7.
48. Ware JE, Jr., Sherbourne CD The MOS 36-item short-form health survey (SF-36). I. Conceptual framework and item selection. Med Care 1992;30:473-83.
49. Ferraz MB, Oliveira LM, Araujo PM, Atra E, Tugwell P Crosscultural reliability of the physical ability dimension of the health assessment questionnaire. J Rheumatol1990;17:813-7.
50. Ramey DR, Raynauld JP, Fries JF The health assessment questionnaire 1992: status and review. Arthritis Care Res 1992;5:119-29.
51. Fries JF, Spitz P, Kraines RG, Holman HR Measurement of patient outcome in arthritis. ArthritisRheum1980;23:137-45.
52. MB. F. radução para o português e validação do questionário para avaliar a capacidade funcional "Stanford healthassessmentquestionnaire" In: Editor, ed.^eds. radução para o português e validação do questionário para avaliar a capacidade funcional "Stanford healthassessmentquestionnaire" City: Unifesp, 1990.
53. Zigmond AS, Snaith RP The hospital anxiety and depression scale. ActaPsychiatrScand 1983;67:361-70.
54. Castro MM, Quarantini L, Batista-Neves S, Kraychete DC, Daltro C, Miranda-Scippa A [Validity of the hospital anxiety and depression scale in patients with chronic pain.]. Rev Bras Anestesiol 2006;56:470-7.

10
Sonhos - Neurobiologia, Psicopatologia e Outros Estados da Consciência

Sérgio Arthuro Mota-Rolim
Joshua Martin
Sidarta Ribeiro

1. Neurobiologia

■ 1.1. Um breve histórico da relação do sono REM com a atividade onírica

Uma das questões mais polêmicas na história da pesquisa dos sonhos tem sido a relação entre o estado fisiológico do sono de movimentos oculares rápidos (em inglês, *rapid eye movement* – REM) e a experiência subjetiva do sonho. Especificamente, pesquisadores têm debatido se o sonho é uma propriedade exclusiva do sono REM, ou se é um processo contínuo que ocorre tanto durante a fase REM quanto durante a fase não REM (NREM). Aqui revisamos as teorias a respeito, bem como as evidências empíricas que lhes dão sustentação.

Embora especulações relacionando os movimentos oculares ao sonho tenham sido feitas ainda nos anos 1930[1], foi apenas na década de 1950, com o desenvolvimento da eletroencefalografia, que a relação entre o sono REM e o sonho pôde ser investigada formalmente[2,3]. Essas e outras pesquisas com o sono noturno em laboratório[4,5] observaram que relatos de sonho puderam ser obtidos em aproximadamente 80% dos despertares realizados durante o sono REM, um número bastante alto em comparação com aproximadamente 10% durante o sono NREM. Dada a quase perfeita correlação entre sono REM e sonho, os pesquisadores acreditavam que os poucos relatos obtidos durante o sono NREM refletiriam sonhos lembrados de ciclos anteriores de sono REM, uma situação em que "a memória do sonho precedente persistiu por um tempo excepcionalmente longo"[4]. Com base nesse ponto de vista, o sono REM foi proposto como o único correlato fisiológico do sonho, definindo a perspectiva conhecida como "sono REM = sonho", que postula um isomorfismo entre os dois fenômenos[6].

Os mecanismos responsáveis por controlar o sono REM foram posteriormente identificados por Michel Jouvet[7], como sendo localizados na formação reticular do tronco cerebral, o que explica porque os ciclos de sono REM podem ocorrer independentemente do prosencéfalo. Dado o isomorfismo estabelecido entre sono REM e sonho, McCarley e Allan Hobson[8] teorizaram no seu modelo de *Ativação e Síntese* que o sonho é gerado pelos mesmos mecanismos que geram o sono REM. Segundo essa teoria, o sonho seria o resultado da ativação de sinais aleatórios gerados no tronco encefálico.

Entretanto, os pressupostos da perspectiva "sono REM = sonho" foram questionados em dois fundamentos: primeiro, que o sonho somente ocorre durante o sono REM, e segundo, que o sono REM e o sonho são desencadeados pelos mesmos mecanismos subjacentes. O começo desse questionamento se deu com a pesquisa pioneira de David Foulkes[10]. Utilizando uma definição mais inclusiva de sonho, a chamada *sleep mentation* – literalmente traduzida como "atividade mental no sono" – Foulkes demonstrou a ocorrência de relatos de sonhos em até 70% dos despertares feitos durante o sono NREM. A "atividade mental no sono" consiste em toda a atividade cognitiva que alguém experimenta durante o sono, incluindo experiências sensoriais isoladas e pensamentos que não seriam tradicionalmente considerados como sonhos. A grande diferença dentre os índices de relatos de sonho previamente encontrados nas pesquisas de Kleitman e col.[4,5] (10%) e na de Foulkes[10] (70%) pode ser apreciada melhor quando consideramos que o sonho típico do sono NREM é mais parecido com um pensamento, sendo mais pobre e fragmentado do que um sonho típico do sono REM[11], que é mais complexo, vívido, bizarro e carregado de emoção[12]. Como resultado, quando empregamos uma definição restrita na classificação de sonhos, excluímos muitos relatos de sono NREM que normalmente não preenchem todos os critérios de um sonho complexo, mas ainda assim refletem uma maneira de experiência onírica durante o sono. Tal afirmação é apoiada por um importante estudo de Tore Nielsen[11], que encontrou índices de sonho no sono NREM inversamente relacionados ao rigor da definição de sonho empregada.

Dessa maneira, embora não exista um consenso dentre pesquisadores sobre o que deveria ser a definição exata de sonho, a presença de atividade onírica durante o sono NREM não pode ser ignorada. Estudos posteriores ao de Foulkes têm mostrado a presença de sonho durante todas as fases do sono NREM[11]: desde o início do sono (estágio N1)[13], passando pelo sono superficial (N2), até o sono profundo (N3 ou sono de ondas lentas)[14]. Dado que os relatos de sonho podem ser obtidos antes do primeiro ciclo de sono REM, tais achados não podem ser explicados por sonhos do sono REM persistindo na memória, como Dement e Kleitman[4] originalmente sugeriram.

A segunda linha de evidência que questionou um fundamento da perspectiva "sono REM = sonho" foi a descoberta feita por Mark Solms[15,16] de que lesões do Sistema Dopaminérgico Mesocortical-Mesolímbico (MC-ML) resultam na cessação da capacidade de sonhar, apesar de "não ter efeitos significativos na frequência, duração e densidade do sono REM"[16]. Sabe-se que esse sistema é envolvido no processamento neural de sinalização de recompensas, motivação e comportamentos apetitivos dirigidos ao ambiente[17], bem como a fissura verificada na dependência do uso de drogas e outros comportamentos com potencial de adição[18]. Dado que esse sistema é anatômica e funcionalmente distinto dos mecanismos neurais responsáveis pela geração do sono REM localizados no tronco encefálico, é intrigante que tais lesões possam produzir a cessação do sonho. Juntando esses fatos, Solms[16] argumentou que o sonho não é controlado pelos mesmos mecanismos que o sono REM, mas por mecanismos neurais distintos: o sono REM pela formação reticular do tronco cerebral, e o sonho pelo sistema MC-ML. Embora mais evidências sejam necessárias, uma gama de resultados recentes aponta que o sistema MC-ML exerce um papel essencial na formação do sonho[19,20].

Dessa maneira, apesar da correlação entre o sono REM e a experiência onírica ser alta, as evidências a cima discutidas demonstram que o sonho pode ocorrer na ausência do sono REM (já que sonhamos durante fases de sono NREM) e o sono REM pode ocorrer na ausência do sonho (em pacientes com lesões do sistema dopaminérgico MC-ML). Em conjunto, esses fatos têm levado pesquisadores a sugerir que o sono REM e o sonho são estados duplamente dissociáveis[16], logo não devem ser identificados como um igual ao outro. Mas se o sonho não é um produto do sono REM, porque ele ocorre tanto durante essa fase? É provável que em vez de ser associado com uma fase fisiológica do sono, o sonho é associado com a atividade geral do córtex cerebral, que é mais predominante e difusa durante o sono REM, mas que pode ocorrer durante o sono NREM, que aumenta ao longo da noite[16,21,22]. O achado de que os sonhos de sono REM e sono NREM tendem a ficar mais vívidos e intensos ao longo da noite dá suporte a essa hipótese[21,22]. O sonho então não reflete um processo ocorrido em uma única fase do sono, mas sim um fenômeno presente ao longo da noite em todas as fases do sono. Pesquisas futuras precisam identificar melhor a natureza dessas diferenças no sonho e o seu papel funcional para entendermos melhor a atividade onírica.

1.2. Neurotransmissão, eletrofisiologia e neuroimagem dos sonhos

Em termos neuroquímicos, os sistemas de transmissão sináptica relacionados a serotonina, noradrenalina, acetilcolina e dopamina apresentam uma diminuição gradativa da atividade com a passagem do estado acordado ao início do sono, e posteriormente às fases subsequentes[23]. Durante o sono REM, ocorre uma queda ainda maior da serotonina e noradrenalina (chegando a níveis muito baixos); entretanto, há um aumento significativo da atividade colinérgica e dopaminérgica[24]. O envolvimento de circuitos dopaminérgicos se dá por vias meso-córtico-límbicas, enquanto o aumento da atividade colinérgica decorre da ativação da região do prosencéfalo basal, por meio dos sistemas ascendentes localizados no tronco encefálico[25] e no hipotálamo[26]. Esse padrão de atividade contribui para a presença de um certo nível de consciência durante os sonhos[12], e está relacionado ao aparecimento do ritmo gama (~40 Hz) durante o sono REM[27], o que será detalhado a seguir.

Os ritmos cerebrais se relacionam fortemente com o sono, pois há uma diminuição gradativa da frequência dos mesmos à medida em que o sujeito se aprofunda no sono. Resumidamente, quando o indivíduo está acordado, de olhos abertos e atento (i.e., concentrado em alguma tarefa), encontramos a presença de um ritmo de alta frequência e baixa amplitude, conhecido como ritmo gama, que oscila próximo a 40 Hz[28]. Se o indivíduo continua acordado e de olhos abertos, mas torna-se desatento, ocorre uma diminuição da potência do ritmo gama e um aumento da potência do ritmo beta (~20 Hz). Quando se fecha os olhos, as oscilações corticais vão ficando ainda mais lentas, e podemos detectar o aparecimento do ritmo alfa, a aproximadamente 10 Hz[29,30]. No início do sono, também conhecido como sonolência (estágio N1, ou fase de transição da vigília para o sono), há uma substituição gradativa do ritmo alfa por um ritmo mais lento, próximo de 5 Hz, conhecido como ritmo teta. Durante o sono superficial e profundo, o cérebro se sincroniza em frequências ainda mais lentas, próximas de 1 Hz, o chamado ritmo delta. Aqui vale destacar que há exceções à tendência do cérebro de apresentar oscilações cada vez mais lentas à medida em que vai adormecendo. Durante o sono superficial (estágio N2) e o sono profundo (N3), por exemplo, surgem os fusos – que são sincronizações talamocorticais com frequência entre 10-15 Hz, o chamado ritmo sigma[31,32].

No entanto, como dito antes, a regra geral é o cérebro apresentar uma atividade cada vez mais lenta à medida em que o sono se aprofunda. Essa atividade cerebral de baixa frequência é acompanhada também por uma lentificação das frequências respiratória e cardíaca, o que pode levar a um estado de pouca oxigenação cerebral. Dessa maneira, vários autores têm discutido a importância do sono REM em evitar essa condição de baixo nível de oxigênio no cérebro, pois os ritmos mais lentos do sono profundo (~1 Hz) vão sendo substituídos por ritmos mais rápidos, como o ritmo teta (~5 Hz) e o ritmo gama (~40 Hz), que são acompanhados também por um aumento da frequência das atividades respiratória e cardíaca, o que caracteriza o sono REM[2,4]. O ritmo teta é bastante presente no hipocampo, e existe relação entre a ocorrência desse ritmo durante o sono REM e o processamento de memórias[33,34]. O ritmo gama, por sua vez, tem sido relacionado à troca de informações em diferentes áreas do cérebro, e sua presença durante o sono REM pode se relacionar ao moderado grau de consciência que mantemos durante os sonhos.

O aumento da atividade cerebral durante o sono REM, em comparação com o sono profundo (ou de ondas lentas) tem levado alguns autores a proporem que o sono REM tem como funções – além da consolidação das memórias e da regulação emocional – facilitar e preparar o corpo para o processo de acordar. Outras características do sono REM corroboram essa hipótese: 1) ao longo da noite, os episódios de sono REM vão ficando cada vez mais longos, ou seja, na primeira metade da noite teríamos mais sono profundo, e na segunda metade da noite teríamos mais sono REM; 2) o último despertar da noite, quando o sujeito acorda definitivamente, geralmente acontece após o sono REM, em que o indivíduo tem a lembrança vívida de um sonho; 3) em termos neurobiológicos, tanto o sono REM como o estado acordado são induzidos por um sistema ativador ascendente originado no tronco encefálico[35]. Em consonância com essa ideia, uma das funções dos sonhos seria a de protoconsciência, ou seja, uma consciência primária em relação à da vigília, caracterizada por aspectos mais básicos da percepção e emoção, com a função de prover um modelo de realidade virtual do mundo[36,37]. Essa simulação da realidade seria baseada nas experiências prévias do sujeito, ou seja, suas memórias[38], para a construção de um possível cenário futuro[39].

Estudos de neuroimagem têm revelado, basicamente, uma grande semelhança e uma grande diferença quando comparamos a atividade cerebral de uma mesma pessoa nos estados de vigília e sono REM. A semelhança acontece principalmente no sistema límbico, o que deve se relacionar com aspectos emocionais e afetivos, bastante salientes nos sonhos[12]. Dentre essas estruturas límbicas, podemos destacar o córtex frontal ventromedial[40], a amígdala – envolvida na sensação de ansiedade que é muito presente nos sonhos[41], e o cíngulo anterior – que contribui para a saliência motivacional, bem como para a integração das emoções com a sensação de movimento, que também é típica do estado onírico[42].

A diferença principal se dá na região frontal, mais especificamente no chamado córtex pré-frontal dorsolateral, cuja diminuição da atividade pode estar relacionada com algumas características típicas do sonho, como: 1) diminuição da autoconsciência, 2) ausência de julgamento da situação, que normalmente é bizarra (com descontinuidades no tempo, além de incongruências de espaço e personagens), 3) falta de objetivo claro ou ações dirigidas para um fim específico, 4) diminuição do controle das ações e passividade, e 5) falhas na memória de trabalho[41,43]. A exceção a essa regra são os chamados "sonhos lúcidos" (bastante estudados em nosso laboratório no Instituto do Cérebro da UFRN), em que o sujeito tem a consciência de estar sonhando durante o sonho, podendo até mesmo controlar o conteúdo onírico[44-49]. Tem-se demonstrado que a consciência do estado onírico decorre de um aumento da atividade frontal durante o sonho[50-52], especialmente na faixa de frequência gama[53-55]. No entanto, outros autores observaram também um aumento da potência do ritmo alfa occipital[53,56,57], o que pode indicar que o sonho lúcido seria um estágio de transição entre o sono REM e a vigília, como se o sujeito estivesse despertando gradativamente[48].

Por fim, algumas coisas ainda devem ser consideradas sobre os aspectos fisiológicos dos sonhos, antes de começarmos a discutir os aspectos patológicos a seguir. Como dito no tópico anterior, no modelo *Activation-Synthesis* de McCarley e Hobson[8] o sonho seria o resultado da ativação aleatória de neurônios corticais pelo bombardeio desordenado de sinais do tronco encefálico durante o sono REM, o que faria com que os sonhos fossem confusos, bizarros e sem sentido. De acordo com essa visão, os sonhos refletem o ruído de apagamento de memórias indesejadas, e, portanto, não valeria a pena interpretá-los, ao contrário do que defendeu Freud[38]. No entanto, várias evidências demonstram que os sonhos não são aleatórios. Dentre elas, uma das mais prosaicas é o fenômeno de acordar e regressar para o mesmo sonho: se os sonhos fossem mesmo aleatórios, a probabilidade de isso acontecer seria quase zero. Outro fenômeno que acontece com a maioria das pessoas são os sonhos repetitivos ou recorrentes, isto é, aqueles sonhos que manifestam conteúdo idêntico (ou muito parecido) em noites diferentes. Do mesmo jeito, se os sonhos fossem mesmo aleatórios, a probabilidade de um sonho recorrente acontecer seria quase zero. Alguns autores defendem que os sonhos repetitivos são os mais importantes e os que mais merecem ser interpretados, pois sua recorrência revela forte probabilidade de associação entre os conteúdos, sugestiva de grande relevância comportamental[58].

Recentemente, postulou-se que os sonhos não são aleatórios, mas sim caóticos[59]. Embora no senso comum esses dois termos se confundam, em sua acepção matemática um sistema caótico é determinista. Sistemas dinâmicos complexos, como o cérebro sonhando, são tipicamente caóticos: são muito sensíveis às condições iniciais e difíceis de prever a cada instante, mas seu comportamento global obedece a padrões compreensíveis[60]. Nos sonhos, a dinâmica do caos induziria a falsa sensação de que são aleatórios. Um exemplo simples dessa ideia: é fácil prever que uma pessoa traumatizada por um acidente terá pesadelos relacionados a isso, mas é impossível prever exatamente o enredo onírico que de fato se manifestará.

Outra questão sobre a neurofisiologia dos sonhos, que vale a pena ser discutida, decorre de uma pergunta muito simples, por que algumas pessoas lembram dos sonhos todos os dias, enquanto outras raramente (ou mesmo nunca) se lembram dos próprios sonhos? Apesar de não termos uma resposta clara para essa pergunta, em um artigo recém-publicado, Siclari et al.[61] encontraram que, tanto para o sono REM como para o sono não REM, os relatos de sonho foram associados com uma diminuição local nos ritmos de baixa frequência em regiões posteriores do cérebro. Essa diminuição das frequências lentas em regiões posteriores sugere uma superficialização do sono, ou seja, os sujeitos estão mais próximos de acordar, o que facilitaria a presença e a recordação dos sonhos, de uma maneira parecida com o aconteceria com o sonho lúcido, como dito anteriormente.

2. Psicopatologia

■ 2.1. Sonho e sua relação com doenças neuropsiquiátricas

Desde a publicação de *A Interpretação dos Sonhos,* de Freud[38], os sonhos têm sido incorporados na psicoterapia de diversos modos[62]. Embora o valor dos sonhos em contextos terapêuticos seja evidente, não existe consenso quanto ao uso de distintos métodos para investigar o mesmo[63], talvez devido ao fato de não existir uma teoria unificada sobre as razões da existência dos sonhos e sobre seu potencial papel adaptativo. Apesar dessas dificuldades, uma literatura crescente vem explorando as mudanças no conteúdo dos sonhos de pessoas com diversas psicopatologias e perturbações médicas. A seguir, faremos um sumário desses achados, em grande parte derivados de doenças como esquizofrenia e depressão[63,64], mas também de outros distúrbios como dependência de drogas[65] e transtornos de sono[66].

2.1.1. Esquizofrenia

A revisão atualizada de Kramer[64] sumariza os sonhos das pessoas com diagnóstico de esquizofrenia como sendo "menos complexos e mais diretos, com conteúdo sexual, ansioso, negativo e hostil" (p. 379), frequentemente contendo pessoas desconhecidas, principalmente homens e grupos de pessoas como personagens. Apesar de geralmente não ser o foco principal, esses sonhos tendem a ter mais agressão em direção ao sonhador[64]. Com relação à bizarrice do sonho, os resultados são controversos[63,65], e talvez possam ser explicados por diferenças metodológicas na avaliação do sonho, onde: (1) sujeitos com diagnóstico de esquizofrenia tendem a considerar seus próprios sonhos como sendo menos bizarros em comparação a avaliadores externos[67], e (2) sintomas positivos têm sido correlacionados com a bizarrice do sonho[68]. Embora o conteúdo das alucinações na vigília seja parecido com o dos sonhos[64,69], os pacientes com esse transtorno são capazes de distinguir entre os dois[70]. Indivíduos com esquizofrenia também tendem a ter mais pesadelos[67,71,72], cuja presença parece ser mais ligada à angústia na vigília do que a um conjunto de sintomas específicos ou a uma predisposição genética[73]. Apesar de ter essas tendências, os sonhos de indivíduos com esquizofrenia, como em outras pessoas, são altamente individuais[64]: avaliadores externos são capazes de classificar os sonhos deles de acordo com o paciente e a noite de ocorrência[74].

2.1.2. Depressão

O conteúdo dos sonhos possui significância clínica especial em pessoas com depressão por covariar com o estado afetivo do paciente[64]. Apesar disso, quando se compara populações com depressão e controles, a literatura sobre as diferenças gerais do afeto dos sonhos em depressão é pouco clara: alguns pesquisadores encontram que esses sonhos são mais negativos[75,76], outros encontram que são menos negativos[64,77], e ainda outros não encontram uma diferença significativa[68]. Considerando os efeitos diversos e variados dos antidepressivos nos sonhos[78], o tipo de antidepressivo, dosagem e a interação com o organismo do indivíduo provavelmente exercem uma influência importante e complexa nessas diferenças encontradas. Apesar dessas dificuldades no afeto geral, os achados mais robustos em pessoas com depressão são que os sonhos são mais curtos, e membros da família são frequentemente presentes como personagens[64]. Masoquismo no sonho, onde a imagem do sonhador possui características negativas e o resultado da sequência do sonho é essencialmente negativo[79], parece ser uma característica de traço e é mais prevalente nas mulheres[80,81] e pacientes com depressão e sintomas melancólicos[79]. Curiosamente, pessoas com depressão relatam mais sonhos com masoquismo durante períodos de sono REM na segunda metade da noite[79,81], incitando pesquisadores a implicar esse masoquismo mais tarde à noite como sendo um "resíduo negativo do sonho"[81] que contribui para os sintomas depressivos na vigília.

2.1.3. Dependência química

Apesar de não haver relatos sobre alterações gerais dos sonhos em pessoas dependentes de substâncias psicoativas, incluímos essa categoria aqui por causa de um fenômeno curioso encontrado nessa população conhecido como *drug dreams* ou sonhos de drogas[82] – uma espécie de sonho que envolve a presença, busca ou uso de substâncias com potencial de causar dependência. Tais sonhos são encontrados em uma variedade de substâncias, incluindo álcool, cocaína, heroína, nicotina e LSD[65]. Esses sonhos são tipicamente relatados durante períodos em que as drogas não são disponíveis ou durante a abstinência[83] e sua aparência e frequência são intimamente ligadas à experiência de *craving* ou fissura[84,85]. Devido a essa relação, os pesquisadores têm argumentado que os "sonhos de drogas" podem ser usados por médicos e psicólogos como um "termômetro" capaz de sinalizar mudanças na intensidade do *craving*, incluindo seus aspectos inconscientes[65]. Apesar de ter um corpo crescente de literatura, é pouco claro se os sonhos de drogas podem ser usados como indicadores do prognóstico para um dependente permanecer livre de drogas. Colace[65] sugere que o prognóstico depende do conteúdo do sonho (ex.: consumo de drogas ou tentativa frustrada) e a reação do sonhador depois na vigília, onde sentimentos de culpa ou alívio seriam um indicativo de um prognóstico bom e um compromisso de não usar drogas. Em contrapartida, reações depois do sonho com sentimentos de frustração pelo fato de não poder usar drogas podem indicar um prognóstico ruim e maior chance de recaída.

■ 2.2. Transtornos do sono

Em pessoas com insônia, a frequência de lembrança de sonhos é elevada[86], provavelmente devido a um aumento no número de despertares noturnos[66]. Os sonhos geralmente possuem mais afeto negativo[87] e contêm mais autorretratos negativos, agressão, problemas, temas relacionados à saúde e menos instâncias de emoções positivas[86]. O conteúdo negativo dos sonhos em pacientes com insônia provavelmente se deve ao estresse aumentado na vigília que acompanha o transtorno e se reflete nos sonhos[66]. Do mesmo modo que acontece com a insônia, as pessoas com narcolepsia tendem a recordar os sonhos com mais frequência e relatam mais sonhos com emoções negativas[66]. Além disso, os sonhos nessa população são mais bizarros[66], o que poderia ser um reflexo da desregulação do sono REM – a fase do sono em que as pessoas tipicamente experimentam os sonhos mais bizarros[12]. Para entender melhor como as diferenças na fisiologia do sono e no funcionamento diário presentes nos pacientes com transtornos de sono podem afetar os sonhos, Schredl et al.[88] investigaram essa relação em mais de 4.000 pacientes, e concluíram que os pacientes com transtornos de sono relatam sonhos com mais frequência e experimentam mais pesadelos e sonhos com afeto negativo. A frequência de lembrança e relato dos sonhos parece estar relacionada com a alteração na fisiologia do sono e com microdespertares, enquanto os sonhos negativos parecem refletir o estresse que acompanha o transtorno[88]. Como resultado, a alteração dos sonhos presente nesses transtornos pode diminuir e até desaparecer com um tratamento bem-sucedido. Tal achado foi encontrado em pessoas com apneia que foram tratadas com CPAP (*Continuous Positive Airway Pressure*, em português Pressão Aérea Positiva Contínua) que mostraram uma estabilização na frequência de recordação dos sonhos e um aumento na presença de emoções positivas nos sonhos ao longo de dois anos com o tratamento[89]. Portanto, os sonhos nessa população podem ser uma fonte informativa sobre o estresse do indivíduo e a eficácia do tratamento em questão.

■ 2.3. Sonho como a doença em si

2.3.1. Pesadelos como possível função adaptativa

Em termos evolutivos, devido à escassez de recursos na natureza, a competição dentre os animais é enorme, e quase todas as populações são predadas[39]. Nesse sentido, a evolução dos sonhos nos vertebrados superiores foi moldada em um ambiente de incertezas, onde o sonho poderia ter valor positivo, proporcionando um cenário onírico para novos aprendizados sem risco de dano para o organismo[90]. Essa hipótese é uma generalização da "teoria da simulação-ameaça", que diz que os sonhos têm a função de simular ações que levam a consequências indesejáveis, e, portanto, devem ser evitadas no mundo real[91]. No desenvolvimento recente da espécie humana, entretanto, quando nós passamos a viver em sociedades complexas e organizadas, não tivemos mais que enfrentar tantos desafios comportamentais, em comparação com os outros animais, e por isso pode ser que os sonhos tenham perdido gradualmente sua importância evolutiva[39].

No entanto, um trabalho recente mostrou que o sono REM tem participação fundamental no processo de homeostase emocional: utilizando uma tarefa de reconhecimento de faces, Gujar et al.[92] observaram que o sono REM facilita a diminuição da reatividade negativa a expressões de medo, concomitante com um aumento do reconhecimento das expressões positivas. Como a presença de outras pessoas (tanto conhecidas como desconhecidas) nos sonhos é muito comum[93], acreditamos que os sonhos podem ter algum papel nesse resultado. Dessa maneira, é importante notar que a sociedade moderna é privada principalmente de sono REM, pois apesar de geralmente irmos dormir mais tarde (por influência da luz elétrica, computador etc.), temos que continuar a acordar cedo devido às demandas da escola, universidade ou trabalho (dependendo da idade). Por isso, podemos dizer que somos privados também de sonhos, o que pode ter consequências muito ruins para o nosso convívio como sociedade, dado que, como dito anteriormente, os sonhos podem ter um papel na regulação emocional. Dessa maneira, a privação de sonhos pode ter como consequência um aumento nos casos das doenças do humor, como a depressão por exemplo[94].

2.3.2. Pesadelos recorrentes: estresse pós-traumático e depressão

A palavra *nightmare* (pesadelo em inglês) significa etimologicamente demônio da noite, pois na cultura anglo-saxônica, acreditava-se que os pesadelos eram decorrentes da visita de demônios[95,96]. Os pesadelos são sonhos extensos e aterradores, em geral envolvendo ameaças à sobrevivência, segurança ou autoestima. A experiência onírica dos pesadelos causa sofrimento significativo ou prejuízo no funcionamento social, ocupacional, ou em outras áreas importantes da vida do indivíduo. Os pesadelos acometem ocasionalmente metade dos adultos, entretanto, podem tornar-se recorrentes, principalmente no transtorno de estresse pós-traumático[97] e na depressão grave[98].

O transtorno de estresse pós-traumático (TEPT) é caracterizado por uma reação de medo intenso, impotência ou horror quando um indivíduo vivencia, testemunha ou é confrontado com um ou mais eventos que envolvam morte, ferimento grave ou ameaça à integridade física, própria ou de outros. Seus sintomas causam sofrimento clinicamente significativo, prejuízo social ou em outras áreas importantes do funcionamento. Estudos demonstram que a prevalência de TEPT ao longo da vida é de 9% e que a prevalência de exposição ao longo da vida a um evento traumático é de 39%. Dentre populações expostas a eventos estressantes, desde as periferias de centros urbanos até cidades em guerra ou atingidas por desastres naturais, a prevalência de TEPT pode atingir até 75% das pessoas[99]. A presença de pesadelos recorrentes é um dos principais sintomas do TEPT: pesadelos pós-traumáticos são encontrados em 70% dos indivíduos com TEPT, 50% dos sonhos pós-traumáticos são uma exata replicação do evento traumático e pacientes que tem TEPT ainda apresentam pesadelos até 40 anos após o evento traumático[100].

O transtorno depressivo maior (ou depressão unipolar) é o transtorno do humor mais comum, sendo caracterizado por humor deprimido, perda de energia ou interesse, sentimento de pesar ou fracasso, alterações do apetite e do sono, etc.[101]. Globalmente, a prevalência da depressão varia entre 2% e 7%, afetando mais mulheres que homens. Cerca de 15% dos pacientes com depressão se matam, principalmente os homens adulto-jovens[102]. Estudos recentes têm encontrado uma relação entre pesadelo e suicídio em pacientes deprimidos: foi observado que um sentimento negativo logo após o despertar, em comparação com o resto do dia, está associado aos pesadelos, e que a melancolia associada a esses pesadelos aumenta o risco de suicídio[98]. Outro estudo confirmou que 89% dos pacientes depressivos tinham distúrbios do sono, 66% tinham pesadelos recorrentes, e que havia uma relação entre os pesadelos e a chance de cometer suicídio[103]. Chellappa e Araujo[104] também observaram uma relação entre insônia e ideação suicida em pacientes deprimidos.

2.3.3. Tratamento dos pesadelos

Os pesadelos recorrentes associados ao TEPT ou a depressão podem ser diminuídos com diferentes tratamentos, como por exemplo a indução da lucidez durante o sonho. Como dito anteriormente, o sonho lúcido é um tipo de sonho em que o sujeito sabe que está sonhando durante o sonho, podendo até conseguir controlar o enredo onírico[44-49]. Além disso, emoções como medo intenso podem desencadear a lucidez mais rapidamente[95], o que foi confirmado recentemente[105]. Dessa maneira, estando lúcido em um pesadelo, o sujeito pode tentar três soluções:

Parar de temer as ameaças por saber que aquilo é somente um sonho, e que nunca poderia trazer danos físicos para si mesmo, já que tudo não passa de sua imaginação[95];

Encarar a fonte do medo, como monstros por exemplo, como relatava outro pioneiro do sonho lúcido, o marquês d'Hervey de Saint-Denys[106].

Pode-se usar também táticas como conversar com esses monstros, na tentativa de descobrir se os mesmos têm alguma razão específica para estarem ali[107].

De qualquer modo, tem-se observado um decréscimo na frequência e intensidade dos pesadelos à medida em que ocorre o aprendizado do sonho lúcido[108,109]. Os pesadelos recorrentes também respondem bem à terapia com sonho lúcido, com diminuição da intensidade[110] e frequência dos mesmos[111]. Recentemente, foi reportado que o sonho lúcido, associado à terapia comportamental adjuvante, diminui a frequência de pesadelos resistentes às outras psicoterapias[112]. Outro estudo encontrou uma diminuição no sofrimento relacionado aos pesadelos, apesar da sua frequência permanecer inalterada[113].

Em uma revisão sistemática recentemente publicada, entretanto, outros tratamentos para os pesadelos recorrentes foram considerados como tendo melhores resultados que o sonho lúcido, como por exemplo o uso de fármacos (principalmente o prazosin), especialmente no caso dos pesadelos associados ao TEPT. Além disso, terapias cognitivo-comportamentais, como a terapia de ensaio imagético, a dessensibilização sistemática e o relaxamento muscular progressivo também têm se mostrado bastante eficientes, sendo os dois últimos empregados principalmente no tratamento dos pesadelos de origem idiopática[114].

3. Sonhos e outros estados da consciência

O que é a consciência humana? Essa pergunta fundamental vem intrigando desde os filósofos mais antigos até os neurocientistas contemporâneos sem, no entanto, chegar-se a um consenso sobre a questão. Geralmente os filósofos se preocupam mais com as definições e conceitos sobre o que é a consciência em si, e com a maneira pela qual ela pode ser experienciada em termos subjetivos[115-118]. Por outro lado, os neurocientistas procuram entender os chamados "correlatos neurais da consciência", definidos como o substrato neural mínimo para que possa haver uma percepção consciente[119,120]. Entretanto, pode ser que a resposta para a pergunta do que é a consciência permaneça inalcançável porque, além das limitações inerentes ao nosso método investigativo (eletroencefalografia, ressonância magnética funcional, etc.), a consciência – como fenômeno de altíssima complexidade que é – não possa ser tratada como uma entidade única, ou seja, não existe apenas uma consciência.

Com esse raciocínio em mente, Mota-Rolim e Araujo[121] abordam a questão do que é a consciência com base em seus diferentes estados – os estados da consciência – definidos como os períodos de tempo em que a consciência se mantém com as mesmas características neurobiológicas e experiências subjetivas[121]. Os estados da consciência são divididos em estados fisiológicos, patológicos ou alterados, conforme a Tabela 10.1. Os estados fisiológicos são assim chamados porque são experimentados pela grande maioria das pessoas como parte do funcionamento normal do organismo, sendo divididos em vigília, sonolência, sono leve e sono profundo, além do sono REM, dentre outros. Os estados patológicos da consciência são denominados dessa maneira por estarem relacionados com doenças, como acontece na psicose, no coma, no transtorno comportamental do sono REM, e na experiência de quase-morte, por exemplo. Dois estados da consciência que podem ser patológicos ou não (dependendo da frequência e intensidade) são o sonambulismo e a paralisia do sono. Um outro estado que também pode ser patológico ou não é a chamada experiência fora do corpo, que pode acontecer durante o sonho p. ex., ou concomitante com alguma doença, como em um acidente vascular cerebral. Os estados ditos "alterados" são chamados assim porque são induzidos por algum agente, que pode ser uma substância (como o LSD) ou um comportamento (como na hipnose). Como eles são induzidos, têm um período de duração relacionado diretamente à maneira de indução.

TABELA 10.1
Estados da consciência

Fisiológicos	Alterados	Patológicos
Vigília	Meditação	Psicose
Sonolência	Hipnose	Coma
Sono superficial e profundo	Experiência fora do corpo	Sonambulismo*
Sono REM	Peiote, cogumelo, ayahuasca	Paralisia do sono*
Day dreaming	LSD e ecstasy	TC do sono REM
Falso despertar	Anestesia	Experiência de quase-morte

*Sonambulismo e paralisia do sono são patológicos se muito frequentes e/ou intensos

Dentre os principais estados fisiológicos da consciência, temos a vigília de olhos abertos (que pode ser atenta ou desatenta), vigília de olhos fechados, sonolência (fase de transição da vigília para o sono), sono leve e sono profundo, além do sono REM (como descrito anteriormente). Outro estado fisiológico da consciência bastante curioso é o *daydreaming* que poderia ser traduzido para o português como "sonho acordado", mas também pode ser conhecido como "devaneio". O termo *daydreaming* remete ao fato de que a experiência se parece com um sonho, mas acontece durante o dia, ou seja, quando o indivíduo está acordado, de olhos abertos. Durante o devaneio o sujeito fica introspectivo, fantasiando sobre coisas que reduzem sua atenção aos estímulos vindos do mundo externo[122], ao ponto de não responder ao chamado do próprio nome. O conteúdo mental subjetivo do devaneio pode estar relacionado tanto com experiências passadas (que podem ser negativas, como no caso da ruminação dos pacientes com diagnóstico de depressão), quanto com simulações de eventos futuros, o que se assemelha muito com o conteúdo do sonho normal[93]. É importante observar também que o devaneio pode se relacionar com doenças mentais além da depressão, como a psicose por exemplo[123]. Nesse caso, vale a pena ressaltar que, apesar das alucinações serem relacionadas sempre a um contexto patológico, como na esquizofrenia, existem também as alucinações em um contexto fisiológico, como acontece no estado da consciência que ocorre exatamente na transição da vigília para o sono (as chamadas alucinações hipnagógicas) ou do sono para a vigília, ou seja, no despertar (conhecidas como alucinações hipnopômpicas).

Uma pergunta que pode ser feita com base nessa observação é: por quê será que existem essas alucinações exatamente nas transições (ou mudanças) do estado de consciência, ou seja, tanto da vigília para o sono (estado hipnagógico), como do sono para a vigília (estado hipnopômpico)? Uma possível explicação seria o fato de que, quando a consciência está na fase de transição entre dois estados muito diferentes (como no caso da vigília e do sono), as próprias modificações fisiológicas necessárias para que ocorra tal mudança de estado facilitariam a associação de memórias que a princípio não estariam associadas, o que poderia favorecer a ocorrência dessas alucinações. É como se a mudança de estado facilitasse a presença de pequenas falhas no processamento mental, que em última instância faria com que o sujeito tivesse a experiência sensorial consciente mesmo sem o estímulo externo.

Ainda sobre os estados fisiológicos da consciência, vale a pena destacar também o "falso despertar", que é um tipo especial de sonho que se parece muito com quando o sujeito está despertando normalmente: o sonhador vive a experiência de estar acordando, se levantando da cama, indo no banheiro, fazendo o café da manhã etc., como em um despertar comum[124]. No entanto, em algum momento o sujeito vai acordar de verdade, e somente então se dará conta de que sua experiência prévia era um sonho. É possível também que, apesar do "falso despertar" se parecer em muito com um despertar normal, alguns detalhes do sonho estejam ausentes ou apareçam de maneira estranha (como por exemplo um objeto pessoal do quarto de dormir), gerando uma dissonância cognitiva que pode inclusive induzir um sonho lúcido[125]. Algumas pessoas relatam a sensação de vários "falso despertares" em sequência em uma mesma noite de sono, o que pode dar ao sonhador a sensação de "um sonho dentro de outro sonho", ou um "sonho em camadas", como bem explorado no filme "A Origem", do diretor Christopher Nolan. É interessante notar também a relação do falso despertar com o fenômeno da enurese noturna, que é muito comum em crianças, mas também pode acontecer em adultos. Nesse caso, sonhar que se está indo ao banheiro para urinar pode facilitar a ocorrência da micção involuntária na cama.

Como dito anteriormente, certos estados da consciência podem ser considerados patológicos se ocorrerem com alta frequência ou forte intensidade, como por exemplo a paralisia do sono e o sonambulismo. A paralisia do sono é definida pela incapacidade de mover-se logo após o despertar, ou seja, o indivíduo tem a lembrança de que estava dormindo, sabe que está acordado, quer se mexer, mas não consegue. A paralisia do sono é dessa maneira considerada como um estado dissociado, em que, em termos gerais, o cérebro se apresenta com um padrão de atividade parecido com o da vigília, mas o tônus muscular continua como no estado de sono REM – ou seja, muito baixo – o que impossibilita os movimentos[126]. A paralisia pode chegar a ser intensa o suficiente a ponto de ocasionar dificuldade de movimentação dos músculos respiratórios, o que gera uma sensação de sufocamento. É interessante notar que diferentes culturas do mundo todo, em diferentes épocas, tentaram explicar a paralisia do sono como algo sobrenatural. Isso se deve ao fato de que é muito comum – juntamente com a paralisia muscular – haver também a presença de alucinações de conteúdo negativo, como a visão (ou sensação) de monstros, espíritos do mal, bruxas, demônios, alienígenas etc. Existe no registro histórico um sonho clássico em que estas "criaturas da mente" se posicionam sobre o tórax do sujeito, impedindo o sonhador de se movimentar ou respirar[127-130]. No Brasil, destaca-se a lenda da Pisadeira, uma velha bruxa que atacaria principalmente as crianças malcriadas que comem muito antes de dormir[96,131]. Além da relação com o excesso de alimentação antes de se deitar, a paralisia do sono guarda uma associação forte com a posição supina do corpo ao dormir.

Outro estado que pode ser considerado patológico dependendo da frequência e intensidade dos episódios é o sonambulismo, um fenômeno relativamente comum durante a infância e início da adolescência, que tende a diminuir bastante ou até cessar por completo na idade adulta. O transtorno do sonambulismo é caracterizado por episódios repetitivos em que o sujeito se levanta da cama e deambula, apesar de continuar dormindo. Pessoas em estado de sonambulismo podem demonstrar grande dificuldade para serem despertadas, além de amnésia total do episódio. O sonambulismo também é considerado um estado dissociado, ou seja, o cérebro apresenta um padrão de atividade semelhante ao do sono de ondas lentas (ondas de baixa frequência e alta amplitude), porém o padrão motor é parecido com quando o sujeito está acordado[132].

Com relação aos estados patológicos da consciência, que de certo modo guardam alguma semelhança com os sonhos, podemos destacar o transtorno comportamental do sono REM, a experiência de quase-morte, o coma, e a psicose. No "transtorno comportamental do sono REM" os sujeitos não apresentam a atonia muscular característica do sono REM, e por isso produzem comportamentos motores que são associados a experiência onírica[133]. Trabalhos recentes têm demonstrado a importância da pesquisa sobre essa doença, pois a mesma se relaciona com distúrbios como a doença de Parkinson e outras desordens motoras[134].

A "experiência de quase-morte" é caracterizada por visões, emoções intensas e alteração da noção de tempo, gerando relatos bastante semelhantes a relatos de sonhos. A "experiência de quase-morte" é uma vivência subjetiva que ocorre quando o indivíduo está próximo de morrer, como em uma parada cardíaca ou em um trauma craniencefálico. O fenômeno é decorrente de uma diminuição da atividade neural na região frontal, que por sua vez deixa de inibir o sistema límbico. Em conjunto, essas alterações se assemelham ao padrão cerebral do sono REM[135-137]. O "coma" é outro estado patológico em que os níveis de responsividade ao ambiente são mínimos ou mesmo ausentes, dependendo da profundidade das alterações[138,139]. Pacientes que conseguem retornar do coma relatam imagens, sentimentos e pensamentos durante o estado comatoso, o que sugere a manutenção de um vestígio de consciência durante o coma, semelhante a um sonho prolongado.

Um outro estado patológico é a psicose, cuja relação histórica com os sonhos é muito antiga, remetendo aos primórdios da civilização ocidental. Na mitologia grega, Morfeu – o deus dos sonhos – tinha uma irmã chamada Lissa, que era a deusa da loucura. Na filosofia moderna, a relação dos sonhos com a psicose foi abordada por vários pensadores. Kant, por exemplo, disse que "um louco é um sonhador acordado", e Schopenhauer que "um sonho é uma psicose de curta duração, e a psicose é um sonho de longa duração". De acordo com ambos, Wundt também sugeriu que "nós podemos experimentar nos sonhos todos os fenômenos que encontramos nos hospícios". Sigmund Freud, em *A Interpretação dos Sonhos*, postulou que a psicose é relacionada a uma intrusão anormal de atividade onírica no estado de vigília, como se os esquizofrênicos estivessem sonhando despertos[38]. Emil Kraepelin, a despeito de ser um dos maiores opositores das ideias de Freud, concordava com o pai da psicanálise nesse aspecto[140].

A relação entre sonho e loucura pode ser entendida com um pouco de introspecção sobre a atividade onírica. Durante o sonho, experimentamos sensações e emoções que não provêm do ambiente externo, mas mesmo assim são consideradas reais, como se fossem alucinações. Nesse estado, acreditamos sem reservas no conteúdo onírico, por mais absurdo que seja, como acontece nos delírios. Sonho e psicose se assemelham também em termos neurobiológicos, pois ambos são caracterizados por uma diminuição na atividade da região frontal[41,141-144]. A exceção para a regra de que nos sonhos acreditamos que o mesmo é real – provavelmente devido a uma atividade diminuída na região frontal – seria o sonho lúcido, pois nesse estado sabemos que estamos sonhando, o que pode ser devido a um aumento da atividade na região frontal, como dito antes.

Nesse contexto, surge a pergunta: como são os sonhos lúcidos dos pacientes psicóticos? Para responder essa questão, aplicamos um questionário de sonhos lúcidos em pacientes com diagnóstico de esquizofrenia e transtorno do humor bipolar. Nesse trabalho, encontramos que os sujeitos psicóticos têm em média a mesma quantidade de sonhos lúcidos que os sujeitos controles. No entanto, pacientes psicóticos relatam ter mais controle sobre os sonhos lúcidos que os sujeitos sem psicose[49]. Acreditamos que isso pode ser devido ao fato deles tentarem controlar seus delírios e alucinações enquanto estão despertos, o que poderia se refletir em alguma instância nos sonhos também. Entretanto, até onde sabemos, esse permanece sendo o único estudo sobre os sonhos lúcidos em sujeitos com diagnóstico de psicose, portanto mais pesquisas são necessárias para verificar se esse resultado se replica, e também para entendermos melhor a relação entre os sonhos lúcidos e as síndromes psicóticas.

Por último, temos os estados alterados da consciência, que como dito anteriormente, são assim chamados porque são induzidos por algum agente, que pode ser uma técnica cognitivo-comportamental, uma substância psicotrópica ou um estímulo físico. Em termos de alteração da consciência por agentes cognitivo-comportamentais, destacam-se a "meditação" e a "hipnose". O estado meditativo é caracterizado por um estado de vigília com os olhos fechados e a mente relaxada, o que favorece um aumento da potência do ritmo alfa[29,145]. Verificou-se também que praticantes experientes de meditação apresentam alterações no sono, por exemplo um número maior de movimentos oculares rápidos durante o sono REM, o que pode influenciar os sonhos dessas pessoas[146], inclusive aumentando a frequência de sonhos lúcidos[93]. O estado de hipnose é alcançado por sugestão verbal, fazendo com que o sujeito adentre um estado relaxado semelhante ao sono (o nome "hipnose" vem do grego Hipnos, deus do sono), porém com uma certa manutenção da atenção. A hipnose tem sido usada com sucesso para a modulação emocional em diferentes tipos de dor[147], apesar de – infelizmente – ser quase sempre deturpada, como em programas de televisão.

Um estado de consciência que pode acontecer espontaneamente ou ser induzido de modo artificial é conhecido como "experiência fora do corpo", que é definida como uma sensação subjetiva que a pessoa tem de ter saído do próprio corpo, como se sua alma ou espírito pudesse se ver livre dos limites físicos corpóreos[148-149]. A "experiência fora do corpo" pode ser induzida artificialmente, utilizando estimulação elétrica ou magnética em uma região conhecida como junção temporoparietal[150]. Essa região fica na interseção dos lobos occipital, temporal e parietal, que processam respectivamente os estímulos visuais, auditivos e tácteis, permitindo a construção do esquema corporal que subjaz à noção de *self*[151,152]. A experiência fora do corpo pode ser desencadeada também durante o sonho, quando o sonhador vê o próprio corpo por fora, em terceira pessoa, fenômeno esse chamado de "autoscopia"[153-155]. Relatos de autoscopia também ocorrem nos sonhos lúcidos e nas experiências de quase morte.

Outros estados alterados de consciência podem ser induzidos por substâncias psicoativas, ou seja, capazes de provocar mudanças mentais por alteração da química cerebral. Dentre essas destaca-se o ácido lisérgico da dietilamida (LSD)[156], e o 3,4-metilenodioxi-N--metilanfetamina (MDMA) – princípio ativo do *ecstasy*[157]. Outros compostos derivados de plantas e fungos, como o peiote, o cogumelo *Psilocybe cubensis* e o chá da Ayahuasca – cujos princípios ativos são a mescalina, a psilocibina e a dimetiltriptamina, respectivamente – também causam poderosas alterações de consciência, tipicamente em contextos rituais[158-160]. Essas substâncias possuem imenso potencial terapêutico, com especial aplicabilidade no tratamento de doenças mentais[161]. A Ayahuasca, por exemplo, tem efeito antidepressivo em pacientes com depressão unipolar refratária[162], trabalho esse que realizamos em uma parceria entre o Instituto do Cérebro e o Hospital Universitário Onofre Lopes, ambos da UFRN. É interessante notar que os relatos subjetivos das pessoas durante tais estados alterados de consciência induzidos por psicodélicos se assemelham muito à narrativa dos sonhos[163], principalmente dos sonhos lúcidos, já que ambos os estados apresentam tanto características da consciência de vigília quanto de sonho[164].

A despeito de termos focado aqui na relação entre sobre sonho e consciência, é importante lembrar que a maior parte da nossa vida mental é inconsciente, e que uma parte significativa das nossas decisões está embasada em fatores inconscientes, como muito bem observou o pai da psicanálise[38].

■ Referências bibliográficas

1. Aserinsky E. The discovery of REM sleep. J Hist Neurosci 1996;Dec;5(3):213.
2. Aserinsky E, Kleitman N. Regularly occurring periods of eye motility, and concomitant phenomena, during sleep. Science 1953; Sep 4;118(3062):273-4.
3. Aserinsky E, Kleitman N. Two types of ocular motility occurring in sleep. J Appl Physiol. 1955 Jul 1;8(1):1-0.
4. Dement W, Kleitman N. Cyclic variations in EEG during sleep and their relation to eye movements, body motility, and dreaming. Electroencephalogr Clin Neurophysiol. 1957 Nov 30;9(4):673-90.
5. Dement W, Kleitman N. The relation of eye movements during sleep to dream activity: an objective method for the study of dreaming. J Exp Psychol. 1957 May;53(5):339.
6. Palagini L, Rosenlicht N. Sleep, dreaming, and mental health: a review of historical and neurobiological perspectives. Sleep Med Rev. 2011 Jun 30;15(3):179-86.
7. Jouvet M. Research on the neural structures and responsible mechanisms in different phases of physiological sleep. Arch Ital Biol. 1962;100:125.
8. Hobson JA, MCarley RW. The brain as a dream state generator: an activation-synthesis hypothesis of the dream process. Am J Psychiatr. 1977;134:1335-48.
9. Solms M. The feeling brain: Selected papers on neuropsychoanalysis. Karnac Books; 2015.
10. Foulkes WD. Dream reports from different stages of sleep. J Abnorm Soc Psychol. 1962 Jul;65(1):14.
11. Nielsen TA. A review of mentation in REM and NREM sleep: "covert" REM sleep as a possible reconciliation of two opposing models. Behav Brain Sci. 2000 Dec;23(6):851-66.
12. Hobson JA, Pace-Schott EF, Stickgold R. Dreaming and the brain: toward a cognitive neuroscience of conscious states. Behav Brain Sci. 2000 Dec;23(6):793-842.
13. Foulkes D, Vogel G. Mental activity at sleep onset. J Abnorm Psychol. 1965 Aug;70(4):231.
14. Cavallero C, Cicogna P, Natale V, Occhionero M, Zito A. Slow wave sleep dreaming. Sleep. 1992 Nov 1;15(6):562-6.
15. Solms M. The neuropsychology of dreams: A clinico-anatomical study. L. Erlbaum; 1997.

16. Solms M. Dreaming and REM sleep are controlled by different brain mechanisms. Behav Brain Sci. 2000 Dec;23(6):843-50.
17. Panksepp J. Affective neuroscience: The foundations of human and animal emotions. Oxford university press; 2004.
18. Nestler EJ. Is there a common molecular pathway for addiction? Nat Neurosci. 2005 Nov 1;8(11).
19. Perogamvros L, Schwartz S. The roles of the reward system in sleep and dreaming. Neurosci Biobehav Rev. 2012 Sep 30;36(8):1934-51.
20. Solms M, Malcolm-Smith S, Wainstein D. Dreaming in Neurological Disorders. In Sleep Disorders Medicine. Springer: New York; 2017. p. 963-976.
21. Antrobus J, Kondo T, Reinsel R, Fein G. Dreaming in the late morning: Summation of REM and diurnal cortical activation. Conscious Cogn. 1995 Sep 30;4(3):275-99.
22. Wamsley EJ, Hirota Y, Tucker MA, Smith MR, Antrobus JS. Circadian and ultradian influences on dreaming: a dual rhythm model. Brain Res Bull. 2007 Jan 9;71(4):347-54.
23. McCarley RW. Neurobiology of REM and NREM sleep. Sleep Med. 2007 Jun;8(4):302-30.
24. Dzirasa K, Ribeiro S, Costa R, Santos LM, Lin S, Grosmark A, Sotnikova D, Gainetdinov RR, Caron MG, Nicolelis MAL. Dopaminergic control of sleep-wake states. J Neurosci. 2006 Oct 11;26(41):10577-89.
25. Steriade M, Amzica F, Contreras D. Synchronization of fast (30-40 Hz) spontaneous cortical rhythms during brain activation. J Neurosci. 1996 Jan;16(1):392-417.
26. Saper CB, Scammell TE, Lu J (2005). Hypothalamic regulation of sleep and circadian rhythms. Nature. 2005 Oct 27;437(7063):1257-63.
27. Llinas R, Ribary U. Coherent 40Hz oscillation characterizes dream state in humans. Proc Natl Acad Sci U S A. 1993 Mar 1;90(5):2078-81.
28. Jensen O, Kaiser J, Lachaux JP. Human gamma-frequency oscillations associated with attention and memory. Trends Neurosci. 2007 Jul;30(7):317-24.
29. Berger H. On the electroencephalogram of man. Electroencephalogr Clin Neurophysiol. 1969:Suppl 28:37.
30. Adrian ED, Matthews BH. The interpretation of potential waves in the cortex. J Physiol. 1934 Jul 31;81(4):440-71.
31. Rechtschaffen A, Kales A. A Manual of Standardized Terminology Techniques and Scoring System for Sleep Stages of Human Subjects. Los Angeles: University of California; 1968.
32. Iber C, Ancoli-Israel S, Chesson A, Quan SF. The American Academy of Sleep Medicine Manual for the Scoring of Sleep and Associated Events. Westchester: American Academy of Sleep Medicine; 2007.
33. Winson J. The biology and function of rapid eye movement sleep. Curr Opin Neurobiol. 1993 Apr;3(2):243-8.
34. Poe GR, Nitz DA, McNaughton BL, Barnes CA. Experience-dependent phase-reversal of hippocampal neuron firing during REM sleep. Brain Res. 2000 Feb 7;855(1):176-80.
35. Klemm WR. Why Does Rem Sleep Occur? A Wake-Up Hypothesis. Front Syst Neurosci. 2011 Sep 6;5:73.
36. Edelman GM. Bright Air, Brilliant Fire: On the Matter of the Mind. Basic Books: New York; 1992.
37. Hobson JA. REM sleep and dreaming: towards a theory of protoconsciousness. Nat Rev Neurosci. 2009 Nov;10(11):803-13.
38. Freud S. The interpretation of dreams. Encyclopedia Britannica: London; 1900.
39. Ribeiro S, Mota-Rolim SA. Bases biológicas da atividade onírica. Em Sono e seus transtornos. Atheneu: São Paulo; 2012.
40. Braun AR, Balkin TJ, Wesensten NJ, Carson RE, Varga M, Baldwin P, Selbie S, Belenky G, Herscovitch P. Regional cerebral blood flow throughout the sleep-wake cycle. Brain. 1997 Jul;120 (Pt 7):1173-97.
41. Maquet P, Peters JM, Aerts J, Delfiore G, Degueldre C, Luxen A, Franck G. Functional neuroanatomy of human rapid-eye-movement sleep and dreaming. Nature. 1996 Sep 12;383(6596):163-6.
42. Devinsky O, Morrell MJ, Vogt BA. Contributions of anterior cingulate cortex to behaviour. Brain. 1995 Feb;118 (Pt 1):279-306.
43. Muzur A, Pace-Schott EF, Hobson JA. The prefrontal cortex in sleep. Trends Cogn Sci. 2002 Nov 1;6(11):475-481.
44. Van Eeden F. A study of dreams. PSPR 1913; 26, 431-61.
45. Hearne KMT. Lucid Dreams: An Electrophysiological and Psychological Study. Doctoral dissertation. University of Liverpool: England, 1978.
46. Laberge S, Nagel L, Dement WC, Zarcone V. Lucid dream verified by volitional communication during REM sleep. Percept Mot Skills. 1981 Jun;52(3):727-32.
47. Brylowski A, Levitan L, LaBerge S. H-reflex suppression and autonomic activation during lucid REM sleep: a case study. Sleep. 1989 Aug;12(4):374-8.
48. Mota-Rolim SA. Epidemiological, cognitive-behavioral and neurophysiologic aspects of lucid dreaming. Natal: Editora da UFRN; 2012. Tese de Doutorado disponível em https://repositorio.ufrn.br/jspui/handle/123456789/17221.

49. Mota NB, Resende A, Mota-Rolim SA, Copelli M, Ribeiro S. Psychosis and the control of lucid dreaming. Front Psychol. 2016 Mar 9;7:294.
50. Dresler M, Wehrle R, Spoormaker VI, Koch SP, Holsboer F, Steiger A, Obrig H, Sämann PG, Czisch M. Neural correlates of dream lucidity obtained from contrasting lucid versus non-lucid REM sleep: a combined EEG/fMRI case study. Sleep. 2012 Jul 1;35(7):1017-20.
51. Stumbrys T, Erlacher D, Schredl M. Testing the involvement of the prefrontal cortex in lucid dreaming: a tDCS study. Conscious Cogn. 2013 Dec;22(4):1214-22.
52. Filevich E, Dresler M, Brick TR, Kühn S. Metacognitive mechanisms underlying lucid dreaming. J Neurosci. 2015 Jan 21;35(3):1082-8.
53. Mota-Rolim SA, Pantoja ALH, Pinheiro RSE, Camilo AF, Barbosa TN, Hazboun IM, Araujo JF, Ribeiro S. Lucid dream: sleep electroencephalographic features and behavioral induction methods. Poster presented at I Congress IBRO/LARC of Neuro-sciences for Latin America, Caribbean and Iberian Peninsula. Búzios: Brazil; 2008. https://www.academia.edu/3102540/Lucid_dream_sleep_electroencephalographic_features_and_behavioral_induction_methods_2009_
54. Voss U, Holzmann R, Tuin I, Hobson, JA. Lucid dreaming: a state of consciousness with features of both waking and non-lucid dreaming. Sleep. 2009 Sep;32(9):1191-200.
55. Voss U, Holzmann R, Hobson JA, Paulus W, Koppehele-Gossel J, Klimke A, Nitsche MA. Induction of self awareness in dreams through frontal low current stimulation of gamma activity. Nat Neurosci. 2014 Jun;17(6):810-2.
56. Ogilvie RD, Hunt HT, Tyson PD, Lucescu ML, Jeakins DB. Lucid dreaming and alpha activity: a preliminary report. Percept Mot Skills. 1982 Dec;55(3 Pt 1):795-808.
57. Tyson PD, Ogilvie RD, Hunt HT. Lucid, prelucid, and nonlucid dreams related to the amount of EEG alpha activity during REM sleep. Psychophysiology. 1984 Jul;21(4):442-51.
58. Wengyal T. Os yogas tibetanos do sono e dos sonhos. Devir: São Paulo; 2010.
59. Combs A, Krippner S. Walter Freeman III and the Chaotic Nature of Dreams. Nonlinear Dynamics Psychol Life Sci. 2017 Oct;21(4):475-484.
60. Lorenz EN. Deterministic nonperiodic flow. J Atmospheric Sci. 1963;20: 130–141.
61. Siclari F, Baird B, Perogamvros L, Bernardi G, LaRocque JJ, Riedner B, Boly M, Postle BR, Tononi G. The neural correlates of dreaming. Nat Neurosci. 2017; Jun;20(6):872-878.
62. Peasant N, Zadra A. Dream content and psychological well-being: A longitudinal study of the continuity hypothesis. J Clin Psychol. 2006; 62(1): 111-121.
63. Skancke J, Holsen I, Schredl M. Continuity between waking life and dreams of psychiatric patients: a review and discussion of the implications for dream research. Nt J Dream Res. 2014;7(1):39-53.
64. Kramer, M. Dream differences in psychiatric patients. In Pandi-Perumal DR & Kramer M (Eds.). Sleep and Mental Illness. New York: Cambridge University Press; 2010. p. 375-283.
65. Colace C. Drug Dreams: Clinical and Research Implications of Dreams about Drugs in Drug-addicted Patients. London: Karnac Books; 2014.
66. Schredl M. Dreams in patients with sleep disorders. Sleep Med Rev. 2009 Jun 30;13(3):215-21.
67. Lusignan FA, Zadra A, Dubuc MJ, Daoust AM, Mottard JP, Godbout R. Dream content in chronically-treated persons with schizophrenia. Schizophr Res. 2009 Jul 31;112(1):164-73.
68. Schredl M, Engelhardt H. Dreaming and psychopathology: Dream recall and dream content of psychiatric inpatients. Sleep Hypn. 2001. 3(1), 44-54.
69. Schredl M. Dream research in schizophrenia: methodological issues and a dimensional approach. Conscious Cogn. 2011 Dec 31;20(4):1036-41.
70. Kramer M, Roth T. Dreams in psychopathologic patient groups. In Williams TL, Karacan I (Eds.). Sleep Disorders: Diagnosis and Treatment. John Wiley & Sons, New York;1978. pp. 323-349.
71. Okorome Mume C. Nightmare in schizophrenic and depressed patients. Eur J Psychiatry. 2009 Sep;23(3):177-83.
72. Sheaves B, Onwumere J, Keen N, Stahl D, Kuipers E. Nightmares in patients with psychosis: the relation with sleep, psychotic, affective, and cognitive symptoms. Can J Psychiatry. 2015 Aug;60(8):354-61.
73. Michels F, Schilling C, Rausch F, Eifler S, Zink M, Meyer-Lindenberg A, Schredl M. Nightmare frequency in schizophrenic patients, healthy relatives of schizophrenic patients, patients at high risk states for psychosis, and healthy controls. Nt J Dream Res. 2014;7(1):9-13.
74. Kramer M, Hlasny R, Jacobs G, Roth T. Do dreams have meaning? An empirical inquiry. Am J Psychiatry. 1976 Jul;133(7):778.
75. Mellen RR, Duffey TH, Craig SM. Manifest content in the dreams of clinical populations. J Ment Health Couns. 1993 Apr.

76. Schredl M, Berger M, Riemann D. The effect of trimipramine on dream recall and dream emotions in depressive outpatients. Psychiatry Res. 2009 May 30;167(3):279-86.
77. Cartwright R, Agargun MY, Kirkby J, Friedman JK. Relation of dreams to waking concerns. Psychiatry Res. 2006 Mar 30;141(3):261-70.
78. Tribl GG, Wetter TC, Schredl M. Dreaming under antidepressants: A systematic review on evidence in depressive patients and healthy volunteers. Sleep Med Rev. 2013 Apr 30;17(2):133-42.
79. Agargun MY, Cartwright R. Melancholic Features and Dream Masochism in Patients with Major Depression. Sleep and Hypn. 2016;18(4):92-6.
80. Cartwright RD. "Masochism" in dreaming and its relation to depression. Dreaming. 1992 Jun;2(2):79.
81. Bears M, Cartwright R, Mercer P. Masochistic dreams: A gender-related diathesis for depression revisited. Dreaming. 2000 Dec;10(4):211.
82. Johnson B. Drug dreams: a neuropsychoanalytic hypothesis. J Am Psychoanal Assoc. 2001 Feb;49(1):75-96.
83. Colace C. Dreaming in addiction: A study on the motivational bases of dreaming processes. Neuropsychoanalysis. 2004 Jan 1;6(2):165-79.
84. Choi SY. Dreams as a prognostic factor in alcoholism. Am J Psychiatry. 1973 Jun;130(6):699-702.
85. Fiss H. Dream content and response to withdrawal from alcohol. Sleep Res. 1980;9:152.
86. Schredl M, Schäfer, G, Weber B, Heuser I. Dreaming and insomnia: dream recall and dream content of patients with insomnia. J Sleep Res. 1998 Sep 1;7(3):191-8.
87. Strauch I, Meier B, Kaiser F. Developmental aspects of sleep onset insomnia in adolescents. Sleep. 1985;85:386-8.
88. Schredl M, Binder R, Feldmann S, Göder R, Hoppe J, Schmitt J, Schweitzer M, Specht M, Steinig J. Dreaming in patients with sleep disorders. Somnologie (Berl). 2012 Mar 1;16(1):32-42.
89. Carrasco E, Santamaria J, Iranzo A, Pintor L, Pablo JD, Solanas A, Kumru H, Martínez Rodríguez JE, Boget T. Changes in dreaming induced by CPAP in severe obstructive sleep apnea syndrome patients. J Sleep Res. 2006 Dec 1;15(4):430-6.
90. Ribeiro S, Nicolelis MAL. The evolution of Neural Systems for Sleep and Dreaming. Elsevier: Amsterdam; 2007.
91. Revonsuo A. The reinterpretation of dreams: An evolutionary hypothesis of the function of dreaming. Behav Brain Sci. 2000 Dec;23(6):877-901; discussion 904-1121.
92. Gujar N, McDonald SA, Nishida M, Walker MP. A role for REM sleep in recalibrating the sensitivity of the human brain to specific emotions. Cereb Cortex. 2011 Jan;21(1):115-23.
93. Mota-Rolim SA, Targino ZH, Souza BC, Blanco W, Araujo JF, Ribeiro, S. Dream characteristics in a Brazilian sample: an online survey focusing on lucid dreaming. Front Hum Neurosci. 2013 Dec 10;7:836.
94. Naiman R. Dreamless: the silent epidemic of REM sleep loss. Ann N Y Acad Sci. 2017 Oct;1406(1):77-85.
95. Laberge S, Rheingold H. Exploring the world of lucid dreaming. Ballantine: New York; 1990.
96. de Sá JFR, Mota-Rolim SA. Sleep Paralysis in Brazilian Folklore and Other Cultures: A Brief Review. Front Psychol. 2016 Sep 7;7:1294.
97. Hartmann E. The nightmare. Basic Books: New York; 1984.
98. Agargun MY, Besiroglu L, Cilli AS, Gulec M, Aydin A, Inci R, Selvi Y. Nightmares, suicide attempts, and melancholic features in patients with unipolar major depression. J Affect Disord. 2007 Mar;98(3):267-70.
99. Davidson JRT. Transtorno de Estresse Pós-Traumático e Transtorno de Estresse Agudo. Em: Kaplan HI, Sadock BJ, editores. Tratado de Psiquiatria. Porto Alegre: Artmed; 1999.
100. Schreuder BJ, Kleijn WC, Rooijmans HG. Nocturnal re-experiencing more than forty years after war trauma. J Trauma stress. 2000 Jul;13(3):453-63.
101. American Psychiatric Association. Diagnostic and Statistical Manual of Mental Disorders 4ed. (DSM-IV). Washington: American Psychiatric Association; 1994.
102. Blazer II D. Transtornos do humor: epidemiologia. Em Kaplan, H.I. & Sadock, B.J. Tratado de Psiquiatria, Ed. 6. Porto Alegre: Artmed; 1999.
103. Sjöström N, Waern M, Hetta J. Nightmares and sleep disturbances in relation to suicidality in suicide attempters. Sleep. 2007 Jan;30(1):91-5.
104. Chellappa SL, Araújo JF. Sleep disorders and suicidal ideation in patients with depressive disorder. Psychiatry Res. 2007 Oct 31;153(2):131-6.
105. Schredl M, Erlacher D. Lucid dreaming frequency and personality. Personal. Individ. Differ. 2004 Nov;4(7):1463-73.
106. Saint-Denys H. Dreams and how to guide them. London: Duckworth; 1982.
107. Tholey P. A model of lucidity training as a mean of self healing and psychological growth. Conscious mind, dreaming brain. In Gackenbach, J. and Laberge, S. (Eds). New York: Plenum Press; 1988.
108. Brylowski A. Nightmare in crisis: clinical applications of lucid dreaming techniques. Psychiatr J Univ Ott. 1990 Jun;15(2):79-84.

109. Abramovitch H. The nightmare of returning home: a case of acute onset nightmare disorder treated by lucid dreaming. Isr J Psychiatry Relat Sci. 1995;32(2):140-5.
110. Zadra AL, Pihl RO. Lucid dreaming as a treatment for recurrent nightmares. Psychother Psychosom. 1997;66(1):50-5.
111. Spoormaker VI, van den Bout, J (2006). Lucid dreaming treatment for nightmares: a pilot study. Psychother Psychosom. 2006;75(6):389-94.
112. Tanner BA. Multimodal behavioral treatment of nonrepetitive, treatment-resistant nightmares: a case report. Percept Mot Skills. 2004 Dec;99(3 Pt 2):1139-46.
113. Blagrove MT, Farmer LH, Williams ME. Differential associations of psychopathology with nightmare frequency and nightmare suffering. Sleep. 2001;24: A181-182.
114. Aurora RN, Zak RS, Auerbach SH, Casey KR, Chowdhuri S, Karippot A, Maganti RK, Ramar K, Kristo DA, Bista SR, Lamm CI, Morgenthaler TI; Standards of Practice Committee, American Academy of Sleep Medicine (2010). Best practice guide for the treatment of nightmare disorder in adults. J Clin Sleep Med. 2010 Aug 15;6(4):389-401.
115. Chalmers DJ. Facing up to the problem of consciousness. J Conscious Stud. 1995, 2(3): 200-219.
116. Sartre JP. Being and nothingness: an essay in phenomenological ontology. Citadel Press: New York; 2001.
117. Dennett DC. Content and consciousness. Routledge: London; 2002.
118. Edelman GM. Wider Than the Sky: The Phenomenal Gift of Consciousness. Yale University Press: London; 2005.
119. Metzinger T. Neural correlates of consciousness: Empirical and conceptual questions. MIT Press: Cambridge; 2000.
120. Tononi G, Koch C. The Neural Correlates of Consciousness: An Update. Ann N Y Acad Sci. 2008 Mar;1124:239-61.
121. Mota-Rolim SA, Araujo JF. Neurobiology and clinical implications of lucid dreaming. Medical Hypotheses 2013 Nov;81(5):751-6.
122. Singer JL. The inner world of daydreaming. Harper & Row: Oxford; 1975.
123. Langer AI, Cangas AJ, Serper M. Analysis of the multidimensionality of hallucination-like experiences in clinical and nonclinical Spanish samples and their relation to clinical symptoms: implications for the model of continuity. Int J Psychol. 2011 Feb 1;46(1):46-54.
124. Green C. Lucid dreams. Hamish Hamilton: London; 1968.
125. Barrett D. Flying dreams and lucidity: an empirical study of their relationship. Dreaming. 1991;1:129–134.
126. Ohayon MM, Zulley J, Guilleminault C, Smirne S. Prevalence and pathologic associations of sleep paralysis in the general population. Neurology. 1999 Apr 12;52(6):1194-200.
127. Ness RC. The Old Hag" phenomenon as sleep paralysis: a biocultural interpretation. Cult Med Psychiatry. 1978 Mar;2(1):15-39.
128. Kettlewell N, Lipscomb S, Evans E. Differences in neuropsychological correlates between normals and those experiencing "Old Hag Attacks". Percept Mot Skills. 1993 Jun;76(3 Pt 1):839-45; discussion 846.
129. McNally RJ, Clancy SA. Sleep paralysis, sexual abuse, and space alien abduction. Transcult Psychiatry. 2005 Mar;42(1):113-22.
130. Aina OF, Famuyiwa OO. Ogun Oru: a traditional explanation for nocturnal neuro-psychiatric disturbances among the Yoruba of Southwest Nigeria. Transcult Psychiatry. 2007 Mar;44(1):44-54.
131. Cascudo LC. Dicionário do Folclore Brasileiro. Global: São Paulo; 2012.
132. Broughton RJ. Sleep disorders: disorders of arousal? Science. 1968 Mar 8;159:1070-78.
133. Schenck CH, Bundlie SR, Ettinger MG, Mahowald MW. Chronic behavioral disorders of human REM sleep: a new category of parasomnia. Sleep. 1986 Jun;9(2):293-308.
134. Boeve BF, Silber MH, Saper CB, Ferman TJ, Dickson DW, Parisi JE, Benarroch EE, Ahlskog JE, Smith GE, Caselli RC, Tippman-Peikert M, Olson EJ, Lin SC, Young T, Wszolek Z, Schenck CH, Mahowald MW, Castillo PR, Del Tredici K, Braak H. Pathophysiology of REM sleep behaviour disorder and relevance to neurodegenerative disease. Brain. 2007 Nov;130(Pt 11):2770-88.
135. Lempert T, Bauer M, Schmidt D. Syncope and near-death experience. Lancet. 1994 Sep 17;344(8925):829-30.
136. Nelson KR, Mattingly M, Lee SA, Schmitt FA. Does the arousal system contribute to near death experience? Neurology. 2006 Apr 11;66(7):1003-9.
137. Belanti J, Perera M, Jagadheesan K. Phenomenology of near-death experiences: a cross-cultural perspective. Transcult Psychiatry. 2008 Mar;45(1):121-33.
138. Posner J, Saper C, Schiff N, Plum F. Plum and Posner's diagnosis of stupor and coma. Oxford University Press: New York; 2007.
139. Brown EM, Lydic R, Schiff ND. General anesthesia, sleep, and coma. N Engl J Med. 2010 Dec 30;363(27):2638-50.

140. Heynick F. Language and its dream disturbance. Wiley: Toronto; 1993.
141. Fischman LG. Dreams, hallucinogenic drug states, and schizophrenia: a psychological and biological comparison. Schizophr Bull. 1983;9(1):73-94.
142. Semkovska M, Bédard MA, Stip E. Hypofrontality and negative symptoms in schizophrenia: synthesis of anatomic and neuropsychological knowledge and ecological perspectives. Encephale. 2001 Sep-Oct;27(5):405-15.
143. Gottesmann C. The dreaming sleep stage: a new neurobiological model of schizophrenia? Neuroscience. 2006 Jul 21;140(4):1105-15.
144. Llewellyn S. In two minds? Is schizophrenia a state 'trapped' between waking and dreaming? Med Hypotheses. 2009 Oct;73(4):572-9.
145. Varela FJ, Thompson E, Rosch E. The embodied mind: cognitive science and human experience. The MIT Press: Cambridge; 1945.
146. Manson Ll, Alexander CN, Travis FT, Marsh G, Orme-Johnson DW, Gackenbach J, Mason DC, Rainforth M, Walton KG. Electrophysiological correlates of higher states of consciousness during sleep in long-term practitioners of the transcendental meditation program. Sleep. 1997 Feb;20(2):102-10.
147. Abrahamsen R, Dietz, M, Lodahl S, Effect of hypnotic pain modulation on brain activity in patients with temporomandibular disorder. Pain. 2010 Dec;151(3):825-33.
148. Blackmore S. Beyond the body. An investigation of out-of-body experiences. Heinemann: London; 1982.
149. de Sá JFR, Mota-Rolim SA. Experiências fora do corpo: aspectos históricos e neurocientíficos. Cien. Cogn. 2015;20:189-198.
150. De Ridder D, Van Laere K, Dupont P, Menovsky T, Van de Heyning P. Visualizing out-of-body experience in the brain. N Engl J Med. 2007 Nov 1;357(18):1829-33.
151. Blanke O, Mohr C. Out-of-body experience, heautoscopy, and autoscopic hallucination of neurological origin. Implications for neurocognitive mechanisms of corporeal awareness and self-consciousness. Brain Res Brain Res Rev. 2005 Dec 1;50(1):184-99.
152. Blanke O, Mohr C, Michel CM, Linking out-of-body experience and self processing to mental own-body imagery at the temporoparietal junction. J Neurosci. 2005 Jan 19;25(3):550-7.
153. Irwin HJ. Out-of-the-body experiences and dream lucidity. in: J. Gackenbach, S. Laberge (Eds.) Conscious Mind, Sleeping Brain. Plenum: New York; 1988.
154. LaBerge S, Levitan L, Brylowski A, Dement W. "Out-of-body" experiences occurring during REM sleep. Sleep Res 1988;17:115.
155. Levitan L, LaBerge S, DeGracia DJ, Zimbardo PG. Out-of-body experiences, dreams, and REM sleep. Sleep Hypn. 1999;1:186-196.
156. Hofmann A. How LSD Originated. J Psychedelic Drugs. 1979 Jan-Jun;11(1-2):53-60.
157. Shulgin A, Shulgin A. Pihkal: A Chemical Love Story. Transform Press: Berkeley; 1991.
158. Aberle DF, Moore HC. The Peyote Religion Among the Navaho. University of Oklahoma Press: Oklahoma; 1982.
159. McKenna DJ, Towers GHN, Abbott F. Monoamine oxidase inhibitors in South American hallucinogenic plants: tryptamine and -carboline constituents of ayahuasca. J Ethnopharmacol. 1984 Apr;10(2):195-223.
160. Griffiths RR, Richards WA, McCann U, Jesse R. Psilocybin can occasion mystical-type experiences having substantial and sustained personal meaning and spiritual significance. Psychopharmacology (Berl). 2006 Aug;187(3):268-83.
161. Nutt DJ, King LA, Nichols DE. Effects of Schedule I drug laws on neuroscience research and treatment innovation. Nat Rev Neurosci. 2013 Aug;14(8):577-85.
162. Palhano-Fontes F, Barreto D, Onias H, Andrade KC, Novaes M, Pessoa JA, Mota-Rolim SA, Osório FL, Sanches R, Santos RG, Tofoli LF, Silveira GO, Yonamine M, Riba J, Santos FR, Silva-Junior AA, Alchieri JC, Galvão-Coelho N, Lobão-Soares B, Hallak JEC, Arcoverde E, Maia-de-Oliveira JP, Araújo DB. Rapid antidepressant effects of the psychedelic ayahuasca in treatment-resistant depression: a randomized placebo-controlled trial. Psychological Medicine 2018, 1-9.
163. Kraehenmann R. Dreams and Psychedelics: Neurophenomenological Comparison and Therapeutic Implications. Curr Neuropharmacol. 2017;15(7):1032-42.
164. Kraehenmann R, Pokorny D, Vollenweider L, Preller KH, Pokorny T, Seifritz E, Vollenweider FX. Dreamlike effects of LSD on waking imagery in humans depend on serotonin 2A receptor activation. Psychopharmacology (Berl). 2017 Jul;234(13):2031-46.

Índice Remissivo

A
Acatisia, 147
Ácido lisérgico da dietilamida, 216
Actigrafia, 71
Agentes dopaminérgicos, 151
Agomelatina, 89, 92
Agonistas
    GABA não benzodiazepínicos, 87
    melatoninérgicos, 96
Agrypnia excitata, 171
Aldosterona, 17
Alucinações hipnagógicas e hipnopômpicas, 171
Amitriptilina, 89, 91
Antagonistas da hipocretina, 96
Antidepressivos, 89
    sedativos, 89
    tricíclicos, 91
Aparelhos
    de pressão positiva, 181
    intraorais, 182
Apetite, 22
Apneia
    central do sono, 187
        com respiração de Cheyne-Stokes, 188
        devido ao uso de medicamentos ou substâncias, 192
        emergente de tratamento, 192
        idiopática de altitude, 188
        sem respiração de Cheyne-Stokes, 191
    obstrutiva do sono, 28, 179
Arquitetura geral do sono, 1
Ativação muscular alternante da perna, 158
Aumentação, 151
Auto
    Bilevel, 182
    CPAP, 182

B
Benzodiazepínicos, 92
Berlin Questionnaire (BQ), 42, 46
Bilevel, 182, 190
Bruxismo relacionado ao sono, 155

C
Cãibras
    nos membros inferiores relacionadas ao sono, 155
    noturnas, 147
Células noradrenérgicas, 86
Ciclo sono-vigília irregular, 138
Clonazepam, 170
Complexo K, 5
Continuous Positive Airway Pressure (CPAP), 181, 190
Controle
    da glicemia, 21
    de estímulos, 122
    do apetite, 22
Cortisol, 17

D
Demência por corpos de Lewy, 169
Dependência química, 208
Depressão, 208, 210
Despertar(es)
    confusionais, 166
    precoce e avanço de fase, 77

Diário de sono, 43, 53, 68
Difenidramina, 97
Distúrbios do sono são comuns na gravidez, 78
Doença(s)
   cardiovasculares e insônia, 78
   de Parkinson, 169
   de Willis-Ekbom, 144
   do corpo de Lewy, 169
   neurológicas, insônia, 75
Doxepina, 89, 91, 97

E
Ecstasy, 216
Eixo hipotálamo-hipófise-adrenal, 59
Eletro-oculograma, 31
Eletrocardiograma, 31
Eletroencefalograma, 29, 31
Eletromiograma, 31
Escala
   de distúrbios de sono para crianças, 41, 44
   de graduação da síndrome das pernas inquietas (EGSPI), 42, 50
   de Pittsburgh para avaliação da qualidade do sono, 48
   de sonolência de Epworth, 42, 47, 196
Espasmos hípnicos, 159
Esquizofrenia, 208
Estado da consciência, 211, 212
Estado dissociado, 170
Estágios de sono, 2
   N1, 2
   N2, 2
   N3, 2
   REM, 3
Estresse, 59
   pós-traumático, 210
Eszopiclona, 89
Experiência de quase-morte, 214
Extinção
   gradativa, 122
   não modificada, 122

F
Fatores comportamentais, 66
Fenômeno de antecipação, 148
Fibromialgia, 75
Fisiologia gastrointestinal, 15
Fitoterápicos, 94
Fuso de sono, 5

G
GABA (ácido gama-aminobutírico), 85
Gabapentina, 89
Glicemia, 21
Grelina, 22

H
Hábitos
   diurnos, 66
   inadequados e insônia, 74
Higiene do sono, 108
Hiperalerta, 60
Hipersonia, 195
   idiopática, 38
   secundária a condições médicas, 38
Hipersonolência idiopática, 197
Hipnograma, 2
Hipnóticos seletivos de receptor GABA-A, 87
Hipocretinas, 22
   -1 e -2, 87
Histamina, 86
História clínica e psiquiátrica, 66
Homeostase sono-vigília, 58
Horário reduzido para as rotinas de sono, 122
Hormônio
   adrenocorticotrófico, 17
   do crescimento, 19
   foliculoestimulante, 18
   luteinizante, 18
   tireoestimulante, 19

I
Índice de qualidade de sono de Pittsburgh (PSQI-BR), 42
Insônia, 60
   anamnese, 65

conceito de, 55
critérios diagnósticos, 55
diagnóstico, 64
doenças
    cardiovasculares e, 78
    neurológicas, 75
em idosos, 77
etiopatogenia, 57
fatores
    cognitivos e comportamentais, 60
    genéticos, 61
    neurobiológicos, 58
    neurofuncionais, 59
    psicossociais, 61
hábitos inadequados e, 74
inicial e atraso de fase, 76
microestrutura do sono e, 60
na infância, 118
    abordagem terapêutica, 121
    diagnóstico, 119
    epidemiologia, 119
nas mulheres e na gestação, 78
personalidade e, 74
tempo total de sono e, 61
    objetivo de sono e, 78
transitória ou de ajustamento, 105
transtorno(s)
    do ritmo circadiano e, 76
    mentais e, 74
    respiratórios relacionados ao sono e, 76
tratamento, 84
    farmacológico da, 84
    não farmacológico da, 105
uso de medicamentos e, 74
Insuficiência venosa, 147

J
Jet lag, 129, 130

L
L-triptofano, 97
Leptina, 22
Levodopa, 149, 153

M
MDMA (3,4-metilenodioxi-N-metilanfetamina), 216
Melatonina, 86, 95, 97, 134
Métodos
    diagnósticos, 27
    subjetivos de avaliação do sono, 41
Mindfulness, 111
Mioclonia benigna do sono na infância, 157
Mioclono
    fragmentar excessivo, 158
    proprioespinhal do início do sono, 157
Mirtazapina, 89, 91
Morningness Eveningness Questionnaire (MEQ), 43
Motilidade intestinal, 15
Mudanças de fuso-horário, 129

N
Narcolepsia, 198
    do tipo I, 38
    do tipo II, 38
Neurobiologia, 203
Neurolépticos, 93
Número de movimentos periódicos dos membros durante o sono, 33

# O
Onda(s)
    aguda do vértex, 5
    em dente de serra, 5
Opioides, 192
Orexina A e B, 87

P
Padrão alternante cíclico do sono, 5
Paralisia do sono, 171
Parassonias, 163, 172
    avaliação das, 163
    diagnóstico diferencial das, 172
    do sono não REM, 164
    do sono NREM, 165
        tratamento das, 167
    do sono REM, 167

tratamento comportamental das, 172
Percepção do sono, 60
Personalidade e insônia, 74
Pesadelos, 171
    como possível função adaptativa, 209
    recorrentes, 210
    tratamento dos, 211
Pittsburgh Sleep Quality Index (PSQI), 42, 48
Polissonografia, 28, 30, 196
    elaboração do laudo da, 33
    nas insônias, 70
Pregabalina, 89
Progesterona, 18
Prolactina, 19
Psicopatologia, 207
Psicose, 214

Q

Questionário
    de Berlim, 42, 46
    de matutinidade e vespertinidade, 43
        versão de autoavaliação (MEQ-SA), 50
    do sono, 68

R

Ramelteon, 96, 97
Rebote, 151
Respiração de Cheyne-Stokes, 187
Restless Legs Syndrome Rating Scale (IRLS), 42
Retirada gradativa da presença materna, 122
Ritmo(s)
    cerebrais, 205
    circadiano, 59, 127
    delta, 205
Rotinas positivas, 122

S

Serotonina, 86
Servoventilação, 190
Síndrome(s)
    da apneia central do sono, 183
    da explosão da cabeça, 167
    da hipoventilação relacionada ao sono, 184
    da hipoxemia relacionada ao sono, 186
    das pernas inquietas, 75, 144
    de *jet lag*, 129, 130
    de Kleine-Levin, 197
    do atraso da fase de sono, 133
    do avanço da fase de sono, 77, 135
Sintomas
    isolados e variantes da normalidade, 158
    noturnos, 66
Sinucleopatias, 168
Sistema
    cardiovascular, 12
    digestório, 15
    endócrino, 16
    histaminérgico, 86
    renal, 19
    reprodutor, 20
    respiratório, 14
Sleep Disturbance Scale for Children (SDSC), 41
Sonambulismo, 165
Sonho, 203, 211
    como a doença em si, 209
    doenças neuropsiquiátricas e, 207
    eletrofisiologia, 205
    neuroimagem, 205
    neurotransmissão, 205
Sono
    estrutura do, 1
        fina do, 4
    fisiologia do, 9, 10
        cardiovascular e, 13
        do diagnóstico, 23
        do tratamento, 23
    macroestrutura, 1
    mesoestrutura, 5
    microestrutura, 4
    não REM (NREM), 1
    NREM, 2, 12, 14
        atividade onírica e, 204
        intermediário, 2
        mais superficial, 2

profundo, 2
REM, 1, 2, 3, 13, 15
    atividade onírica e, 203
Status dissociatus, 170
Suvorexant, 96, 97

T

Tasimelteon, 96
Técnica(s)
    de controle de estímulos, 109
    de relaxamento, 109
    de restrição do sono, 109
Tempo total de sono, 33
    e insônia, 61, 78
Teoria da simulação-ameaça, 210
Terapia cognitivo-comportamental, 105, 110
    avaliação para o tratamento, 106
    baseada em *mindfulness*, 110
    componentes cognitivos, 110
    digital, 114
        guiada, 114
        totalmente automatizado, 115
    eficácia para insônia, 112
    para insônia, 108
    sessões de tratamento com, 111
Terapia posicional, 183
Termorregulação, 20
Terror noturno, 166
Teste das múltiplas latências do sono, 37, 197
    elaboração e interpretação do laudo, 40
Testosterona, 18
Tiagabina, 89, 97
Trabalhos em turnos, 131
Transtorno(s)
    alimentar relacionado ao sono, 166
    comportamental do sono
        do movimento rápido do olho idiopático, 168
        REM, 167, 168
            avaliação diagnóstica, 169
            sinucleopatias e, 168
            tratamento, 170
    da ereção peniana, 171
    da insônia, 57
    de ansiedade, 74
    de estresse pós-traumático, 210
    de movimentos
        periódicos de membros, 154
        rítmicos relacionados com o sono, 156
    de sono, 209
        com o ciclo sono-vigília, 138
        em livre-curso, 136
        nos idosos, 77
        relacionado ao
            trabalho em turnos, 131
            ritmo circadiano, 133, 135
    do ciclo sono-vigília não 24 horas, 136
    do humor, 74
    do movimento relacionados com o sono, 143
    do ritmo circadiano, 127
        classificação, 128
        insônia e, 76
    mentais e insônia, 74
    rápido do comportamento do sono do movimento dos olhos, 169
    respiratórios relacionados com o sono, 179
        e insônia, 76
    violentos e sexuais (sexônia) relacionados com o sono, 166
Trazodona, 89, 90, 97
Tremor hipnagógico do pé, 158

U

Uso de medicamentos e insônia, 74

V

Valeriana, 97
Videopolissonografia com montagem estendida, 29
Vigília, 2

Z

Zaleplon, 89
Zolpidem, 88
Zopiclona, 88